해법 중학 국어

비문학 독해 DNA 깨우기

1

독해 원리

비문학 독해 DNA 깨우기 _ ① 독해 원리

교과 내용과 연계하여 배경지식을 쌓고, 단계별로 차근차근 독해 원리를 익힌다!

1 중학교 교과 학습 배경지식을 고루 쌓을 수 있게 하였습니다.

_ 이 책에는 중학교 교과 내용과 연계된 지문이 50% 이상 수록되어 있습니다. 이를 읽으면서 비문학 독해 실력을 기를 뿐만 아니라 교과 학습의 배경지식까지 쌓을 수 있습니다.

_ 지문들은 국어뿐만 아니라 수학, 사회, 역사, 과학, 기술·가정, 미술 등의 교과에서 배우는 내용 가운데 학생들의 흥미와 호기심을 끌 만한 것으로 선정하였습니다.

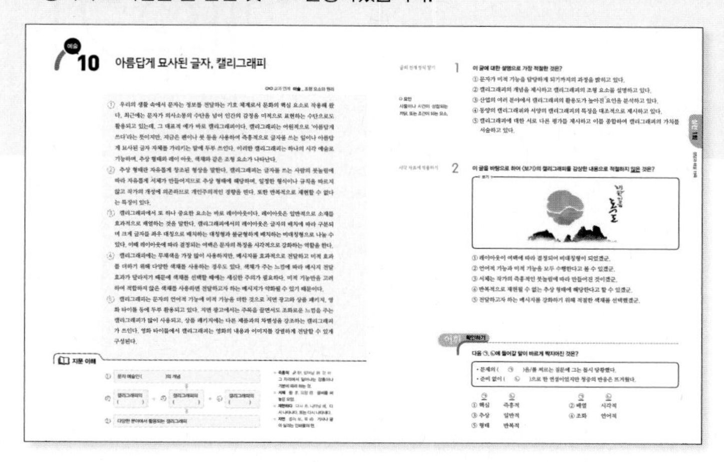

독해 실전

- 읽기만 해도 다양한 배경지식이 쌓이는 지문 선정
- 다수의 모의고사 출제진과 비문학 교재 집필진, 국어 교과서 집필진이 엄선한 문제 수록

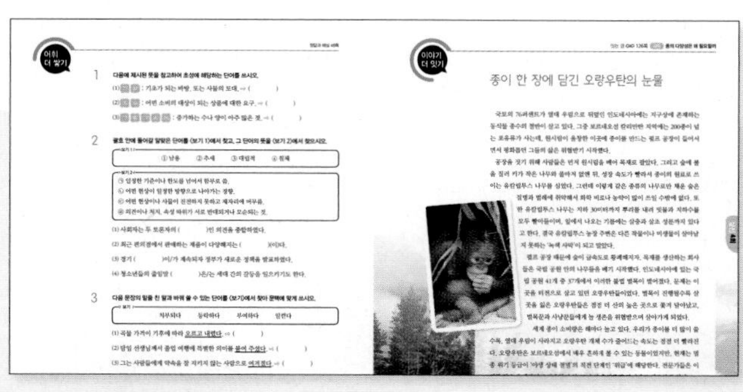

어휘 더 쌓기 / 이야기 더 잇기

- 독해의 기초가 되는 '어휘'를 모아 한번 더 정리
- 지문과 관련한 흥미 있는 읽기 자료 수록

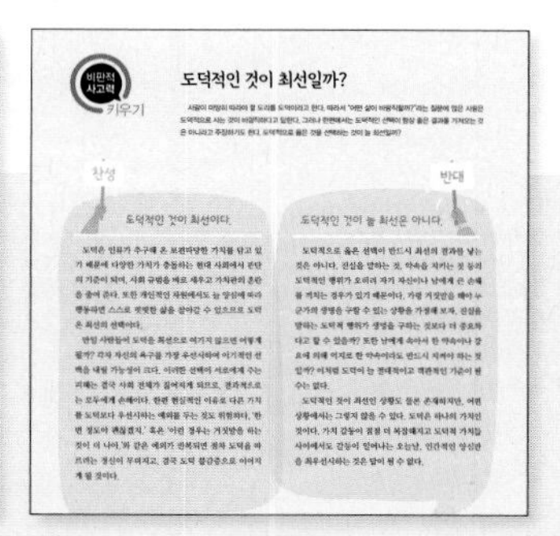

비판적 사고력 키우기, '찬성 vs 반대'

- 중학생 수준에서 생각해 볼 만한 사회 현상이나 문제들에서 주제를 뽑아, 이에 대한 상반된 입장의 두 글을 제시
- 주제에 대한 자신의 입장을 정리해 봄으로써, 비판적 사고력 향상 가능

2 독해 이론을 수록하여 흔들림 없는 독해력을 기를 수 있게 하였습니다.

_ 이 책에는 글을 제대로 읽고 정확히 푸는 방법을 알려 주는 독해 원리가 담겨 있습니다. 제대로 된 독해 비법과 문제 해결 전략을 알면 어려운 지문을 접하더라도 당황하지 않는 탄탄한 독해 실력을 갖출 수 있습니다.

_ 독해 원리는 교육 과정에 제시된 내용을 바탕으로 하여 '내용 파악의 원리, 내용 추론의 원리, 내용 평가의 원리, 내용 적용의 원리'로 구성하였습니다.

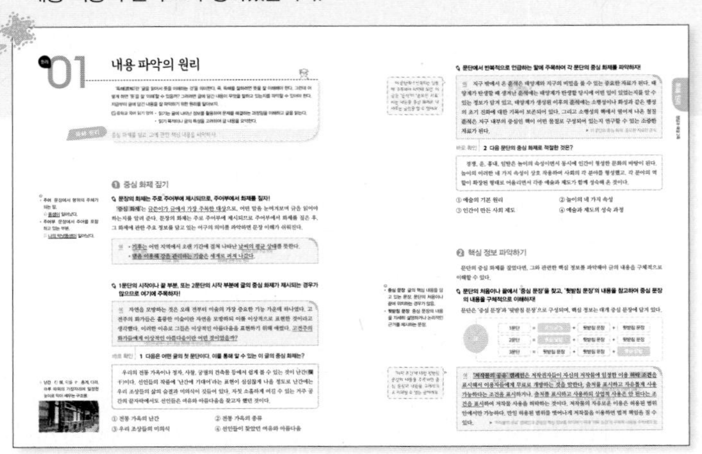

독해 원리

- 독해 실력을 흔들림 없이 탄탄하게 해 줄 '독해 원리' 수록
- 독해의 기본이 되는 원리 학습을 통해 정확히 읽고, 푸는 능력 향상

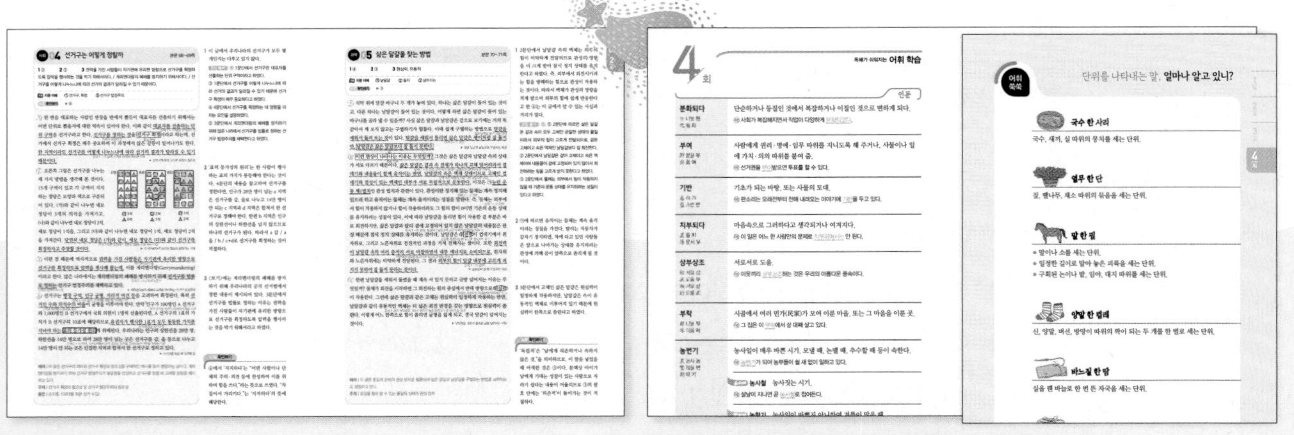

정답과 해설

- 지문에 대한 자세한 해설과 함께 독해 과정에서 꼭 짚어야 할 중심 화제와 주제 안내
- 문제 해결 방법과 함께 정답과 오답의 이유를 친절하게 알려 주어, 학습자 스스로 완벽한 독해 학습 가능

부록 〈독해가 쉬워지는 어휘 학습〉

- 이 책에 나온 어휘 중 중학생 수준에서 반드시 알아야 할 것들을 연관된 한자 성어, 속담, 관용 표현 등과 함께 정리하여 미니북 형태로 제공
- 어휘집을 휴대하여 틈틈이 학습함으로써 독해의 기본이 되는 어휘력 향상

이 책의 차례

1 이 책은 이론 편과 실전 편으로 구성되어 있으며, 1일 2지문, 30일 학습을 권장합니다.

2 실전 편 각 1회는 인문, 사회, 과학, 기술, 예술의 각 영역별 2지문과 통합 1지문으로 구성하였습니다.

3 중학교 교과 연계 지문은 제목 옆에 ★표를 하였으며, 8쪽에 자세한 교과 연계표를 수록하였습니다.

독해?! 원리만 정확히 알면 실전은 문제 없지!

독해 원리

독해 실전 1회

독해 실전 2회

독해 실전 3회

독해 실전 4회

학습 계획표

학습 계획 A

권장 학습 계획표 _하루 두 지문, 30일 완성

		1일	2일	3일	4일	5일	6일
독해 원리	날짜	/	/	/	/	/	/
	학습 내용	원리 01 10쪽~13쪽	원리 01 14쪽~16쪽	원리 02 17쪽~20쪽	원리 02, 03 21쪽~25쪽	원리 03 26쪽~29쪽	원리 04 30쪽~32쪽
	점검						
실전 1회	날짜	/	/	/	/	/	/
	학습 내용	인문 34쪽~37쪽	사회 38쪽~41쪽	과학 42쪽~47쪽	기술 48쪽~51쪽	예술 52쪽~55쪽	통합 56쪽~60쪽
	점검						
실전 2회	날짜	/	/	/	/	/	/
	학습 내용	인문 62쪽~65쪽	사회 66쪽~69쪽	과학 70쪽~75쪽	기술 76쪽~79쪽	예술 80쪽~83쪽	통합 84쪽~88쪽
	점검						
실전 3회	날짜	/	/	/	/	/	/
	학습 내용	인문 90쪽~93쪽	사회 94쪽~97쪽	과학 98쪽~103쪽	기술 104쪽~107쪽	예술 108쪽~111쪽	통합 112쪽~116쪽
	점검						
실전 4회	날짜	/	/	/	/	/	/
	학습 내용	인문 118쪽~121쪽	사회 122쪽~125쪽	과학 126쪽~131쪽	기술 132쪽~135쪽	예술 136쪽~139쪽	통합 140쪽~144쪽
	점검						

이 책을 어떻게 공부하면 좋을지 학습 계획을 세워 봅시다.

학습 계획 B

나만의 학습 계획표

학습 방법 등을 고려하여 나만의 계획을 세워 보세요.

날짜	/	/	/	/	/	/
학습 내용						
점검						

날짜	/	/	/	/	/	/
학습 내용						
점검						

날짜	/	/	/	/	/	/
학습 내용						
점검						

날짜	/	/	/	/	/	/
학습 내용						
점검						

날짜	/	/	/	/	/	/
학습 내용						
점검						

수록 지문의 중학교 교과 내용 연계표

실전 1회

02 토론은 말싸움이 아니다	중학교 국어 3 _ 토론하기
03 지속 가능한 관광을 위하여	중학교 도덕 ② _ 자연과 인간의 바람직한 관계
04 지도가 거짓말을 한다고?	중학교 사회 ① _ 지도 읽기
05 열기구가 하늘로 떠오르는 이유	중학교 과학 1 _ 기체의 온도와 부피의 관계
06 파리의 위치를 표시하는 방법	중학교 수학 1 _ 좌표 평면과 그래프
07 우리 삶의 방식을 바꿀 무인 자동차	중학교 기술·가정 ① _ 기술과 사회 변화
10 아름답게 묘사된 글자, 캘리그래피	중학교 미술 ① _ 조형 요소와 원리

실전 2회

03 착한 축구공과 착한 초콜릿	중학교 사회 ② _ 지역 간 불평등과 해결 노력
04 선거구는 어떻게 정할까	중학교 사회 ① _ 선거
06 사람의 심장과 개구리의 심장	중학교 과학 2 _ 순환계의 구조와 기능
07 나를 지켜 주는 생체 인식 기술	중학교 기술·가정 ② _ 미래의 기술과 생명 기술
08 대만의 101 타워에는	중학교 사회 ① _ 자연재해와 인간 생활
10 모나리자의 비밀	중학교 미술 ① _ 표현 의도
11 석굴암에 감춰진 수학 이야기	중학교 역사 ② _ 통일 신라의 문화

실전 3회

03 젓가락에 담긴 문화적 의미	중학교 사회 ① _ 문화 지역
05 따뜻한 이글루의 비밀	중학교 과학 1 _ 상태 변화와 열에너지 출입
06 다리를 무너뜨린 군대 행진	중학교 과학 1 _ 진동수
07 빠르고 편리한 청소 기구, 진공청소기	중학교 과학 3 _ 과학 원리와 공학적 설계
08 크로마토그래피는 과학 수사대	중학교 과학 2 _ 크로마토그래피

실전 4회

01 우리말을 살찌우는 방언	중학교 국어 1 _ 어휘의 체계와 양상
02 백지장도 맞들면 낫다	중학교 도덕 ① _ 이웃 생활
03 월급날은 왜 다를까	중학교 사회 ② _ 물가 상승
04 국민이 판결에 참여한다고?	중학교 사회 ① _ 법과 재판
05 종의 다양성은 왜 필요할까	중학교 과학 1 _ 생물의 다양성
06 태양이 사라졌어	중학교 과학 2 _ 일식과 월식
07 아날로그와 디지털	중학교 정보 _ 자료의 유형과 디지털 표현
10 쓰레기를 재활용하면 예술이 된다	중학교 미술 ② _ 미술의 변천과 맥락

※ 교과 이름 옆의 숫자는 권 구분 표시입니다. 국어, 수학, 과학 등은 학년을 구분하여 1, 2, 3으로 표기하고, 교과서가 두 권으로 구성된 사회, 도덕, 기술·가정, 미술 등은 ①, ②로 표기하였습니다.

독해의 기본 원리부터 탄탄하게!

독해 원리

원리 01 내용 파악의 원리

'독해(讀解)'란 '글을 읽어서 뜻을 이해하는 것'을 의미한다. 즉, 독해를 잘하려면 뜻을 잘 이해해야 한다. 그런데 어떻게 하면 '뜻'을 잘 '이해'할 수 있을까? 그러려면 글에 담긴 내용이 무엇을 말하고 있는지를 파악할 수 있어야 한다. 지금부터 글에 담긴 내용을 잘 파악하기 위한 원리를 알아보자.

중학교 국어 읽기 영역
- 읽기는 글에 나타난 정보를 활용하여 문제를 해결하는 과정임을 이해하고 글을 읽는다.
- 읽기 목적이나 글의 특성을 고려하여 글 내용을 요약한다.

독해 원리 중심 화제를 짚고, 그에 관한 핵심 내용을 파악하자.

1 중심 화제 짚기

- **주어** 문장에서 행위의 주체가 되는 말.
  예 동생이 일어났다.
- **주어부** 문장에서 주어를 포함하고 있는 부분.
  예 나의 막냇동생이 일어났다.

문장의 화제는 주로 주어부에 제시되므로, 주어부에서 화제를 짚자!

'중심 화제'는 글쓴이가 글에서 가장 주목한 대상으로, 어떤 말을 눈여겨보며 글을 읽어야 하는지를 알려 준다. 문장의 화제는 주로 주어부에 제시되므로 주어부에서 화제를 짚은 후, 그 화제에 관한 주요 정보를 담고 있는 어구의 의미를 파악하면 문장 이해가 쉬워진다.

예
- 기후는 어떤 지역에서 오랜 기간에 걸쳐 나타난 날씨의 평균 상태를 뜻한다.
  (기후: 주어, 화제 / 날씨의 평균 상태: 화제에 관한 주요 정보)
- 댐을 이용해 강을 관리하는 기술은 세계로 퍼져 나갔다.
  (댐을 이용해 강을 관리하는 기술: 주어부, 화제 / 세계로 퍼져 나갔다: 화제에 관한 주요 정보)

1문단의 시작이나 끝 부분, 또는 2문단의 시작 부분에 글의 중심 화제가 제시되는 경우가 많으므로 여기에 주목하자!

예 자연을 모방하는 것은 오래 전부터 미술의 가장 중요한 기능 가운데 하나였다. 고전주의 화가들은 훌륭한 미술이란 자연을 모방하되 이를 이상적으로 표현한 것이라고 생각했다. 이러한 이유로 그들은 이상적인 아름다움을 표현하기 위해 애썼다. 고전주의 화가들에게 이상적인 아름다움이란 어떤 것이었을까?
(1문단의 끝에서 글의 중심 화제를 제시하고 있음.)

바로 확인 **1 다음은 어떤 글의 첫 문단이다. 이를 통해 알 수 있는 이 글의 중심 화제는?**

우리의 전통 가옥이나 정자, 사찰, 궁궐의 건축물 등에서 쉽게 볼 수 있는 것이 난간(欄干)이다. 선인들의 작품에 '난간에 기대어'라는 표현이 심심찮게 나올 정도로 난간에는 우리 조상들의 삶의 숨결과 미의식이 깃들어 있다. 자칫 소홀하게 여길 수 있는 거주 공간의 끝자락에서도 선인들은 여유와 아름다움을 찾고자 했던 것이다.

● **난간** | 칸 欄, 막을 干 | 층계, 다리, 마루 따위의 가장자리에 일정한 높이로 막아 세우는 구조물.

① 전통 가옥의 난간
② 전통 가옥의 종류
③ 우리 조상들의 미의식
④ 선인들이 찾았던 여유와 아름다움

문단에서 반복적으로 언급하는 말에 주목하여 각 문단의 중심 화제를 파악하자!

이 문단에서 반복되는 말들에 주목해서 파악해 보면, 이 글은 '운석'이 '중요한 자료'라는 내용을 중심 화제로 내세우는 글임을 알 수 있어요.

예 지구 밖에서 온 운석은 태양계와 지구의 비밀을 풀 수 있는 중요한 자료가 된다. 태양계가 탄생할 때 생겨난 운석에는 태양계가 탄생할 당시에 어떤 일이 있었는지를 알 수 있는 정보가 담겨 있고, 태양계가 생성된 이후의 운석에는 소행성이나 화성과 같은 행성의 초기 진화에 대한 기록이 보존되어 있다. 그리고 소행성의 핵에서 떨어져 나온 철질 운석은 지구 내부의 중심인 핵이 어떤 물질로 구성되어 있는지 연구할 수 있는 소중한 자료가 된다.

(■: 반복되는 말)

▶ 이 문단의 중심 화제: 중요한 자료인 운석

바로 확인 **2 다음 문단의 중심 화제로 적절한 것은?**

경쟁, 운, 흉내, 일탈은 놀이의 속성이면서 동시에 인간이 형성한 문화의 바탕이 된다. 놀이의 이러한 네 가지 속성이 상호 작용하여 사회의 각 분야를 형성했고, 각 분야의 역할이 확장된 형태로 어울리면서 각종 예술과 제도가 함께 성숙해 온 것이다.

① 예술의 기본 원리
② 놀이의 네 가지 속성
③ 인간이 만든 사회 제도
④ 예술과 제도의 성숙 과정

2 핵심 정보 파악하기

문단의 중심 화제를 짚었다면, 그와 관련한 핵심 정보를 파악해야 글의 내용을 구체적으로 이해할 수 있다.

- **중심 문장** 글의 핵심 내용을 담고 있는 문장. 문단의 처음이나 끝에 위치하는 경우가 많음.
- **뒷받침 문장** 중심 문장의 내용을 자세히 설명하거나 논리적인 근거를 제시하는 문장.

문단의 처음이나 끝에서 '중심 문장'을 찾고, '뒷받침 문장'의 내용을 참고하여 중심 문장의 내용을 구체적으로 이해하자!

문단은 '중심 문장'과 '뒷받침 문장'으로 구성되며, 핵심 정보는 대개 중심 문장에 담겨 있다.

글						
1문단	=	중심 문장	+	뒷받침 문장	+	뒷받침 문장
2문단	=	중심 문장	+	뒷받침 문장	+	뒷받침 문장
3문단	=	뒷받침 문장	+	뒷받침 문장	+	중심 문장

'허락 조건'에 대한 뒷받침 문장의 내용을 주목하면 중심 문장의 내용을 구체적으로 이해할 수 있는 글이에요.

예 '저작물의 공유' 캠페인(중심 화제)은 저작권자들이 자신의 저작물에 일정한 이용 허락 조건을 표시해서 이용자들에게 무료로 개방하는 것을 말한다(중심 문장). 출처를 표시하고 자유롭게 사용 가능하다는 조건을 표시하거나('허락 조건'의 구체적 내용 ①), 출처를 표시하고 사용하되 상업적 사용은 안 된다는 조건을 표시하여('허락 조건'의 구체적 내용 ②) 저작물 사용을 허락하는 것이다. 저작물의 자유로운 이용은 허용된 범위 안에서만 가능하다. 만일 허용된 범위를 벗어나게 저작물을 이용하면 법적 책임을 질 수 있다.

▶ '저작물의 공유' 캠페인과 관련된 핵심 정보를 파악하기 위해 '허락 조건'의 구체적 내용을 주목해야 함.

바로 확인 | **3 다음에서 중심 문장을 찾아 밑줄을 긋고, 이 글의 핵심 내용을 정리한 아래의 괄호 안에 들어갈 알맞은 말을 각각 찾아 쓰시오.**

최근 전자 제품의 교체 주기가 짧아짐에 따라 전자 폐기물의 양이 크게 증가하여 문제가 되고 있다. 매년 지구에서 쏟아지는 전자 폐기물의 양은 약 5,000만 톤에 이른다. 이것을 화물차에 실어 연결하면 지구를 한 바퀴 돌고도 남는 양이라고 한다. 전자 폐기물에는 강과 바다, 땅과 공기를 오염하는 해로운 화학 물질이 많이 들어 있기 때문에 전자 폐기물의 급속한 증가는 지구 환경을 위협하는 요인이 된다.

전자 폐기물에는 유해한 (   )이/가 많이 들어 있어, 전자 폐기물의 급속한 증가는 (   )에 위협 요인이 된다.

✎ 문단에서 둘 이상의 대상을 견주고 있다면, 공통점·차이점을 핵심 정보로 주목하자!

이 글에는 직접 광고와 간접 광고가 대비되어 나타나 있어요. 이와 같이 대비되는 정보가 있으면 차이점을 나타내는 말이 글의 핵심 정보가 돼요.

예 요즘 시청자들은 자신도 모르는 사이에 간접 광고에 수시로 노출되어 광고와 더불어 살아가는 환경에 놓이게 됐다. 방송 프로그램의 앞과 뒤에 붙어 방송되는 직접 광고와 달리 PPL(product placement) 광고라고도 하는 간접 광고는 프로그램 내에 상품을 배치해 광고 효과를 거두려 하는 광고 형태이다. 간접 광고는 직접 광고에 비해 시청자가 리모컨을 이용해 광고를 회피하기가 상대적으로 어려워 시청자에게 노출될 확률이 더 높다.

(직접 광고) (간접 광고)

바로 확인 | **4 다음을 읽고 이해한 내용으로 적절하지 않은 것은?**

동양화는 한국, 중국, 일본 등 동양의 전통적 기법과 양식에 따라 그려진 그림을 말한다. 동양화는 주로 비단이나 화선지에 먹과 붓을 사용해서 그렸으며, 선과 여백을 중요시하였다. 또 그림에 정신과 마음을 나타내려 해서 풍경을 그릴 때에도 자연 그대로의 모습보다는 대상을 보고 떠오르는 느낌을 표현하고자 하였다.

서양화는 서양의 전통적인 재료와 화법을 이용하여 그린 그림으로 장식이나 기록적인 면을 중요시한다. 캔버스에 유화 물감을 사용해 그림을 그렸으며, 색과 명암을 강조하였다. 눈에 보이는 것을 그대로 그리기 위해 원근법과 다양한 색을 이용해 생생한 그림을 그리고자 하였다.

① 동양화는 그림에서 선과 여백을 중요시하였다.
② 서양화는 장식이나 기록적인 면을 중요시하며 그림을 그렸다.
③ 동양화와 서양화는 모두 대상의 모습을 그대로 표현하기 위해 노력하였다.

❸ 구체적 사례로 개념과 원리 이해하기

글 속에 제시된 개념이나 원리를 설명하는 핵심 어구를 파악하고, 그 핵심 어구와 대응하는 내용을 사례에서 짚어, 제시된 개념과 원리를 정확하게 이해하자!

이 글은 동물이 한쪽 눈만으로 입체 지각을 하는 것에 대해 설명하고 있어요. 아래 표와 같이 '대응하는 짝'을 짚어 보면서 '운동 시차'의 개념을 이해함으로써 동물들이 어떻게 입체 지각을 하는지를 정확하게 이해해야 해요.

예 동물들이 한쪽 눈만으로 입체 지각을 할 때 이용하는 것으로 '운동 시차'가 있다. '운동 시차'는 관찰자가 운동을 할 때 정지한 물체들이 망막과의 거리에 따라 그 움직이는 속도가 다르게 보이는 것을 나타내는 것으로, 물체들까지의 상대적 거리에 대한 실마리를 제공해 준다. 예를 들어 다람쥐가 잠자는 여우를 발견하자 여우를 보면서 자신과 여우를 연결하는 선에 대하여 직각 방향으로 움직였다고 하자. 이때 다람쥐는 여우가 빠르게 움직이는 것처럼 보이면 여우가 가까이 있다고 판단하고, 여우가 느리게 움직이거나 정지해 있는 것처럼 보이면 여우가 멀리 있다고 판단한다. 이는 우리가 기차를 타고 가면서 창밖을 볼 때, 가까이 있는 나무는 빨리 지나가지만 멀리 있는 산은 천천히 지나가는 것처럼 보이는 것과 같은 것이다.

입체 지각
대상까지의 거리를 인식하여 세계를 입체적으로 파악하는 과정.

● '운동 시차'의 개념을 구체적 사례에 적용하여 이해하기 ●

개념	관찰자	운동을 할 때	정지한 물체	움직이는 속도가 다르게 보이는 것
사례	다람쥐	직각 방향으로 움직일 때	잠자는 여우	여우가 빠르게 ~ 멀리 있다고 판단

바로 확인 | **5 다음 ㉠의 사례를 통해 알 수 있는 원리로 적절하지 않은 것은?**

사막에 사는 여러 종족 중에 시나이 사막에 사는 ㉠베두인족은 검은 천으로 된 헐렁한 옷을 입고 생활한다. 햇볕을 받으면 검은 옷은 흰옷보다 더 뜨거워진다. 그럼에도 그들은 왜 검은 옷을 입고 생활하는 것일까? 검은 옷을 입으면 흰옷을 입을 때에 비해 옷 안의 온도가 6°C 정도 더 높아진다. 이렇게 데워진 공기는 상승하게 되고, 상승한 공기는 헐렁한 옷의 윗부분으로 빠져나가게 된다. 이렇게 상승한 공기가 옷 밖으로 빠져나가면 기압의 차이 때문에 외부의 공기가 옷 아래의 터진 곳으로 들어와 몸 주위로 언제나 바람이 불게 된다. 이렇게 바람이 분다고 해서 몸 주변의 기온이 내려가는 것은 아니다. 그러나 땀의 증발이 활발해져 시원함을 느낄 수 있다. 이것은 얼굴에 물이 묻은 상태에서 선풍기를 틀면 물이 증발하면서 주위의 열을 빼앗아 더 시원해지는 것과 같은 이치다.

① 흰색보다 검은색이 햇볕의 열을 많이 흡수한다.
② 물은 증발되는 과정에서 주위의 열을 빼앗는다.
③ 공기는 기압이 낮은 곳에서 높은 곳으로 이동한다.

● **증발** | 찔 蒸, 일으킬 發 | 어떤 물질이 액체 상태에서 기체 상태로 변함. 또는 그런 현상.
● **이치** | 이치 理, 이를 致 | 도리에 이르는 근본이 되는 뜻.

④ 견해·주장의 핵심 내용 파악하기

견해란 '어떤 사물이나 현상에 대한 자기의 의견이나 생각'을 말하고, 주장은 '견해를 내세우는 것'을 말한다. 글에는 여러 견해·주장이 담기기도 하는데, 견해·주장은 글에서 전하고자 하는 내용의 핵심 요소가 된다.

- **부사** 동사나 형용사 또는 다른 말 앞에 놓여 그것을 꾸며 주는 단어. '매우', '가장', '과연' 등이 있음.
  예 민희가 빨리 달린다.
- **부사어** 문장에서 부사와 부사의 구실을 하는 말.
  예 거리에 사람들이 많다.
- **서술어** 문장에서 주어의 움직임이나 상태 등을 풀이해 주는 말.
  예 가방이 찢어졌다.

✎ 주어, 부사어, 서술어를 통해 견해·주장을 제시하는 문장을 구별해 내고, 문장의 핵심 어구를 짚어 그 내용을 이해하자!

● 견해·주장을 제시하는 문장에 자주 사용되는 말 ●

주어 또는 부사어로 자주 사용되는 말	사람 이름, 이론 이름, 학파 이름 등을 가리키는 말
서술어로 자주 사용되는 말	생각하다, 주장하다, ~해야 한다, 보다, 중시하다, 여기다, 필요하다 등

예 중국의 사상가인 '묵적'은 인간이 이기적인 존재이기 때문에 자기 자신과 자기 집단만의 이익을 추구하여 개인 간의 갈등과 사회의 혼란이 생긴다고 보았다. 그는 '의(義)'를 개인과 사회 전체의 이익을 충족하는 것으로 보아, '의'를 통해 이러한 개인과 사회의 혼란을 해결할 수 있다고 주장했다. 모든 사람을 차별 없이 똑같이 서로 사랑하면 '의'가 실현되어 사회의 혼란이 해소될 것이라고 본 것이다.

주어 1(사람 이름) ▬: 핵심 어구, 묵적의 견해 서술어 1 주어 2 서술어 2 서술어 3 서술어 4

이 글은 주어, 서술어를 확인하여 '견해·주장'이 제시된 문장임을 판별한 후, ▬로 표시된 핵심 어구에 주목하여 구체적인 내용을 이해해야 해요.

바로 확인 | **6 다음에서 ㉠의 입장으로 적절하지 않은 것은?**

독일의 학자 ㉠랑케는 역사학이 독립적인 학문으로 자리 잡는 데 큰 역할을 했다. 그는 역사학이 독립적인 학문이 되려면 문학과 구분이 되어야 한다고 생각했다. 문학은 작가가 상상하여 쓴 이야기이지만, 역사는 지난날 실제로 일어났던 일이기 때문이다. 랑케는 역사와 문학이 구분되지 않는 이유가 역사를 연구하거나 쓸 때 특정 목적을 갖거나 자신의 생각을 집어넣기 때문이라고 보았다.

그래서 랑케는 역사 연구가 '과거에 일어난 그대로'를 밝히는 학문이 되어야 한다고 주장했다. 그러기 위해서는 역사 연구에 필요한 자료를 선정하고 이것이 어느 정도로 믿을 만한지 비판적으로 검토하는 데 신경을 써야 했다. 자료가 신빙성이 떨어진다면 과거에 일어났던 일을 제대로 알 수 없기 때문이다.

① 역사학은 사실 그대로를 밝히는 학문이 되어야 한다.
② 역사를 연구하고 서술할 때 자신의 생각을 집어넣어서는 안 된다.
③ 역사학에서 중요한 것은 역사학자의 관점에서 연구 목적을 분명히 하는 것이다.

교과서에 나온 개념

● **요약하며 읽기**

요약하기란 글의 중심 내용을 간략하게 정리하는 것을 말한다. 단순히 글을 짧게 줄이는 것이 아니라, 글의 내용에서 중요한 것을 간추려 핵심 내용이 잘 드러나게끔 다시 구성하는 것이다. 이렇게 글을 요약하며 읽으면 글의 내용을 정확하게 이해하고 체계적이고 구조적으로 기억하는 데 도움이 된다.

원리 적용

독해 tip
㉮에서 중심 화제를 짚고, 이어서 중심 화제와 관련된 핵심 정보를 파악하여 글의 내용을 이해한다.

정답과 해설 2쪽

[1~2] **다음 글을 읽고, 물음에 답하시오.**

㉮ 냉장고가 없던 시절 옛사람들은 겨울에 채취한 얼음을 석빙고에 저장했다가 여름에 사용했다. 석빙고에서 얼음을 한여름까지 보관할 수 있었던 이유를 알아보자. 석빙고에 얼음을 저장하기 위해서는 석빙고 내부의 온도를 낮추어야 했다. 이를 위해 우리 조상들은 석빙고 출입문 옆에 세로로 튀어나온 '날개벽'을 만들어 석빙고 내부를 냉각했다. 겨울에 부는 찬바람이 날개벽에 부딪히면 소용돌이로 변하는데, 이 소용돌이는 추진력이 있어서 빠르고 힘차게 석빙고의 깊은 곳까지 밀고 들어가 내부의 온도를 낮춘다.

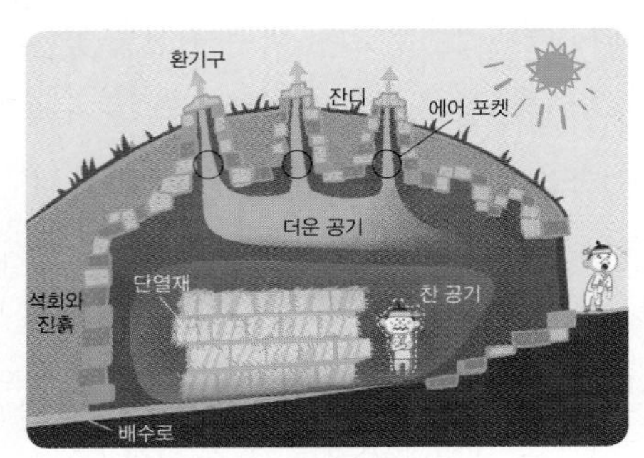

▲ 석빙고 단면도

㉯ 석빙고에 얼음을 잘 보관하기 위해서는 내부를 저온 상태로 유지해야 한다. 석빙고의 천장은 1~2미터 간격을 두고 나란히 배치된 4~5개의 아치형 구조물로 이루어져 있다. 각각의 아치 사이에는 움푹 들어간 공간이 있는데, 이 공간을 '에어 포켓'이라고 한다. 에어 포켓은 석빙고 내부에서 더운 공기가 위쪽으로 뜨는 순간 그 공기를 가두어 놓는 역할을 한다. 에어 포켓에 갇힌 더운 공기는 에어 포켓 위쪽에 설치된 환기구를 통해 밖으로 빠져나가게 된다.

㉰ 석빙고 안에는 배수로가 있는데, 이것은 얼음 보관에 치명적인 물을 빠르게 밖으로 빼는 역할을 한다. 또한 빗물이 석빙고 안으로 새어 들어가는 것을 막으려고 석빙고를 석회와 진흙으로 둘러쌌으며, 석빙고 외부에 잔디를 심어 햇빛을 흐트러뜨림으로써 열전달을 방해하는 효과를 거두었다. 이러한 기술은 모두 과학적 원리를 이용한 우리 조상들의 슬기를 보여 준다.

1 이 글의 중심 화제로 가장 적절한 것은?

① 석빙고를 제작한 과정
② 석빙고에 보관된 얼음의 특징
③ 석빙고 제작에 활용된 기술의 변천
④ 석빙고에 저장한 얼음의 다양한 용도
⑤ 석빙고에서 얼음을 한여름에도 보관할 수 있었던 이유

2 이 글을 읽고 이해한 내용으로 적절하지 않은 것은?

① 에어 포켓에 갇힌 공기는 석빙고 천장 부분의 온도를 낮춘다.
② 겨울에 석빙고로 분 찬바람은 날개벽에 부딪혀 소용돌이로 변한다.
③ 석빙고 안의 배수로는 얼음 보관에 해가 되는 물을 배출하는 역할을 한다.
④ 석빙고를 둘러싼 석회와 진흙은 석빙고 내부로 물이 스며드는 것을 막는다.
⑤ 석빙고 바깥에 심은 잔디는 햇빛을 분산시켜 석빙고로의 열전달을 방해한다.

독해 tip

글의 중심 화제를 파악하고, 가~마에서 중심 화제와 관련하여 어떤 정보를 제시하고 있는지를 파악한다. 이 글에는 여러 사례가 제시되어 있는데, 사례를 통해 설명하고자 하는 주된 내용이 무엇인지 이해한다.

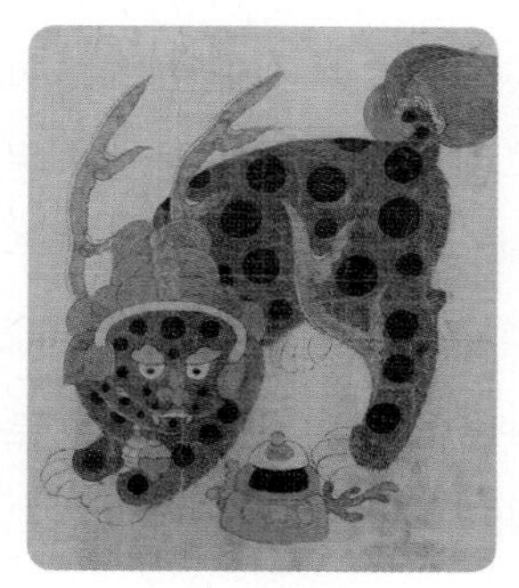
▲ 해태

[3~4] **다음 글을 읽고, 물음에 답하시오.**

가 ㉠민화는 서민들 사이에서 유행한 그림으로, 전문 화가가 아니어도 누구나 그릴 수 있었고, 특정한 형식에 얽매이지 않았다. 민화에는 다양한 동식물이 소재로 사용되었는데, 서민들은 이러한 동식물을 청색, 백색, 적색, 흑색, 황색의 화려한 색으로 표현하였다.
나 서민들은 민화에 소망을 담아 부귀, 화목, 장수를 빌었다. 예를 들어 부귀를 바랄 때에는 활짝 핀 맨드라미나 잉어를, 화목을 바랄 때에는 어미 새와 여러 마리의 새끼 새가 함께 있는 모습을, 장수를 바랄 때에는 바위나 거북 등을 그렸다.
다 민화에는 나쁜 기운을 물리치고자 하는 서민들의 바람도 담겨 있다. 나쁜 귀신을 쫓아내고 사악한 것을 물리치기 위해 해태, 닭, 개 등을 그렸다. 불이 나지 않기를 바라는 마음에서 전설의 동물 해태를 그려 부엌에 걸었다. 또 어둠을 밝히고 잡귀를 쫓아내기 위해 닭을 그려 문에 걸었다. 도둑이 들지 않기를 바라는 마음에서 개를 그려 곳간에 걸었다.
라 민화는 괴롭고 고달픈 생활 속에서도 웃음을 찾아낸 한국인의 낙천성을 보여 준다. 슬픔과 아픔을 기쁨과 즐거움으로 승화하여 익살스럽고 신명 나는 작품으로 변모시킨 점은 일반 회화에서는 찾아볼 수 없는 민화만이 지니고 있는 미적 특성이라고 볼 수 있다.
마 민화에는 서민들의 소망과 미의식이 나타나 있다. 현실에서 이루고 싶은 서민들의 소망이 솔직하고 소박하게 표현되어 있으며, 신비스러운 용을 할아버지처럼 그리거나 호랑이를 바보스럽게 표현하여 재미와 웃음을 찾고자 했던 서민들의 미의식이 잘 드러난다.

3 **가~마에 대한 설명으로 적절하지 않은 것은?**

① 가: 창작 주체, 소재, 표현의 측면에서 민화의 특징을 제시하고 있다.
② 나: 민화가 서민들에게 복을 기원하는 방법이 되었음을 설명하고 있다.
③ 다: 민화를 통해 재앙을 물리치고자 했던 서민들의 의식을 설명하고 있다.
④ 라: 일반 회화와 구별되는 민화만의 미적 특성에 대해 언급하고 있다.
⑤ 마: 민화의 특징과 관련지어 민화가 대중화된 계기와 배경을 제시하고 있다.

4 **이 글을 통해 ㉠에 대해 알 수 있는 내용으로 적절하지 않은 것은?**

① 청색, 적색, 황색 등의 색을 사용하여 화려하게 표현되었다.
② 특정하게 정해진 형식 없이 전문 화원에 의해 주로 그려졌다.
③ 활짝 핀 맨드라미나 잉어 그림에는 부귀에 대한 소망이 반영되어 있다.
④ 해태는 화재를, 닭은 잡귀로 인한 화를 막고자 하는 마음에 따라 그려졌다.
⑤ 용이나 호랑이를 익살스럽게 그린 것은 재미와 웃음을 찾고자 했던 서민들의 미의식을 드러낸다.

내용 추론의 원리

정답과 해설 2쪽

'독해'를 잘하기 위해서는 겉으로 드러나는 의미도 잘 파악해야 하지만, 여러 단서를 활용하여 글에 드러나지 않은 내용을 미루어 짐작하는 것도 잘해야 한다. 이를 위해서는 정보들 간의 관계나 숨어 있는 내용 등을 파악하여 글의 맥락을 이해하고, 이를 바탕으로 하여 논리적인 사고를 할 수 있어야 한다.

중학교 국어 읽기 영역 • 독자의 배경지식, 읽기 맥락 등을 활용하여 글의 내용을 예측한다.

독해 원리 관계를 맺고 있는 정보들의 내용을 근거로 삼아 숨어 있는 내용을 추론하자.

❶ 정보들 간의 관계 파악하기

글의 정보들은 단순히 나열되어 있지 않고 여러 관계를 맺고 있다. 이러한 정보들의 관계는 읽기 맥락을 구성하여 겉으로 드러나지 않은 내용을 추론하는 데 바탕이 된다.

추론의 근거로 자주 제시되는 정보들 간 관계의 종류를 알고, 서로 연결되어 있는 내용들의 핵심을 파악하여 그 내용들의 관계를 파악해 보자!

● 정보들 간 관계의 종류 ●

관계		예
추상적·일반적 내용	구체적 내용	예 사이버 공간은 모두에게 열려 있어 문제가 발생하기도 한다[일반적 내용]. 불법 유해 사이트가 생기거나 바이러스가 퍼지기도 하는 것이다[구체적 내용].
원인(이유)	결과	예 바코드는 주로 흰색과 검은색의 조합으로 나타낸다[결과]. 흰색과 검은색이 반사율의 차이가 커서 스캔할 때 오류가 가장 적기 때문이다[이유].
주장(견해)	근거	예 우리 민족은 우수한 문화 창조의 능력을 가지고 있다[주장]. 석굴암의 조각, 고려청자, 금속 활자 등은 모두 우리 민족의 독창적 활동의 결과로 이루어진 것이다[근거].
전제	결론(판단)	예 취업을 통한 경제 활동 인구의 증가는 경제를 활성화한다[전제]. A기업에서 지역 주민만으로 직원을 채우면 지역 경제 발전에 도움이 될 것이다[결론].
서로 대비되는 내용		예 신화는 우주의 기원, 신이나 영웅의 업적과 관련된 이야기이다. 이와 달리[대비] 전설은 지역이나 사물에 얽혀 있는 신비한 이야기이다.

- **추론하다** | 헤아릴 推, 논의할 論 | 어떠한 판단을 근거로 삼아 다른 판단을 이끌어 내다.
- **추상적** | 뽑을 抽, 모양 象, 것 的 | 직접 경험하거나 지각할 수 있는 일정한 형태와 성질을 갖추고 있지 않은 것.
- **일반적** | 한 一, 모두 般, 것 的 | 일부에 한정되지 아니하고 전체에 걸치는 것.
- **전제** | 앞 前, 들 題 | 판단이나 결론이 논리적으로 성립하는 토대가 되는 사실이나 명제.
- **대비되다** | 대할 對, 견줄 比 | 두 가지의 차이를 밝힐 목적으로 서로 맞대어져 비교되다.

서로 대비되는 정보가 나타나는 글을 읽을 때에는 대비되는 정보에 주목해서 내용을 이해하고 추론할 수 있어야 해요.

예 중국 송나라의 유학자인 주희는 개인의 인격 완성과 누구나 인륜을 지키는 공동체의 실현을 이상으로 삼았다. 인륜이란 임금과 신하, 부모와 자녀, 형제, 부부 등의 인간관계에 따르는 질서를 말한다. 조선 후기의 실학자인 정약용 또한 이러한 주희의 입장에 동의하였다. 그런데 정약용은 그 이상을 실현하는 방법에 있어서는 주희와 생각이 달랐다. 주희는 개인이 마음을 어떻게 수양하여 도덕적 완성에 이를 것인가에 관심을 둔 반면, 정약용은 당대의 학자들이 주희의 입장을 따라 마음 수양에 치우쳐 개인과 사회를 위한 구체적인 덕행의 실천에는 한 걸음도 나아가지 못하는 문제를 바로잡고자 하는 데 관심이 있었다.

대비

이상을 실현하기 위한 주희의 방법

이상 실현을 위한 주희의 방법에 비판적인 정약용의 입장

● 이 글에 나타난 정보 간의 관계: 대비 ●

주희		정약용
이상을 실현하기 위해 개인의 마음 수양을 중시함.	 대비	개인과 사회를 위한 구체적인 덕행의 실천을 중시함.

이 글에서는 대비되는 정보를 통해 정약용이 주희의 견해에 비판적인 입장을 가졌음을 추론할 수 있다.

바로 확인 | **1 다음 밑줄 친 내용의 근거로 가장 적절한 것은?**

힙합 음악에서 샘플링은 원곡에 대한 충분한 이해와 원작자에 대한 존경심을 바탕으로 하여, 그의 허락을 받아 자신만의 방식으로 노래를 재해석하는 예술 기법으로 인식되고 있다. 그런데 우리나라의 일부 힙합 가수들은 샘플링을 쉽고 간단한 '복사하고 붙여넣기' 방법 정도로 이해하고 있다. 이러한 샘플링은 표절 문제를 피하기 어렵다. 원곡에 새로운 의미를 부여하거나 원곡의 가치를 더 높이려는 태도를 보이지 않는다면, <u>샘플링이 오히려 힙합 발전의 발목을 잡을 수도 있다.</u>

① 베끼기 수준의 샘플링은 표절 문제를 피하기 어렵다.
② 샘플링은 원곡에 새로운 의미를 부여하는 방법이 된다.
③ 원작자의 허락과 원작에 대한 이해는 샘플링의 요건이다.
④ 힙합 음악에서 샘플링은 원곡을 재해석하는 예술 기법이다.

교과서에 나온 개념

● 예측하며 읽기

예측하며 글을 읽는다는 것은 글을 읽으며 글에 나오지 않은 내용을 짐작해 보는 것을 말한다. 즉, 독자 자신의 지식과 경험을 바탕으로 하여 글에 언급되지 않은 내용이나 앞으로의 사건 전개 등을 추측하며 읽는 활동이다. 이와 같이 내용을 예측하며 글을 읽으면 글의 내용을 좀 더 명료하게 이해하고 기억할 수 있다.

❷ 숨어 있는 내용 찾기

정답과 해설 4쪽

글에는 직접적으로 제시되어 있지 않고 숨어 있는 내용들이 있는데, 이는 글쓴이가 정보들 간의 관계를 통해 추론이 가능한 정보에 대해서 독자 스스로 파악할 수 있다고 생각하여 생략한 것이다. 따라서 글을 읽을 때에는 이렇게 숨어 있는 내용들을 추론할 수 있어야 깊이 있고 폭넓은 독해를 할 수 있다.

✎ 핵심이 되는 정보를 파악하고 정보들 간의 관계를 고려하여, 숨어 있는 내용을 추론하자!

창호가 한옥의 공간 구성에서 중요한 위치를 차지한다는 일반적인 사실을 구체적인 사례를 들어 설명하고 있는 글이에요.

예 한옥에서 여러 짝으로 된 큰 창호는 한쪽 벽면 전체를 대체하기도 한다. 이때 바깥으로 향한 창호뿐만 아니라 방과 방 사이에 있는 창호를 열면 별개의 공간이 합쳐지면서 넓은 새로운 공간이 만들어진다. 「창호를 열고 닫음에 따라 안과 밖의 공간이 연결되거나 분리되고 실내 공간의 구획이 변화되기도 하는 것이다.」 이처럼 창호는 한옥의 공간 구성에서 빠트릴 수 없는 중요한 위치를 차지하고 있다.

「 」: 핵심 정보 / 밑줄: 중심 문장

● 이 글의 내용을 바탕으로 하여 추론하기 ●

핵심 내용	→	추론 내용
창호에 의해 한옥의 실내 공간의 구획이 변화한다.	→	창호에 의해 한옥의 공간은 가변적인 특성을 지닌다.

이 글에 나타난 핵심 정보를 찾고, 이를 바탕으로 하여 글에 숨어 있는 내용을 추론할 수 있다.

바로 확인 | **2 다음 ㉡의 입장에서 ㉠의 원인을 추론한다고 할 때, 그 내용으로 적절한 것은?**

토기의 변화를 연구하기 위해 서기 1세기부터 약 1천 년 동안 어느 한 지역에서 출토된 조리용 토기들의 두께와, 토기에 탄화된 채로 남아 있던 식재료에 사용된 곡물의 전분 함량을 조사했다. 그 결과 ㉠후대로 갈수록 토기 두께가 상당히 얇아지고 곡물의 전분 함량은 증가한다는 사실을 발견했다. 두께가 얇은 토기는 두꺼운 토기보다 열을 더 잘 전달한다. 전분이 많은 곡물들은 높은 온도에서 장시간 끓일 때 음식으로서의 가치가 높아진다. 이러한 사실을 근거로 하여 ㉡진화 고고학에서는 토기의 두께가 얇아진 이유를 좀 더 많은 전분이 포함된 곡물이 출현한 외부 환경과 관련지어 설명한다.

① 곡물 수확 시기가 불규칙해진 것에 대응하기 위한 것이다.
② 곡물에 전분이 많아져 식재료의 종류를 단순화하려 한 것이다.
③ 전분이 많은 곡물이 출현한 외부 환경의 변화에 적응한 것이다.
④ 기술적으로 곡물에 들어 있는 전분의 양을 높이기 위한 것이다.

- **창호** | 창문 窓, 출입구 戶 | 온갖 창과 문을 통틀어 이르는 말.
- **구획** | 나눌 區, 나눌 劃 | 땅이나 공간을 경계를 지어 나눔. 또는 그런 구역.
- **가변적** | 가능할 可, 바뀔 變, 것 的 | 바꿀 수 있거나 바뀔 수 있는 것.
- **탄화되다** | 숯 炭, 될 化 | 유기 화합물이 열분해나 화학적 변화에 의해 탄소로 변하게 되다.
- **고고학** | 살필 考, 옛 古, 배울 學 | 유물과 유적을 통하여 옛 인류의 생활, 문화 따위를 연구하는 학문.
- **출현하다** | 날 出, 나타날 現 | 나타나거나 나타나서 보이다.

❸ 원인(이유)·결과 추론하기

사회(경제), 과학, 기술 관련 글에는 특히 인과 관계의 정보들이 자주 나온다. 인과 관계를 맺고 있는 정보들이 제시되어 있을 때, 그 정보들을 바탕으로 하여 '원인(이유)'이나 '결과'의 내용을 추론할 수 있어야 한다.

인과 관계의 정보를 제시하는 문장 형식에 유의하여 '원인–결과'의 관계를 파악하고, 그 관계를 바탕으로 하여 원인(이유)이나 결과의 내용을 추론하자!

● 인과 관계의 정보를 제시하는 문장 형식 ●

① ~(하)면 ~(이)다.	예 열을 가하면 물체의 온도가 높아진다.
② ~(ㄹ)수록 ~(ㄴ)다.	예 물체의 무게가 무거울수록 마찰력이 커진다.
③ ~에 따라 ~(하)다.	예 시장에 통화량이 많아짐에 따라 금리가 하락했다.
④ 비례·반비례 관계	예 용수철이 늘어난 길이는 물체의 무게에 비례한다.

인과 관계의 정보들을 중심으로 수요와 공급에 따라 재화의 가격이 어떻게 변화하는지를 설명하고 있는 글이에요. 지문에 표시(→)한 것처럼 인과 관계를 정확하게 파악하면서 독해를 해야 해요.

예 시장에서 수요가 공급보다 많으면(원인), 공급된 물량에 비해 필요로 하는 물량이 더 많으므로, 수요자들은 높은 가격을 주고라도 그 재화를 구매하려 하기 때문에 가격이 상승한다(결과). 가격이 상승하면(원인) 수요가 감소하게 되고 공급은 증가하여(결과) 물량의 부족 현상은 해소된다. 그렇다면 공급이 수요보다 많으면(원인) 어떻게 될까? 공급 물량이 수요보다 많으면 공급자들은 낮은 가격에라도 그 재화를 팔고자 하므로 가격은 하락한다(결과). 가격이 하락하면(원인) 수요가 늘고 공급량은 감소하게 된다(결과).

바로 확인 | **3 다음을 읽고, 〈보기〉의 괄호 안에 들어갈 알맞은 말을 추론하여 쓰시오.**

종이를 연소시키면 재가 남고, 이산화 탄소와 수증기가 생성된다. 이때 재의 질량은 연소 전 종이의 질량보다 작다. 이는 종이가 연소할 때, 산소와 반응하여 발생한 이산화 탄소와 수증기가 공기 중으로 흩어졌기 때문이다. 그러나 연소할 때 종이와 반응한 산소의 질량과 이때 생성된 이산화 탄소와 수증기의 질량을 모두 고려하면 연소 전후에 물질의 질량은 동일하다. 화학 반응에서 반응 물질의 총 질량과 생성 물질의 총 질량이 같은데, 이 역시 질량 보존 법칙에 따른 것이다.

● 보기 ●

밀가루에 효모, 베이킹파우더 등을 넣고 반죽하여 발효시킨 뒤, 빵을 구우면 다양한 화학 반응이 일어난다. 이때 이산화 탄소나 수증기와 같은 기체는 공기 중으로 흩어지므로 빵을 만든 후의 질량은 만들기 전보다 (   ) 것이다.

- **비례** | 견줄 比, 본보기 例 | 한쪽의 양이나 수가 증가하는 만큼 그와 관련 있는 다른 쪽의 양이나 수도 증가함.
- **수요** | 쓰일 需, 구할 要 | 어떤 소비의 대상이 되는 상품에 대한 요구.
- **공급** | 드릴 供, 줄 給 | 요구나 필요에 따라 물품 따위를 제공함.
- **재화** | 재물 財, 재물 貨 | 사람이 바라는 바를 충족시켜 주는 모든 물건.

정답과 해설 4쪽

독해 tip

㉮에서 '자유재'와 '경제재'의 개념을 이해하고 글의 중심 화제를 파악한다. 그리고 정보들 간의 관계에 유의하면서 ㉯, ㉰의 핵심 내용을 이해한다. 이 과정에서 핵심 내용, 정보들 간의 관계 등을 바탕으로 하여 생략된 내용을 추론할 수 있다.

● **희소성** | 드물 稀, 적을 少, 성질 性 | 인간의 물질적 욕구에 비하여 그 충족 수단이 질적·양적으로 제한되어 있거나 부족한 상태.

[1~3] **다음 글을 읽고, 물음에 답하시오.**

㉮ 햇빛이나 달빛, 더운 여름날의 시원한 바람과 같이 그 대가를 지불하지 않는 재화를 ㉠'자유재'라고 한다. 만약 모든 재화가 자유재라면 경제 문제는 발생하지 않을 것이다. 그러나 냉장고, 가방, 책 등 우리가 사용하는 대다수의 재화는 적절한 대가를 지불해야 하는 ㉡'경제재'이다. 경제재는 희소성을 갖기 때문에 경제 문제가 발생한다.

㉯ 자유재나 경제재가 언제나 절대적으로 구분되는 것은 아니다. 가령 예전에는 물이나 공기를 희소하지 않은 것으로 생각하고 공짜로 이용할 수 있는 자유재로 구분해 왔다. 그러나 이제는 깨끗한 물이나 맑은 공기는 더 이상 공짜로 가질 수 있는 재화가 아니다. 깨끗한 생수가 청량음료보다 비싼 경우도 많으며, 맑은 공기를 마시기 위하여 돈과 시간을 들여 휴양림을 찾아가는 것이 흔한 일이 되고 있다. 이는 깨끗한 물과 맑은 공기가 과거보다 희소해져서 나타난 현상이다.

㉰ 자원의 희소성 때문에 우리는 한정된 자원을 이용하여 어떻게 더 큰 만족과 행복을 얻을 것인가 하는 문제를 고민하지 않을 수 없다. 먼저 '무엇을 얼마나 생산할 것인가'의 문제가 있다. 이 결정이 이루어지면 '어떻게 생산할 것인가'를 선택해야 한다. 다음으로는 '누구를 위하여 생산할 것인가'를 선택해야 한다. 생산된 재화나 서비스를 사람들 간에 나누는 문제를 생각해야 하는 것이다. 이상의 세 가지 문제가 바로 ⓐ경제의 기본 문제이다.

1 **이 글의 내용을 바탕으로 하여 ㉠, ㉡의 관계에 대해 바르게 설명한 것은?**

① ㉠은 ㉡의 원인이 된다.
② ㉠은 ㉡을 이끌어 내는 전제이다.
③ ㉠과 ㉡은 서로 대비된다.
④ ㉡은 ㉠에 관한 주장을 뒷받침한다.
⑤ ㉡은 ㉠에 관한 일반적인 내용을 구체적으로 설명해 준다.

2 **㉯를 바탕으로 하여 추론한 내용으로 적절한 것은?**

① 자유재는 경제재에 비해 희소성으로 인한 문제가 많이 발생한다.
② 경제재 중에는 자유재처럼 대가를 지불하지 않아도 되는 것이 있다.
③ 자유재로 구분되던 것이라도 희소성을 띠면 경제재로 구분될 수 있다.
④ 자유재나 경제재는 대가의 지불과 관련하여 성격이 본질적으로 다르다.
⑤ 자유재는 희소성과 관련하여 경제재에 비해 세부적인 구분 기준이 명확하다.

3 **ⓐ가 발생하는 이유를 다음과 같이 추론했을 때, 괄호 안에 들어갈 알맞은 말을 쓰시오.**

자원이 (   )되어 있어 모두가 원하는 것을 다 가질 수는 없기 때문이다.

[4~5] **다음 글을 읽고, 물음에 답하시오.**

독해 tip
가에서 글의 중심 화제를 파악한 뒤, 나~라에서 중심 화제와 관련하여 개념과 원리를 설명한 내용을 파악한다. 글에 원리가 제시되어 있으므로, 인과적인 정보에 유의하여 읽도록 한다.

가 땅이나 얼음판에서 하는 전통 놀이로 매우 인기가 높았던 것 중에 팽이치기가 있다. 기록에 의하면 팽이는 삼국 시대에도 사용되었다고 한다.

나 전통적인 팽이는 먼저 손으로 돌리고 재빨리 팽이채로 쳐서 돌게 한다. 마치 채찍질을 하는 것처럼 팽이채가 팽이의 몸을 순간적으로 감았다가 풀면서 팽이를 돌리게 된다. 팽이를 치면 회전력을 받은 팽이는 비스듬히 기울어져 돌아가지만 곧 똑바로 서게 되어 마찰로 인해 정지될 때까지 잘 돌게 된다. 돌던 팽이가 회전력이 약해져 쓰러지려 할 때, 다시 채로 쳐 회전력을 주면 구심력이 커진 팽이는 다시 서게 된다.

다 구심력이 큰 팽이가 쓰러지지 않고 회전하는 것은 빠르게 돌아가는 물체는 회전 관성 때문에 평형을 유지하려는 힘을 갖게 되기 때문이다. 그것은 마치 굴렁쇠를 천천히 굴리면 쓰러지지만 빨리 굴리면 똑바로 서는 것과 유사한 원리이다. 이처럼 회전하고 있는 물체가 회전축이 기울어지는 것에 저항하며 회전면의 위치를 유지하려고 하는 것을 자이로의 원리라고 한다.

라 회전하는 팽이는 바닥과의 마찰, 공기 저항에 의해 운동 에너지가 열에너지로 전환된다. 운동 에너지가 열에너지로 많이 전환될수록 팽이의 회전수가 감소하여 팽이는 결국 멈춰 쓰러지게 된다. 나무 팽이의 바닥에 쇠구슬을 박거나 얼음판 위에서 팽이를 돌리는 이유도 이 때문이다. 그렇다고 무조건 마찰력이 없는 것이 좋은 것은 아니다. 마찰력이 없다면 팽이의 선단부에서 바닥으로 아무런 힘이 작용하지 못하기 때문에 팽이는 기울어질 것이고 그러면 계속 돌리기가 어려워 그대로 쓰러지고 말 것이다.

● **구심력** | 구할 求, 중심 心, 힘 力 | 원의 둘레를 따라 도는 물체를 원의 중심으로 끌어당기는 힘.

4

이 글을 읽고 추론한 내용으로 적절하지 않은 것은?

① 마찰력이 있어야 팽이의 선단부에서 바닥으로 힘이 작용할 수 있다.
② 굴렁쇠는 빠르게 굴러갈 때보다 천천히 굴러갈 때 회전 관성이 강하다.
③ 기울어진 팽이가 똑바로 서려고 하는 것은 자이로의 원리와 관련이 있다.
④ 팽이채가 팽이의 몸을 순간적으로 감았다가 풀면서 가하는 힘은 팽이의 구심력을 커지게 한다.
⑤ 회전하는 팽이에 작용하는 공기 저항이 클수록 팽이의 운동 에너지가 열에너지로 더 많이 전환된다.

5

라를 통해 다음과 같은 원리를 추론할 때, ㉠, ㉡에 들어갈 알맞은 말을 각각 쓰시오.

> 팽이에 작용하는 마찰력이 (㉠) 곳보다 (㉡) 곳에서 팽이가 도는 시간이 더 길다.

원리 03

내용 평가의 원리

깊이 있고 폭넓은 독해를 하기 위해서는 글이 타당하고 공정하며 적절한지를 평가할 줄 알아야 한다. 이를 위해서 글에 드러난 관점이나 내용, 설명 방법, 논증 방법 등을 분석하고 판단하여 글에 대해 평가하는 방법을 알아보자.

중학교 국어 읽기 영역
- 동일한 화제를 다룬 여러 글을 읽으며 관점과 형식의 차이를 파악한다.
- 매체에 드러난 다양한 표현 방법과 의도를 평가하며 읽는다.
- 글에 사용된 다양한 설명 방법을 파악하며 읽는다.
- 글에 사용된 다양한 논증 방법을 파악하며 읽는다.

독해 원리 글의 전개 방식과 관점의 차이를 고려하여, 글의 문제점을 지적하자.

정답과 해설 4쪽

1 글의 전개 방식 파악하기

글에서는 어떤 사실이나 견해를 효과적으로 전달하기 위해 설명 방법이나 논증 방법을 사용하여 내용을 전개한다. 글의 내용을 어떻게 전개했으며, 그 전개 방식이 효과적인지를 파악하는 것은 글을 평가하는 데 기본이 된다.

⊕ 논증 방법
논리적인 사고 절차에 따라 옳고 그름을 이유를 들어 밝히는 방법을 말한다.

✎ 글의 설명 방법과 논증 방법을 익히고, 이에 따라 글의 전개 방식을 파악하자!

예 손짓(중심 화제)이란 '손을 놀려 어떤 사물을 가리키거나 자기의 생각을 남에게 전하는 일'('손짓'의 정의)이다. 손은 다른 신체 부위에 비해 움직임이 자유롭고 모양을 만들기가 쉬워서 다양한 감정과 생각을 담아 손짓으로 표현할 수 있다. 박수는 칭찬과 격려를, 기도하는 두 손은 염원의 메시지를 전한다. 사랑한다는 말 대신 손을 지그시 잡는다거나, 힘내라는 말보다 등을 토닥이며 위로를 전하는 손짓(다양한 감정과 생각을 담은 '손짓'의 예(예시))이야말로 말보다 더 강력한 힘을 가진다.

'정의'와 '예시'의 방법을 사용하여 '손짓'에 관한 정보를 독자에게 효과적으로 전달하고 있다고 평가할 수 있는 글이에요.

(1) 글의 설명 방법

① 정의

대상의 개념을 설명하는 방법으로, 주로 '~은 ~이다.'의 형태로 표현됨.

예 정삼각형은 세 변의 길이가 같고, 세 각의 크기가 같은 삼각형이다.

정의의 설명 방법이 사용된 글을 읽을 때에는 서술어를 확인한 뒤, 그것을 수식하는 말에 유의하여 개념을 파악해야 해요.

② 분석

대상을 이루는 구성 요소나 현상에 영향을 미친 각각의 요인에 대해 상세히 설명하는 방법

예 판소리 예술은 창, 아니리, 발림의 세 요소로 구성된다. 창은 가락에 맞추어 부르는 노래이고, 아니리는 창을 하는 중간중간에 가락을 붙이지 않고 이야기하듯 엮어 나가는 사설이며, 발림은 소리의 극적인 전개를 돕기 위하여 몸짓이나 손짓으로 하는 동작을 말한다.

분석의 설명 방법이 사용된 글을 읽을 때에는 세부 요소를 확인한 뒤, 각 요소에 대해 제시한 핵심 정보에 주목해야 해요.

③ 예시

예시의 설명 방법이 사용된 글을 읽을 때에는 사례가 뒷받침하는 내용에 사례의 내용을 대응시켜 보세요.

개념, 원리, 현상 등을 구체적인 예를 들어 설명하는 방법

예 남북한 언어 차이는 어휘 면에서도 나타난다. 가령 북한에서는 '충치'를 '삭은이'라고 한다.
('가령': '예를 들어'의 뜻)

바로 확인 | **1 다음에 사용된 설명 방법으로 적절한 것은?**

우리는 매일 무엇인가를 읽으면서 생활한다. 신문이나 잡지를 읽기도 하고, 교과서나 참고 도서를 읽기도 하며, 인문·사회·과학·예술 등 여러 분야의 책을 읽기도 한다. 또 만화책이나 전자 우편을 읽기도 한다. 이처럼 읽기는 우리 생활에서 많은 부분을 차지하고 있다.

① 어떤 현상에 대해 구체적인 예를 들어 설명하고 있다.
② 하나의 대상을 부분으로 쪼개어 그 구성 요소를 설명하고 있다.
③ 두 가지 이상의 대상들에서 공통점을 찾아, 그 이유를 설명하고 있다.

④ 대비

대비의 설명 방법이 사용된 글을 읽을 때에는 차이를 나타내는 표현들을 중심으로 내용을 이해해야 해요.

대상 간의 차이를 밝히기 위하여 서로 맞대어 비교하는 방법

예 시는 리듬감 있는 언어로 표현된 운문인 반면, 수필은 줄글로 자유롭게 표현한 산문이다.
('반면': 뒤에 오는 말이 앞의 내용과 상반됨을 나타내는 말)

⑤ 과정

과정의 설명 방법이 사용된 글을 읽을 때에는 단계를 끊고, 단계 간의 차이점을 나타내는 말들을 짚으며 읽어야 해요.

단계에 따른 변화, 작용 등에 초점을 두고 설명하는 방법

예 소화는 음식물을 입안에 넣을 때부터 시작된다. 입안에 음식물이 들어오면 이는 음식물을 잘게 나누고 으깨어 삼키는데, 삼킨 음식물은 식도를 거쳐 위로 내려간다.

⑥ 분류

분류의 설명 방법이 사용된 글을 읽을 때에는 대상을 나누는 기준을 파악하는 것을 중시해야 해요.

여러 대상을 일정한 기준에 따라 나누는 방법

예 글의 성격에 따라 논술문, 보고서, 비평 등은 논리적인 글에, 시, 소설, 수필, 희곡 등은 예술적인 글에 속한다고 할 수 있다.

바로 확인 | **2 다음 ㉮~㉰에 사용된 설명 방법을 〈보기〉에서 찾아 쓰시오.**

㉮ 먼저 생강을 저며 놓고, 그것을 물에 넣어 매운맛이 우러나오도록 끓인 다음, 체에 받쳐 건더기를 걸러 낸다.
㉯ 서양은 자연을 정복의 대상으로 보았고, 동양은 자연을 순응의 대상으로 보았다.
㉰ 악기들은 소리를 내는 방법에 따라 관악기, 타악기, 현악기로 나눌 수 있다. 리코더, 트럼펫은 관악기에, 북, 장구는 타악기에, 바이올린, 첼로는 현악기에 포함된다.

보기

㉠ 대비 ㉡ 과정 ㉢ 분석 ㉣ 분류

(2) 글의 논증 방법

① 유비 추론(유추)

유비 추론의 논증 방법이 사용된 글을 읽을 때에는 유사성에 해당하는 내용을 파악한 뒤, 그것에 근거하여 추론한 결과에 주목해요.

두 대상이 여러 면에서 비슷하다는 것을 근거로 하여 다른 속성도 유사할 것이라고 추론하는 방법

예 인간과 실험 동물의 생체가 유사성을 갖고 있기 때문에, 새로 발명한 약이나 독성 물질에 대한 실험 동물의 반응 결과를 인간에게 적용할 수 있다고 추론함.

② 연역

연역의 논증 방법이 사용된 글을 읽을 때에는 넓은 범위의 일반적 사실이나 원리를 파악한 뒤, 그것에서 이끌어 낸 개별 사실을 파악해요.

일반적인 사실이나 원리를 전제로 하여 개별적인 사실이나 좀 더 특수한 다른 원리를 이끌어 내는 방법

예 모든 사람은 죽는다.(일반적인 사실(전제)) 소크라테스는 사람이다. 따라서 소크라테스는 죽는다.

③ 귀납

귀납의 논증 방법이 사용된 글을 읽을 때에는 구체적이거나 특수한 여러 사실들의 공통점에 주목한 뒤, 추론의 결과를 파악해야 해요.

개별적인 구체적 사실이나 원리로부터 일반적이고 보편적인 명제 및 법칙을 이끌어 내는 방법

예 제비와 까치와 비둘기는 새다. 제비는 날개가 있다. 까치도 날개가 있고 비둘기도 날개가 있다. 따라서 모든 새는 날개가 있다.(일반적 명제)

정답과 해설 6쪽

바로 확인 | **3 다음 글의 전개 방식에 대한 설명으로 적절한 것은?**

인간의 뇌에는 기억을 저장하고 떠올리는 과정에서 중요한 역할을 하는 '해마'라는 기관이 있다. 연구에 따르면 대도시의 교통 체증을 피해 시시때때로 새로운 길을 탐색해야 하는 택시 기사의 해마가, 정해진 노선대로 운전해야 하는 버스 기사의 해마보다 그 크기가 더 크다고 한다. 또 해마의 크기는 택시 운전 경력과도 비례하는 것으로 밝혀졌다. 대도시라는 환경에서 새로운 길을 탐색하는 택시 기사의 경험이 해마의 크기 차이로 나타난 것이다. 과학자들은 이를 바탕으로 하여 경험이 해마의 크기에 영향을 미친다고 보고 있다.

① 경험이 해마의 크기에 영향을 미치는 과정을 단계적으로 제시하고 있다.
② 경험에 따라 해마의 크기가 달라지는 요인을 여러 측면에서 분석하고 있다.
③ 경험의 차이가 해마의 크기에 영향을 준 구체적 사례를 근거로 하여 일반적 사실을 이끌어 내고 있다.

● **체증** | 막힐 滯, 증세 症 | 교통의 흐름이 순조롭지 아니하여 길이 막히는 상태.

❷ 관점 비교하기

글을 합리적으로 평가하려면 글에 나타난 여러 관점을 비교하여 글의 내용을 이해할 수 있어야 한다. 일반적으로 관점은 견해·주장을 통해 드러난다.

✎ 견해·주장이 나타난 문장의 핵심 어구를 중심으로 하여 관점을 파악하고, 이것들의 공통점 또는 차이점을 파악하자!

상반된 두 관점(입장)이 제시되어 있는 글이에요. 이와 같은 경우 두 관점의 차이를 나타내는 말을 핵심 어구로 주목해야 해요.

예 언제 어디서나 옳다고 여겨지는 보편적인 도덕의 유무에 대해 시대나 장소와 무관하게 모든 사람들이 옳다고 여기는 보편적인 도덕이 존재한다는 관점이 있다. 예를 들어 '생명을 존중해야 한다.'나 '자기가 하기 싫은 일은 남에게 시키지 말라.'와 같은 것은 어느 시대, 어느 장소에서나 보편적으로 옳다고 여겨지는 보편적인 도덕이라는 것이다. 이와 달리 언제 어디서나 옳다고 여겨지는 도덕은 존재하지 않는다고 보는 관점이 있다. 즉, 도덕은 시대나 장소에 따라 달라지기 때문에 상대적이므로, 자신이 속한 사회의 도덕이 반드시 모든 사회에 적용되어야 하는 것은 아니라고 생각한다.

중심 화제 / 예시 / 대조·대비

바로 확인 **4 다음 글을 읽고, ㉠의 관점을 정리한 아래의 괄호 안에 알맞은 말을 각각 쓰시오.**

'잊힐 권리'를 법률로 정하여 놓는 것에 대해 찬성과 반대의 의견이 대립하고 있다. 찬성 측은 개인의 인권 보호를 위해 '잊힐 권리'를 법률로 정해 놓아야 한다고 주장한다. 반면 ㉠반대 측은 '잊힐 권리'가 법률로 정해지면 언론사는 삭제나 폐기를 요구받을 만한 민감한 기사를 보도하는 데 조심스러워질 수밖에 없어 표현의 자유가 침해될 수 있다고 주장한다. 그리고 기사나 자료가 과도하게 삭제될 경우 정부나 기업, 특정인과 관련된 정보에 대한 국민의 알 권리가 침해될 수 있다는 점도 우려하고 있다.

㉠은 (   )와/과 (   )의 침해 가능성을 근거로 하여 반대의 입장을 밝히고 있다.

❸ 비판하기

비판하는 것은 일반적으로 잘못된 점을 지적하는 것으로 여겨진다. 그러나 합리적인 비판은 대상의 의미와 가치를 인정하는 태도를 바탕으로 하여 이루어진다. 그러므로 글의 내용을 비판할 때에는 먼저 비판 대상의 장점과 단점을 파악한 뒤, 장점에 대한 인식을 바탕으로 하여 대상의 문제점을 지적하도록 한다.

- **유무** | 있을 有, 없을 無 | 있음과 없음.
- **잊힐 권리** | 인터넷에서 생성, 저장, 유통되는 개인 정보에 대해 유통 기한을 정하거나 이의 수정, 삭제, 영구적인 폐기를 요청할 수 있는 권리.

관점(입장) 간의 차이점을 바탕으로 하여 상대 관점의 문제점(한계)을 지적하자!

원자력에 대한 상반된 입장을 소개하고 있는 글이에요. 두 입장의 차이점을 바탕으로 하여 상대 관점의 문제점(한계)을 비판하는 내용에 주목해야 해요.

예 원자력 찬성론자들은 원자력이 탄소 배출량을 줄이면서도 경제를 성장시킬 수 있는 최선의 방법이라고 강조한다.(찬성론자의 주장) 「원자력은 화석 에너지와는 비교할 수 없을 정도로 탄소 배출량이 적다. 그리고 원자력은 발전 원가가 화석 에너지에 비해 상대적으로 싸기 때문에 저렴한 가격에 안정적으로 전기를 공급할 수 있다.」(「」: 주장의 근거) 따라서 원자력이 에너지 부족 문제를 해결하고 탄소 배출량을 줄여야 하는 시대에도 경제를 성장시킬 수 있는 에너지라는 것이다.

반면 원자력 반대론자들은 원자력이 탄소 배출량을 줄이는 효과가 적기 때문에 화석 에너지의 대안이 될 수 없다고 주장한다.(반대론자의 주장) 「원자력은 전기 생산에만 활용할 수 있고 기계나 자동차의 연료로는 사용할 수 없어서 탄소 배출량을 줄이는 효과가 매우 적다는 것이다.」(「」: 주장의 근거) 이런 까닭에 반대론자들은 선진국들이 태양열, 풍력, 바이오 에너지와 같은 재생 가능한 에너지 산업에 집중적으로 투자하고 있다는 점에 주목한다. 원자력의 원료인 우라늄을 다 써 버리거나 방사능 폐기물이 더 이상 처리될 수 없을 정도로 쌓이면, 선진국으로부터 탄소 배출권이나 재생 가능한 에너지 기술을 사서 써야 할지도 모른다고 예측한다.

● 이 글에 나타난 상반된 두 관점 ●

원자력 찬성론자		원자력 반대론자
원자력은 탄소 배출량을 줄이면서도 경제를 성장시키는 최선의 방법이다.		원자력은 탄소 배출량을 줄이는 효과가 적기 때문에 화석 에너지의 대안이 될 수 없다.

바로 확인 | **5 다음 ㉡의 입장에서 ㉠의 입장에 대해 할 말로 가장 적절한 것은?**

㉠톨스토이는 감정도 생각처럼 타인에게 전달될 필요가 있다고 보았다. 이때 감정을 타인에게 전달하는 주요 수단이 예술이다. 예술가는 자신이 표현하고픈 감정을 떠올린 후, 작품을 통해 타인도 공감할 수 있도록 전달한다. 이때 전달되는 감정은 질이 좋아야 하며, 한 사회를 좋은 방향으로 이끌어 나갈 수 있어야 한다. 연대감이나 형제애가 그러한 감정이다. 좋은 감정이 잘 표현된 한 편의 예술이 전 사회, 나아가 전 세계를 감동시키며 세상의 발전에 기여할 수 있다고 본 것이다.

톨스토이와 달리, ㉡콜링우드는 예술이 한 개인의 감정을 정리하는 수단이라고 보았다. 우리의 생각을 정리하는 훈련이 필요하듯이 우리의 감정도 그러하다는 것이다. 우리는 일상생활에서 벌컥 화를 내거나 하염없이 눈물을 흘리곤 하는데, 이러한 인간의 감정은 예술을 통해 정리되는 것이 바람직하다. 그리고 예술을 통해 우리의 감정이 정리되었으면 굳이 타인에게 전달하지 않더라도 예술은 그 목적을 충분히 달성한 것으로 보았다.

① 예술의 목적은 연대감 형성에 있지 않고 감정의 정리에 있다.
② 예술은 예술가의 모든 감정을 전달하지 않고 질 좋은 감정만 전달한다.
③ 예술은 감상자의 감정 정리보다 감상자의 감정 형성에 큰 영향을 미친다.

교과서에 나온 개념

● 관점을 파악하며 읽기

관점을 파악하며 글을 읽는다는 것은 글쓴이가 글의 대상에 대하여 취하고 있는 기본적인 태도나 방향을 파악하며 읽는 것을 말한다. 같은 사물이나 현상에 대해 다른 관점으로 전개한 글을 비교하며 읽음으로써 독자는 대상에 대해 균형 있는 시각을 가질 수 있고, 이를 통해 자신의 관점을 명확하게 세우는 데 도움을 얻을 수 있다.

[1~2] **다음 글을 읽고, 물음에 답하시오.**

독해 tip

㉮에서 과학 기술 만능주의의 관점을 파악하고, 글쓴이가 이와 관련하여 문제 삼고 있는 것이 무엇인지를 파악해 본다. 그리고 ㉯에서 글쓴이가 사용한 논증 방식을 이해하고, ㉰에서 글쓴이가 주장하는 바를 파악해 글쓴이의 관점을 이해한다.

㉮ 오늘날 과학 기술의 발전에 힘입어 인간의 삶은 풍요롭고 편리해졌다. 이에 따라 과학 기술이 인간에게 유토피아, 즉 행복을 보장하는 이상 사회를 가져다줄 것으로 생각하는 사람들이 많아졌다. 이와 같이 생각하는 태도를 과학 기술 만능주의라고 한다. 과학 기술 만능주의의 태도는 과학 기술을 무비판적이고 맹목적으로 신뢰하게 하며, 과학 기술로 설명할 수 없는 것은 신뢰하지 않고 가치가 없다고 여기게 만든다.

㉯ 그런데 과학 기술은 인류를 위험한 상황에 빠트릴 수 있다. ㉠<u>유전자 변형 생물체는 병충해와 환경 변화에 강해 대량 생산을 할 수 있다는 장점이 있지만, 생태계의 질서를 어지럽힐 수 있다. 또 로봇 기술의 발전은 작업의 편의성을 높여 주지만 실업자를 대량으로 발생시킬 수 있다. 따라서 과학 기술의 긍정적인 면 외에 부정적인 면도 살펴야 한다.</u>

㉰ 과학 기술이 없는 생활을 상상하기 어려울 정도로 과학 기술은 오늘날 우리의 삶과 밀접한 관계를 맺고 있지만, 우리 삶의 가치와 의미, 목적과 같이 과학 기술이 해결해 줄 수 없는 것들도 많다. 이러한 것들은 능동적이고 주체적인 삶의 태도를 지닐 때 얻을 수 있으므로 우리는 도덕의 역할에 관심을 기울이고, 자신을 성찰하는 태도를 지녀야 한다.

- **능동적** | 능할 能, 움직일 動, 것 的 | 다른 것에 이끌리지 아니하고 스스로 일으키거나 움직이는 것.
- **주체적** | 주될 主, 몸 體, 것 的 | 다른 것에 이끌리지 아니하고 스스로 일으키거나 움직이는 것.

1 이 글의 글쓴이의 관점을 다음과 같이 정리할 때, 괄호 안에 들어갈 알맞은 말을 각각 쓰시오.

> 과학 기술은 (　　　　　　)을/를 풍요롭고 편리하게 해 주지만, 한편으로 인류를 (　　　　　　)에 빠뜨릴 수도 있다. 따라서 우리는 과학 기술로 해결할 수 없는 문제들의 답을 찾기 위해 (　　　　　)의 역할에 관심을 기울여야 한다.

2 ㉠과 유사한 논증 방식이 사용된 것은?

① 모든 철학자는 사람이다. 칸트는 철학자이다. 그러므로 칸트는 사람이다.
② 제비는 날개가 있다. 참새도 날개가 있다. 그러므로 모든 새는 날개가 있다.
③ 우리 반 학생들은 모두 휴대 전화를 갖고 있다. 철호는 우리 반 학생이다. 그러므로 철호는 휴대 전화를 갖고 있다.
④ 집에서 오후 6시에 출발하면 약속에 늦는다. 나는 오늘 오후 6시에 집에서 출발했다. 그러므로 나는 오늘 약속에 늦을 것이다.
⑤ 책을 읽으면 지식이 늘어난다. 지식이 늘어나면 세상에 대한 안목이 넓어진다. 그러므로 책을 읽으면 세상에 대한 안목이 넓어진다.

정답과 해설 7쪽

[3~4] **다음 글을 읽고, 물음에 답하시오.**

독해 tip

중심 화제인 육식의 윤리적 문제에 대해 두 관점으로 나누어 접근하고 있는 글이다. 개체론적 관점의 핵심 내용을 파악한 후, 생태론적 관점에 관한 내용을 이해할 때, 두 관점의 차이점을 나타내는 말에 주목해야 한다.

(가) 오랫동안 인류는 동물들의 희생이 따르는 육식을 당연하게 여겨 왔으며 이는 지금도 진행 중이다. 그런데 이에 대해 윤리적 문제를 제기하며 채식을 선택하는 경향이 생겨났다. 이를 취향이나 종교, 건강 등의 이유로 채식하는 입장과 구별하여 '윤리적 채식주의'라고 한다. 이러한 관점에서 볼 때, 육식의 윤리적 문제점은 무엇인가?

(나) 육식의 윤리적 문제점은 크게 ㉠개체론적 관점과 ㉡생태론적 관점으로 나누어 살펴볼 수 있다. 개체론적 관점에서 볼 때, 동물은 인간처럼 존중받아야 할 독립적인 개체로 주체적인 생명을 꾸려 나갈 권리가 있는 존재이다. 또한 동물도 쾌락과 고통을 느끼는 개별 생명체이므로 그들에게 고통을 주어서도, 생명을 침해해서도 안 된다. 요컨대 독립적인 개체인 동물을 단순히 음식 재료로 여기는 인간 중심주의적인 시각은 윤리적으로 문제가 있다고 본다.

(다) 한편 생태론적 관점에서 볼 때, 지구의 모든 생명체들은 개별적으로 존재하는 것이 아니라 서로 유기적으로 연결되어 존재한다. 따라서 각 개체로서의 생명체가 아니라 유기체로서의 지구 생명체가 인간에게 유익한지 여부가 인간 행위의 도덕성을 판단하는 기준이 되어야 한다고 본다. 가령 대량 사육을 바탕으로 한 공장제 축산업은 인간에게 풍부한 음식 재료를 제공하지만 토양, 수질, 대기 등의 환경을 오염시켜 지구 생명체를 위협하므로 윤리적으로 문제가 있다고 보는 것이다.

- **경향** | 기울 傾, 향할 向 | 현상이나 사상, 행동 따위가 어떤 방향으로 기울어짐.
- **개체** | 낱 個, 몸 體 | 하나의 독립된 생물체.
- **요컨대** | | 중요한 점을 말하자면.
- **유기적** | 있을 有, 틀 機, 것 的 | 생물처럼 전체를 구성하고 있는 각 부분이 서로 밀접하게 관련되어 떼어 낼 수 없는 것.

3

이 글을 읽고 평가한 내용으로 가장 적절한 것은?

① 중심 화제에 대해 가설을 설정한 후 관련 현상을 분석하고 있다.
② 중심 화제에 관해 문제점을 지적한 후 해결 방안을 모색하고 있다.
③ 중심 화제에 관한 논의의 필요성을 주장한 후 쟁점을 설명하고 있다.
④ 중심 화제에 대한 두 관점을 소개한 후 두 관점의 입장을 밝히고 있다.
⑤ 중심 화제에 대한 이론의 발전 과정을 언급한 후 전망을 제시하고 있다.

4

㉡의 입장에서 ㉠의 입장에 대해 비판할 말로 가장 적절한 것은?

① 오랫동안 당연하게 여겨 온 동물들의 희생을 가치 있는 것으로 여겨야 한다.
② 윤리적 채식주의는 취향, 종교, 건강 등의 이유로 채식하는 입장과 구별된다.
③ 동물도 쾌락과 고통을 느끼는 존재이므로 동물의 권리를 존중해 주어야 한다.
④ 인간 중심의 사고에서 벗어나야 하지만 인류 생존을 위해 육식이 꼭 필요한 경우가 있다는 점을 유념해야 한다.
⑤ 동물들의 독립적인 개체성이 아니라 생명체들 간의 유기적 관계를 고려하여 육식의 윤리적 문제점을 판단해야 한다.

내용 적용의 원리

독해를 할 때 글의 내용을 수용하거나 비판하는 데서 그치지 않고, 글의 내용을 삶에 적용하여 글의 의미를 확장하는 데까지 나아갈 수 있어야 한다. 이를 위해서는 글에 제시된 개념, 원리·방법, 견해·주장, 특징 등에 관한 정보를 다양한 사례나 상황에 적용하는 사고의 훈련이 필요하다.

중학교 국어 읽기 영역 • 읽기는 글에 나타난 정보를 활용하여 문제를 해결하는 과정임을 이해하고 글을 읽는다.
• 도서관이나 인터넷에서 관련 자료를 찾아 참고하면서 한 편의 글을 읽는다.

독해 원리 글의 내용을 적용 대상이 되는 자료의 내용 요소와 대응시키자.

① 구체적 사례(상황)에 적용하기

글에 제시된 주요 정보를 구체적 사례나 상황에 적용하여 내용을 분석적으로 이해하거나 문제점에 대한 대안 또는 방안을 생각하는 것이다.

개념, 원리·방법, 견해·주장, 특징 등에 관한 내용 요소를 구체적 사례나 상황의 내용 요소와 대응시키자!

'작업 기억'과 '장기 기억'의 개념을 구체적 사례에 적용하여 각각의 사례가 어떤 기억에 해당하는지를 설명하고 있어요. 이렇게 내용 적용하기는 서로 관련 있는 내용 요소를 대응시킴으로써 이루어집니다.

예 기억은 크게 작업 기억과 장기 기억으로 나눌 수 있다. 작업 기억은 정보를 짧은 시간 동안 저장했다가 빼내는 것을 말하고, 장기 기억은 용량 제한 없이 정보를 오랫동안 저장해 두었다가 빼내는 것을 말한다. 가령 당근과 호박을 사러 마트에 갈 때, 가는 동안 살 물건을 잊지 않는 것은 작업 기억이고, 당근과 호박이 무엇인지, 마트가 어디에 있는지와 같이 우리가 경험을 통해 이미 알고 있는 지식은 장기 기억이다. 작업 기억에서 다루어진 활동의 내용들을 통해 장기 기억은 꾸준히 만들어진다.

바로 확인 **1 다음을 바탕으로 할 때, 만족감이 가장 클 것으로 기대되는 사례는?**

'준거점'은 경제적인 이익이나 손실의 가치를 판단할 때 작동하는 내적인 기준이다. 사람들은 이러한 준거점에 의존하여 이익과 손실의 가치를 판단한다. 가령 A의 용돈은 만 원, B의 용돈은 천 원이다. 만일 A의 용돈은 만천 원이 되고, B의 용돈은 이천 원이 된다면, 둘 중에 누가 더 만족할까? 객관적인 기준으로 본다면 A는 B보다 여전히 더 많은 용돈을 받으므로 A가 더 만족해야 한다. 그러나 원래 용돈인 만 원을 기준으로 용돈이 천 원 오른 것의 가치를 느끼는 A보다, 천 원을 기준으로 그 가치를 느끼는 B가 더 만족할 것이다.

① 영희는 만 원씩 받던 한 달 용돈을 이달부터 이만 원씩 받았다.
② 영호는 오만 원의 용돈을 받다가 이달부터 육만 원을 받게 되었다.
③ 인수는 매달 이만 오천 원의 용돈을 받았는데 이달부터 삼만 오천 원을 받게 되었다.

② 시각 자료에 적용하기

글을 읽을 때, 글의 내용과 시각 자료를 관련지어 정보를 이해해야 하는 경우가 있다. 이와 같은 글의 독해는 글의 내용을 시각 자료에 적용하는 사고를 바탕으로 하여 이루어진다.

정답과 해설 8쪽

글의 내용 요소와 시각 자료를 구성하는 요소를 대응시키자!

여우, 침팬지, 인간의 얼굴 생김새를 대비하여 설명하고 있어요. 시각 자료를 활용하고 있는데, 구체적으로 이해하기 위해서는 글의 내용 요소(㉠~㉥)에 대응하는 시각 자료의 요소를 짚으며 읽어야 해요. 이것은 시각 자료가 문제의 <보기>에 있는 경우에도 마찬가지예요.

예 인간의 얼굴 생김새가 갖는 특징은 다음 그림을 통해 찾아볼 수 있다.

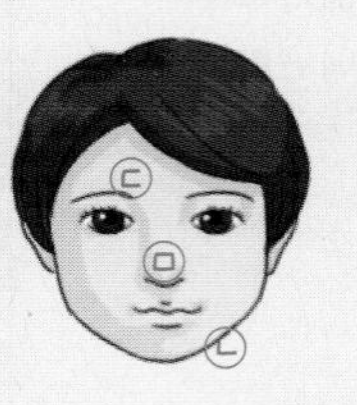

먼저 여우의 얼굴과 인간의 얼굴을 비교해 보자. 여우는 ㉠긴 주둥이와 머리덮개뼈 쪽으로 부드러운 경사를 이루는 안면 윤곽을 가지고 있다. 반면에 인간의 얼굴은 ㉡주둥이가 줄어들어 돌출된 흔적만 남아 있고 ㉢두개골 앞면에 둥글납작하며 수직으로 솟은 이마가 있다. 또한 여우의 얼굴은 ㉣털로 덮여 있고 대다수의 포유류처럼 촉촉한 코를 가지고 있지만, 인간의 얼굴은 ㉤피부가 그대로 노출되어 있고 마른 코를 가지고 있다. 한편 침팬지의 얼굴은 ㉥여우와 인간, 두 종의 특징이 혼합되어 있으면서도 여우보다는 인간의 얼굴에 더 가깝다.

바로 확인 | **2 다음을 참고하여 〈보기〉의 ㉠~㉢에 들어갈 말을 각각 찾아 쓰시오.**

두 개의 빨대로 간단한 분무기를 만들 수 있다. 빨대 하나는 용액에 담그고 다른 하나는 ㄱ 자 모양이 되도록 연결한다. 그다음 용액에 담근 빨대에 ㄱ 자로 연결한 빨대를 불면 공기가 빠르게 빨대를 빠져나가면서 빨대에서 공기가 빠져나온 영역의 압력이 낮아진다. 이 영역의 압력이 용액을 누르는 대기압보다 작은 경우, 용액에 담근 빨대의 아래쪽으로부터 용액이 위로 빨려 올라와 분무된다. 액체나 기체는 압력이 높은 곳에서 낮은 곳으로 이동하기 때문에 압력을 변화시키면 용기 속의 액체가 용기 밖으로 분무가 가능해진다.

보기

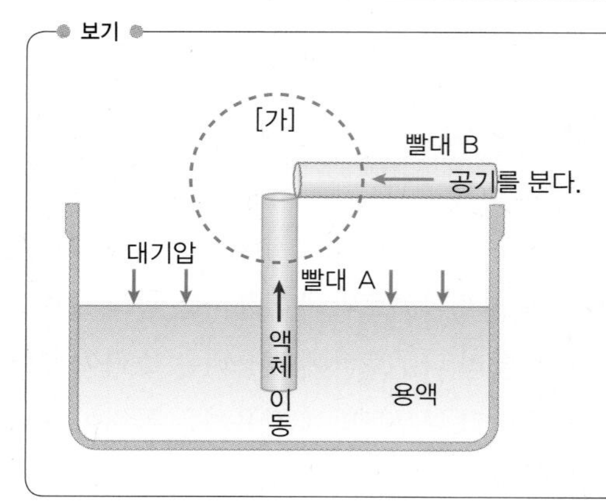

빨대 B에 공기를 불자 빨대 A의 아래쪽에서 위쪽으로 용액이 올라와 [가] 영역으로 분무되었다. 이런 현상이 나타난 이유는 [가] 영역의 (㉠)이/가 용액을 누르는 (㉡)보다 (㉢) 때문이다.

교과서에 나온 개념

● **자료를 참고하며 읽기**

글을 읽다 보면 낯선 용어나 개념, 모르는 정보나 지식과 맞닥뜨리는 경우가 있다. 이때 구체적인 사례, 상황, 시각 자료 등에 관한 자료를 찾아 참고하면 글의 내용을 정확하면서도 깊이 있게 이해하는 데 도움이 된다. 따라서 글을 읽다가 어렵거나 궁금한 것이 있으면 이를 지나치지 말고 다양한 매체를 통해 확인하는 습관을 기르도록 한다.

독해 tip

유체에서 물체에 작용하는 힘인 중력과 부력에 대해 설명하는 글이다. 가에서 중력의 개념과 '무게'와 '질량'의 개념 차이를 이해한다. 그리고 나에서 부력의 개념과 부력의 발생에 관한 원리에 주목하여 글의 내용을 이해해 보자.

● **유체** | 흐를 流, 몸 體 | 기체와 액체를 아울러 이르는 말.
● **낙하하다** | 떨어질 落, 아래 下 | 높은 데서 낮은 데로 떨어지다.

[1~2] 다음 글을 읽고, 물음에 답하시오.

가 어떤 물체가 물이나 공기와 같은 유체 속에서 낙하하면 물체에는 중력, 부력 등이 작용한다. 중력은 지구가 물체를 끌어당기는 힘으로, 물체가 낙하하는 동안 일정하다. 물체에 작용하는 중력의 크기를 '무게'라고 하며 단위는 힘의 단위와 같은 N(뉴턴)을 사용한다. 물체의 무게는 장소에 따라 달라질 수 있다. 예를 들어 중력의 크기가 지구의 1/6배인 달에서는 물체의 무게 또한 지구에서의 1/6이 된다. 그런데 무게와 달리 물체가 가지고 있는 고유한 양은 변하지 않는다. 장소가 달라져도 변하지 않는 물체의 고유한 양을 '질량'이라고 하며 단위는 주로 kg(킬로그램)을 사용한다. 물체의 질량에 물체가 운동할 때 중력의 작용으로 생기는 중력 가속도를 곱한 값이 물체의 무게가 된다.

나 액체나 기체 속에 들어 있는 물체는 그 액체나 기체로부터 위로 밀어 올리는 힘을 받는데, 이 힘을 부력이라고 하며 부력은 중력과 반대 방향으로 작용한다. 크고 무거운 배가 물에 뜰 수 있는 것도 배에 부력이 작용하기 때문이다. 물체에 작용하는 부력은 물에 잠긴 부분의 부피가 클수록 커진다. 물에서 물체에 작용하는 부력이 중력보다 크면 물체가 물에 뜨고, 부력이 중력보다 작으면 가라앉는다.

1

이 글을 읽고 알 수 있는 내용으로 적절한 것은?

① 공기 중에서 상승 운동하는 물체에는 중력이 작용하지 않겠군.
② 두 공의 부피가 다르더라도 질량이 같으면 부력이 동일하겠군.
③ 달에서 1kg의 물체에 작용하는 중력 가속도는 지구보다 더 작겠군.
④ 물체에 작용하는 중력은 장소가 달라지더라도 그 크기가 변하지 않겠군.
⑤ 질량이 일정한 쇠막대의 무게를 달에서 쟀을 때와 지구에서 쟀을 때 그 값이 서로 같겠군.

2

나를 바탕으로 하여 다음에 대해 이해한 내용으로 적절한 것은?

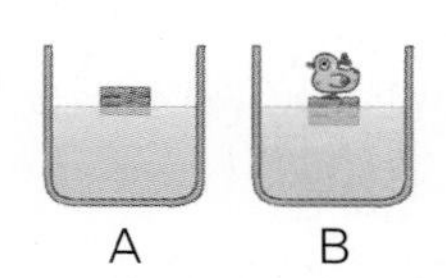

A, B는 동일한 크기의 수조에 동일한 나무토막을 넣은 상황이다.

① A에 비해 B의 나무토막에 작용하는 부력이 더 크다.
② B에 비해 A의 나무토막에 작용하는 중력이 더 크다.
③ A는 B와 달리 나무토막에 작용하는 중력이 부력보다 크다.
④ B는 A와 달리 나무토막에 작용하는 부력이 중력보다 크다.
⑤ A와 B의 나무토막에 작용하는 부력의 크기는 시간에 따라 변화한다.

실전으로 차곡차곡 익숙하게!

독해 실전 1회

면에 담긴 세계사

① 끊어질 듯 길게 이어지는 가느다란 모양과 '후루룩' 하며 입안으로 빨려 들어올 때의 소리, 그리고 탱글탱글한 식감. 흔히 국수라고도 부르는 면은 어떻게 우리의 식탁까지 오르게 된 것일까? 면이 언제 어디에서 처음 만들어졌는지 정확한 기록은 없지만, 고고학자들은 그 기원이 밀의 재배와 관련이 깊다고 본다. 밀은 다른 곡물에 비해 반죽을 탄력 있게 만드는 글루텐이 풍부해서 국수를 만들기가 쉬웠을 것이기 때문이다. 따라서 기원전 7000년 무렵부터 밀이 재배되기 시작한 메소포타미아에서 국수가 탄생했다고 추측하고 있다.

② 이후 국수를 만드는 기술은 밀과 함께 발칸 반도를 거쳐 유럽으로, 실크 로드를 거쳐 중국으로도 전해졌다. 전문가들은 이때 국수가 중국 특유의 탕이나 찜 요리 문화와 만나면서 끓는 물에 조리하기 적합한 지금의 형태로 발전했다고 말한다. 1,400여 년 전 위진남북조 시대에 쓰인 《제민요술》에는 국수를 '물에서 잡아 늘인 밀가루 음식'이라는 뜻의 '수인병'이라 부른 기록이 나타난다. 한편 중국 남부에서는 밀 대신 주요 경작물인 쌀을 이용해 국수를 만드는 법이 개발되었고, 이 쌀국수는 태국과 베트남 등 동남아시아 지역으로 전파되었다. 재미있는 점은 중국과 히말라야 산맥으로 가로막힌 ㉠인도에는 국수 문화가 없다는 것인데, 이를 통해 국수의 전파 경로는 문명의 접촉과 교역의 경로와 일치한다고 짐작해 볼 수 있다.

③ 우리나라에 국수가 전파된 것은 고려 시대로 추정된다. '면'이라는 글자가 처음 등장한 것이 고려 시대이기 때문이다. 역사책인 《고려사》에는 "제례에 면을 쓰고 사원에서 국수를 만들어 팔았다."라는 기록이 있다. 이를 바탕으로 하여 많은 학자들은 송나라를 오가던 고려의 승려들이 중국의 국수를 접하고 돌아와 이를 만들어 먹기 시작했을 것으로 보고 있다. 당시에는 밀이 매우 귀해서 메밀이나 녹두를 국수의 주재료로 사용하였는데, 이후 메밀이 많이 생산되는 북쪽 지방에서는 메밀가루로 만든 국수나 냉면 요리가 발달하기도 했다.

④ 인류 최초의 문명과 함께 탄생한 면은 이렇게 문명과 문명 사이의 교류에 의해 전 세계로 퍼져 나갔고 각 나라의 입맛에 맞게 독특한 형태로 발전해 왔다. 이런 점에서 볼 때, 오늘날 우리가 즐기는 다양한 면 요리는 동서 문명의 합작품이라고도 말할 수 있을 것이다.

지문 이해

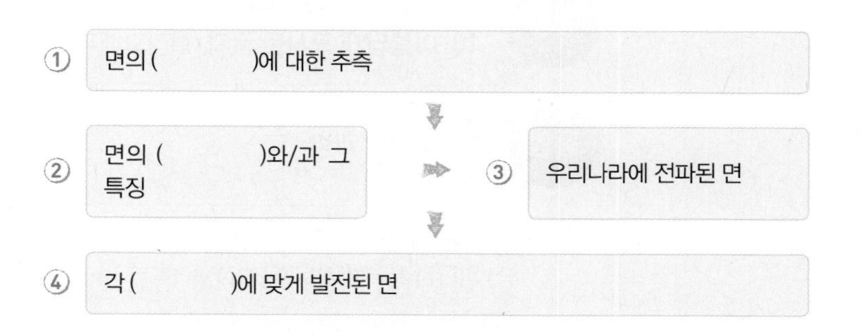

- **적합하다** | 알맞을 適, 맞을 合 | 일이나 조건 따위에 꼭 알맞다.
- **문명** | 글월 文, 밝을 明 | 인류가 이룩한 기술적, 사회 구조적인 발전.
- **교역** | 서로 交, 바꿀 易 | 주로 나라와 나라 사이에서 물건을 사고팔고 하여 서로 바꿈.
- **제례** | 제사 祭, 예도 禮 | 제사를 지내는 의식.

세부 내용 파악하기

1 **이 글에서 알 수 있는 내용으로 적절하지 않은 것은?**

① 기원전 7000년 무렵 메소포타미아에서 밀을 재배하기 시작했다.
② 국수를 만드는 기술은 밀과 함께 실크 로드를 거쳐 중국으로 전해졌다.
③ 쌀국수는 밀을 재배하지 않는 동남아시아에서 개발되어 중국으로 전파됐다.
④ 고려 시대에는 국수를 만들 때 밀보다는 메밀이나 녹두를 더 많이 사용했다.
⑤ 학자들은 우리나라의 국수가 중국의 국수 문화를 접하고 돌아온 고려의 승려들에게서 시작된 것으로 추정해 왔다.

정답과 해설 10쪽

이유 추론하기

2 **이 글을 바탕으로 하여 ㉠의 이유를 추측한 내용으로 가장 적절한 것은?**

① 쌀이 인도의 주요 경작물이었기 때문이다.
② 인도에는 탕이나 찜 요리 문화가 없었기 때문이다.
③ 인도의 승려들은 국수를 만들어 먹지 않았기 때문이다.
④ 인도의 날씨가 밀을 재배하는 데 적합하지 않았기 때문이다.
⑤ 다른 문명과의 접촉이나 교역을 가로막는 인도의 지형적인 특징 때문이다.

핵심 정보 파악하기

3 **이 글의 중심 내용을 다음과 같이 요약할 때, 괄호 안에 들어갈 알맞은 말을 각각 쓰시오.**

> 문명과 문명 사이의 (　　　)에 의해 전 세계로 전파된 면은 각 나라의 상황에 맞게 (　　　)한 형태로 발전했다.

어휘 확인하기

다음의 의미에 알맞은 단어를 고르시오.

(1) 가까이 대하고 사귐. ➡ (전파 / 접촉)

(2) 문화나 사상 따위가 서로 통함. ➡ (교류 / 경로)

(3) 일이나 조건 따위에 꼭 알맞다. ➡ (합작하다 / 적합하다)

토론은 말싸움이 아니다

교과 연계 **국어**_토론하기

① 토론을 말싸움으로 생각하는 사람들이 종종 있다. 토론은 말로 싸우는 것이 아니라, 논리로 우열을 겨루는 것이다. 여기서 논리란 근거를 통해 주장의 타당성을 입증해야 한다는 의미이며, 우열을 겨룬다는 것은 어느 쪽의 논리가 더 나은 것인지를 판단한다는 의미이다. 토론에서 논리적 우위를 차지하기 위해서는 토론의 논제에 대해 제대로 파악하고 다양한 자료를 검토하여 설득력 있게 자신의 주장을 펼치는 것이 중요하다.

② 토론에서 논제는 의견을 나눌 거리로, 일반적으로 ㉠정책에 대한 것, ㉡가치에 대한 것, ㉢사실에 대한 것으로 구분된다. 실제 토론의 논제는 정책에 대한 것이 가장 많은데, 구체적인 사안에 대해 문제점과 해결 방안을 중심으로 하여 논리의 우열을 따지기에 적합하기 때문이다. 무엇이 좋고 나쁜지, 무엇이 옳고 그른지 등의 관점을 다루는 가치 논제나 증거를 통해 참인지 거짓인지 사실 입증을 다루는 사실 논제도 토론의 논제로 사용되기도 한다.

③ 논제는 찬성 측과 반대 측의 입장이 명확히 구분되도록 평서형 문장으로 하는 것이 원칙이다. 또한 논제는 '만 18세 청소년에게 선거권을 주어야 한다.'와 같이 현재의 상태를 바꾸는 쪽으로 정의되며 감정적 표현이 담기면 안 된다. 토론에서 타당성을 입증해야 하는 부담은 논제를 찬성하는 쪽에 있고, 논리적으로 반박해야 하는 부담은 반대쪽에 있다. 논제에 대한 자신의 입장을 정할 때는 이러한 부담을 고려해야 한다.

④ 토론의 논제에 대해 찬성할지, 반대할지는 다양한 자료를 통해 마련한 논리적 근거를 바탕으로 하여 결정해야 한다. 이때 근거 자료는 자신의 입장을 뒷받침할 수 있는 것이면서, 보편적으로 인정할 수 있고 믿을 만한 것이어야 한다. 실제로 있었던 일이나 전문가의 의견, 과학적으로 증명된 사실 등이 그러한 자료의 대표적 예이다. 또한 토론에서 논리만큼 중요한 것은 토론에 임하는 자세이다. 토론이 논리로 우열을 가리는 것이기는 하지만, 상대방에 대한 존중 없이 자신의 입장만 내세우는 것은 토론이 아니라 말싸움이라는 것을 명심해야 한다.

지문 이해

- **우열** | 뛰어날 優, 못할 劣 | 나음과 못함.
- **입증하다** | 설 立, 증명할 證 | 어떤 증거 따위를 내세워 증명하다.
- **우위** | 뛰어날 優, 자리 位 | 남보다 나은 위치나 수준.
- **사안** | 일 事, 안건 案 | 법률이나 규정 따위에서 문제가 되는 일이나 안.

세부 내용 파악하기

1 **이 글을 읽고 답할 수 있는 질문이 아닌 것은?**

① 토론에 임하는 바람직한 자세는 무엇인가?
② 토론에서 사회자는 어떤 역할을 담당하는가?
③ 토론에서 우열을 겨룬다는 것은 어떤 의미인가?
④ 토론에서 타당성을 입증해야 하는 부담은 어느 편에 있는가?
⑤ 토론에서 논리적 근거가 될 수 있는 자료에는 무엇이 있는가?

정답과 해설 11쪽

구체적 사례에 적용하기

2 **㉠~㉢의 사례로 적절하지 않은 것은?**

① ㉠: 사형 제도를 폐지해야 한다.
② ㉠: 동물원 허가제를 도입해야 한다.
③ ㉡: 환경 보전이 경제 발전보다 중요하다.
④ ㉡: 쓰레기통을 없애면 쓰레기 배출량이 줄어든다.
⑤ ㉢: 외계 생명체는 존재한다.

비판하기

3 **이 글을 바탕으로 하여 다음 논제의 문제점이 무엇인지 각각 쓰시오.**

(가) 자유 학년제는 확대되어야 할까?
(나) 청소년 심야 게임 금지 제도를 유지해야 한다.

어휘 확인하기

밑줄 친 단어의 뜻을 〈보기〉에서 골라 그 번호를 쓰시오.

보기
① 생각하고 헤아려 보다.
② 어떤 증거 따위를 내세워 증명하다.
③ 서로 버티어 승부를 다투다.

(1) 건강을 고려해서 잠을 충분히 자도록 해라. ➡ (　　　　)

(2) 혜인이와 나는 누가 더 빨리 달리는지 겨루기로 했다. ➡ (　　　　)

(3) 형사는 그의 범행을 입증할 단서들을 찾기 위해 애썼다. ➡ (　　　　)

지속 가능한 관광을 위하여

교과 연계 **도덕** _ 자연과 인간의 바람직한 관계

① 세계적으로 알려진 관광 자원인 알프스 산맥에는 연간 수천만 명의 관광객이 방문한다. 이렇게 많은 관광객을 수용하기 위해 현지에서는 앞다퉈 리조트를 짓고 케이블카를 설치했는데, 이 과정에서 알프스의 수많은 나무들이 베이고 숲은 망가졌다. 관광 산업이 성장할수록 자연환경이 더 많이 훼손되어 가는 것이다. 물론 자연환경의 훼손이 관광 산업에 영향을 미치는 경우도 있어 관광 산업과 자연환경은 서로 밀접한 관련이 있다고 할 수 있다. 이런 점에서 볼 때 세계 관광 인구가 빠른 속도로 증가하고 있는 현재의 상황에서 자연환경의 훼손을 막는 것은 인류 전체가 하루빨리 해결해야 할 과제라고 볼 수 있다.

② 이러한 문제의식을 바탕으로 하여 최근에는 생태 관광이라는 새로운 관광 개념이 등장하였다. 에코투어리즘이라고도 불리는 생태 관광은 관광과 자연의 상생에 목표를 두고 미래 지향적 관광을 추구한다. 이는 생태 관광을 규정하는 세 가지 요소에 잘 드러난다. 첫째 자연에 바탕을 두어야 하며, 둘째 생태적 가치를 배울 수 있어야 하고, 셋째 지속 가능한 형태로 관리되고 운영되어야 한다. 이 세 요소 중 하나라도 충족되지 않으면 생태 관광이라고 불릴 수 없다.

③ 생태 관광의 세 가지 요소 가운데 가장 강조되는 것은 지속 가능성이다. 여기서 지속 가능하다는 것은 환경적으로, 경제적으로, 사회 문화적으로 지속성을 지닌다는 의미이다. 관광 산업이 자연환경을 훼손하지 않고 보전하며 이루어지는지, 관광지의 지역 경제를 활성화시키는지, 지역 문화와 지역 주민을 존중하고 배려하며 이루어지는지를 확인함으로써 관광 산업이 현재만이 아닌 미래를 위한 산업으로 변모하게 하는 것이다.

④ 우리나라에서도 생태 관광이 점차적으로 확대되고 있다. 예를 들어 전라남도 신안군 증도는 문화와 자연이 잘 보존된 점을 세계적으로 인정받아 '슬로 시티'로 지정된 것을 내세우는 한편, 증도를 '차 없는 섬', '별 보는 섬'으로 조성하여 공해 없는 환경을 유지하고 지역의 전통을 결합한 다양한 관광 상품을 개발하여 주민들의 경제적 이익을 도모하고 있다. 이러한 노력들은 현 세대의 관광 욕구를 충족시키는 동시에 미래 세대의 관광 기회를 보호하는 것으로서 그 가치를 인정받고 있다.

지문 이해

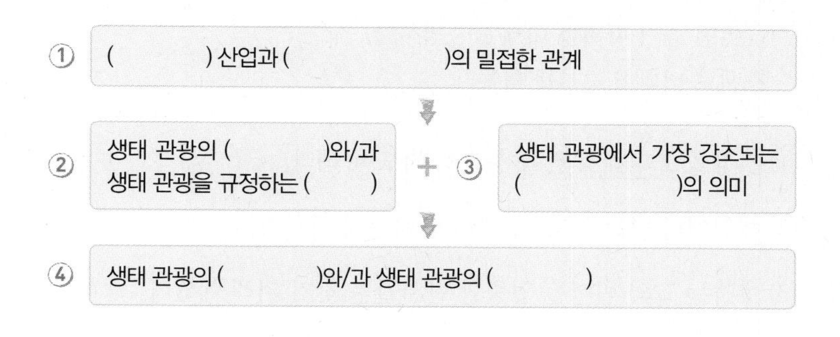

① (   ) 산업과 (   )의 밀접한 관계
② 생태 관광의 (   )와/과 생태 관광을 규정하는 (   )
+
③ 생태 관광에서 가장 강조되는 (   )의 의미
④ 생태 관광의 (   )와/과 생태 관광의 (   )

- **상생** | 서로 相, 날 生 | 둘 이상이 서로 북돋으며 다 같이 잘 살아감.
- **규정하다** | 법 規, 정할 定 | 내용이나 성격, 의미 따위를 밝혀 정하다.
- **변모하다** | 바뀔 變, 모양 貌 | 모양이나 모습이 달라지거나 바뀌다.
- **도모하다** | 꾀할 圖, 꾀할 謀 | 어떤 일을 이루기 위하여 대책과 방법을 세우다.

세부 내용 파악하기

1 **이 글의 내용과 일치하지 <u>않는</u> 것은?**

① 세계의 관광 인구는 증가하고 있다.
② 생태 관광은 미래 지향적인 관광을 추구한다.
③ 생태 관광은 지역 경제를 활성화시킬 수 있는 형태여야 한다.
④ 생태 관광의 요소 중에서 가장 강조되는 것은 지속 가능성이다.
⑤ 생태 관광에서는 관광객의 욕구를 지역민의 상황보다 우선시한다.

정답과 해설 12쪽

사례로 개념 이해하기

2 **〈보기〉의 (가), (나)를 활용하여 이 글을 보완하고자 할 때, 그 방안으로 가장 적절한 것은?**

보기

(가) 캐나다의 남동부에 있는 핼리팩스는 배를 타고 나가 대서양의 고래를 가까이서 볼 수 있는 관광 상품으로 잘 알려져 있다. 그런데 대서양의 오염이 극심해지면서 고래의 개체 수가 감소하여 핼리팩스는 관광지로서의 유명세를 잃어 가고 있다.

(나) 제주 올레길은 2007년 1코스가 조성된 이후 2012년에 총 21코스까지 완성된 제주도의 대표적 관광지이다. '올레'는 집 대문에서 마을의 큰길로 이어지는 아주 좁은 골목을 가리키는 말인데, 제주도의 본래 환경을 해치지 않는 것에 중점을 두고 자연 그대로의 모습을 살리는 방향으로 조성되었다.

① 1문단에서 (가)를 활용하여 자연환경의 훼손이 관광 산업에 영향을 미친 사례를 추가한다.
② 1문단에서 (가)를 활용하여 훼손된 자연환경을 복구하는 데 상당한 시간이 필요함을 강조한다.
③ 2문단에서 (가)를 활용하여 관광과 자연을 상생하도록 하는 생태 관광의 예시를 보여 준다.
④ 3문단에서 (나)를 활용하여 생태 관광이 지역의 경제적 수익을 극대화하는 방식임을 부각한다.
⑤ 4문단에서 (나)를 활용하여 관광 산업과 전통 문화가 관련이 깊다는 것을 설명한다.

어휘 확인하기

다음에 제시된 단어의 뜻을 참고하여 빈칸에 알맞은 말을 써넣으시오.

(1) ☐손: 헐거나 깨뜨려 못 쓰게 만듦.

(2) 수☐하다: 일정한 장소나 시설에 모아 넣다.

(3) 상☐: 둘 이상이 서로 북돋우며 다 같이 잘 살아감.

지도가 거짓말을 한다고?

교과 연계 **사회** _ 지도 읽기

① 우리가 살고 있는 지구는 둥글다. 이처럼 구의 형태인 3차원의 지구 표면을 2차원의 평면 지도로 그리기 위해 고안된 방법을 지도 투영 방법, 또는 도법이라고 한다. 지도를 그릴 때 지점 사이의 방향, 구역의 면적, 거리 중에서 어떤 것에 초점을 맞추어 표현하는가에 따라 도법의 종류가 달라진다. 방향, 면적, 거리 모두를 동시에 완벽하게 표현할 수 있는 도법은 아직까지 없으며, 따라서 어떤 도법을 선택하느냐에 따라 왜곡이 발생하는 양상도 다르게 나타난다.

② 우리가 흔히 보는 세계 지도는 메르카토르 도법으로 그린 것이다. 메르카토르 도법은 두 지점 간의 정확한 각도 표현에 초점을 맞춘 것으로 출발지와 목적지를 직선으로 연결하면 직선 항로를 쉽게 찾을 수 있다. 따라서 이 도법은 대항해 시대에 항해사에게 매우 유용하였다. 그러나 각도를 정확하게 유지하면서 둥근 구를 직사각형 종이에 반듯하게 펼치다 보니 적도 부근은 거의 실제에 가깝지만 고위도로 갈수록 땅의 면적이 부풀려지고 형태도 왜곡된다. 메르카토르 도법으로 그린 지도에서 북극 근처의 그린란드와 남극을 살펴보면 실제 크기와 많이 다르다는 것을 알 수 있다. 실제 아프리카 면적의 1/14에 지나지 않는 그린란드가 아프리카와 거의 비슷한 크기로 부풀려져 있고, 남극은 세계의 여러 대륙을 합한 것만큼 커 보인다.

③ 한편 몰바이데 도법은 면적을 정확하게 표현하기 위해 고안된 것으로, 경선은 타원의 곡선으로 그리고 위선은 직선으로 긋는다. 면적을 정확하게 표현하기 위해 위선 간의 간격을 계산하여 달리 그리기 때문에 고위도로 갈수록 위선 간의 간격은 좁아진다. 또한 경선은 중심에서 벗어날수록 휘어진 곡선으로 표현하다 보니 가장자리로 갈수록 형태가 일그러진다. 메르카토르 도법이 각도의 정확성에 치중한 나머지 고위도의 면적을 지나치게 확대한 반면, 몰바이데 도법은 면적을 정확하게 나타내고자 형태와 각도를 훼손시켰다. 이처럼 우리가 보는 지도는 어쩔 수 없이 거짓말을 하고 있다. 즉, 지도 제작자는 지도를 이용하는 사람들이 찾고자 하는 것을 쉽게 찾을 수 있도록 다른 것들을 무시하거나 감춰 버리기도 한다.

지문 이해

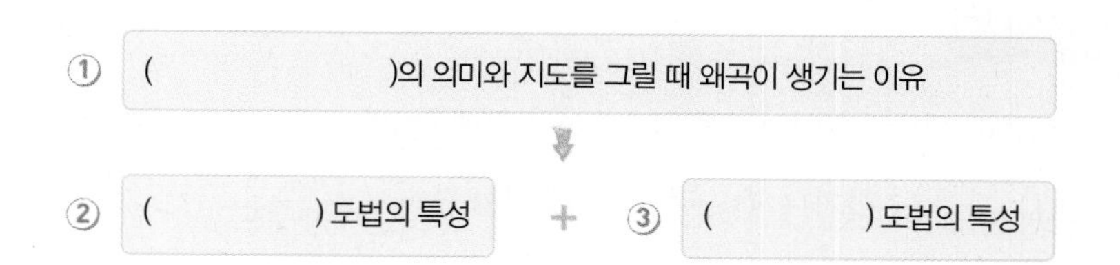

① (   )의 의미와 지도를 그릴 때 왜곡이 생기는 이유
② (   ) 도법의 특성
+
③ (   ) 도법의 특성

- **고안되다** | 생각할 考, 안건 案 | 연구하여 새로운 안이 나오다.
- **투영** | 던질 投, 그림자 影 | 도형이나 입체를 다른 평면에 옮기는 일. 혹은 그것에 의하여 평면에 생기는 도형.
- **왜곡** | 비뚤 歪, 굽을 曲 | 사실과 다르게 해석하거나 그릇되게 함.

중심 화제 잡기

1 **이 글의 중심 내용으로 가장 적절한 것은?**

① 지도 제작 방식이 발전해 온 역사
② 지도의 종류에 따른 세계관의 차이
③ 도법에 따라 발생하는 지도의 왜곡 양상
④ 지도를 이용하는 사람들의 잘못된 사고방식
⑤ 세계 지도에서 알 수 있는 각 나라의 이해관계

세계관
세계와 그 세계를 이루고 있는 인간 및 인생의 의의와 가치에 대한 생각을 말한다.

정답과 해설 13쪽

시각 자료에 적용하기

2 **이 글의 내용을 바탕으로 하여 〈보기〉의 (가)와 (나)를 바르게 이해한 것은?**

보기

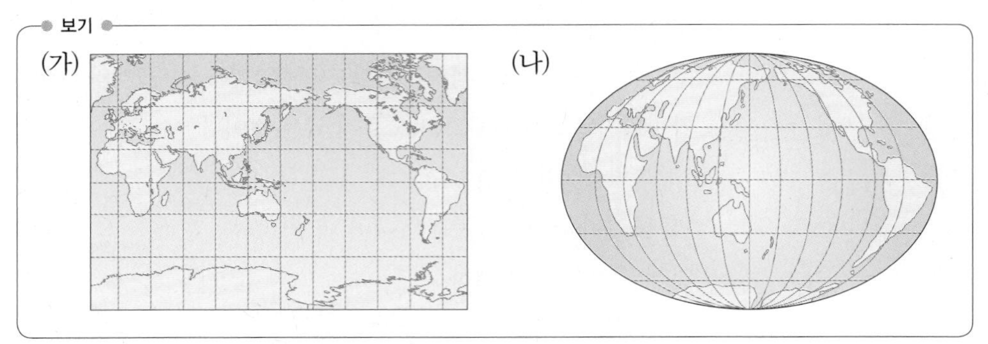

① (가)는 적도 부근의 왜곡이 가장 심하게 일어난다.
② (가)가 (나)보다 지형의 면적이 더 왜곡되는 방식이다.
③ (나)는 두 지점 간의 직선 항로를 찾는 데 중점을 두고 있다.
④ (나)가 (가)보다 위선과 경선의 각도가 정확하다는 장점이 있다.
⑤ (가)에 비해 (나)는 실제 지구의 모습을 정확하게 반영하고 있다.

어휘 확인하기

다음 밑줄 친 단어의 뜻풀이가 적절하지 않은 것은?

① 어느 한쪽에 치중하기보다는 균형을 유지하는 것이 좋다. – 어떠한 것에 특히 중점을 두다.
② 이것은 몸이 불편한 사람을 위해 특수하게 고안된 것이다. – 연구하여 새로운 안이 나오다.
③ 그는 이상을 지향하는 이상주의자이다. – 더 높은 단계로 오르기 위하여 어떠한 것을 하지 아니하다.
④ 뉴스에서 왜곡 보도를 하자 사람들의 항의가 빗발쳤다. – 사실과 다르게 해석하거나 그릇되게 함.
⑤ 그 질문은 문제의 초점을 흐리는 질문이었다. – 사람들의 관심이나 주의가 집중되는 사물의 중심 부분.

05 열기구가 하늘로 떠오르는 이유

교과 연계 **과학** _ 기체의 온도와 부피의 관계

① 비행기가 발명되기 전인 18세기에는 많은 과학자들이 기구를 사용한 비행에 대해 연구하였다. 몽골피에 형제는 1783년에 지름이 18m에 달하는 대형 열기구를 개발하였다. 이 열기구에 지푸라기와 양털을 태운 공기를 채워 최초로 사람을 태우고 비행을 한 것이다. 몽골피에 형제는 열기구가 하늘로 떠오르는 까닭을 알고 있었을까?

② 열기구가 하늘로 떠오르게 되는 것은 ㉠샤를의 법칙과 관련이 있다. 샤를의 법칙은 '압력이 일정할 때, 온도가 높아지면 기체의 부피가 일정하게 늘어난다'는 것이다. 열기구를 띄울 때에는 열기구 속에 뜨거운 공기를 채우는데, 온도가 높아지면 공기의 부피가 커지면서 공기의 일부가 열기구 밖으로 빠져나간다. 이때 열기구 속 공기의 양이 적어져 열기구 바깥의 공기보다 가벼워지므로 열기구가 떠오르게 되는 것이다.

③ 〈그림 1〉의 실험처럼 공기가 들어 있는 밀폐된 용기를 가열하면 〈그림 2〉처럼 기체의 부피가 일정하게 증가하는 것을 확인할 수

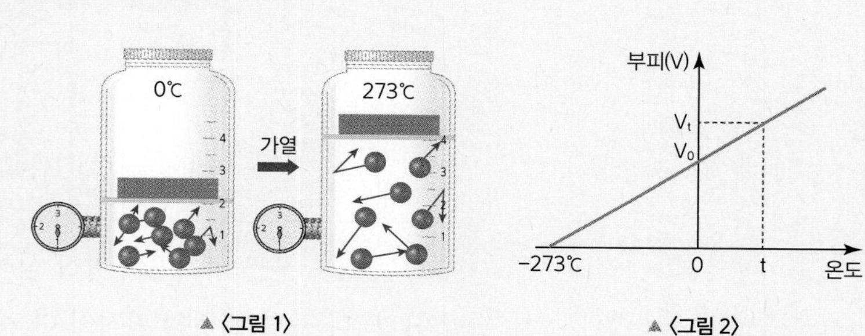

▲〈그림 1〉 ▲〈그림 2〉

있다. 기체의 부피는 온도가 1°C 오를 때마다 0°C 때 부피의 약 1/273 만큼씩 늘어난다. 외부의 압력은 일정한 상태에서 온도가 변하면 기체 분자의 운동 속도가 변하게 된다. 온도가 올라가면 기체 분자의 운동 속도가 빨라지고, 온도가 내려가면 기체 분자의 운동 속도가 느려진다. 기체 분자의 운동 속도에 따라 기체 분자가 움직이는 범위가 달라지는데, 운동 속도가 빨라지면 움직이는 범위가 넓어져 기체 분자가 서로 부딪치거나 벽면에 부딪치는 힘도 커진다. 그래서 기체의 부피가 증가하게 되는 것이다. 그렇다면 부피가 일정할 때 온도와 압력은 어떤 관계를 가질까? 실험에 따르면 부피가 일정할 때 기체의 온도와 압력은 비례한다. 일정한 부피 안에서 온도가 증가하면 기체 분자의 운동이 빨라져서 압력도 증가하게 되기 때문이다.

지문 이해

① (   )을/를 만들어 하늘을 비행한 몽골피에 형제

② 열기구가 하늘로 떠오르는 이유를 설명해 주는 (   )

③ (   )을/를 보여 주는 실험 결과

- **달하다** | 도달할 達 | 일정한 표준, 수량, 정도 따위에 이르다.
- **부피** | 넓이와 높이를 가진 물건이 공간에서 차지하는 크기.
- **밀폐되다** | 빽빽할 密, 닫을 閉 | 샐 틈이 없이 꼭 막히거나 닫히다.
- **분자** | 나눌 分, 아들 子 | 물질에서 화학적 형태와 성질을 잃지 않고 분리될 수 있는 최소의 입자.

세부 내용 파악하기

1 **이 글의 내용과 일치하지 않는 것은?**

① 열기구 속 공기가 바깥보다 가벼워지면 열기구가 떠오른다.
② 부피가 일정할 때 기체의 온도가 올라가면 압력이 증가한다.
③ 압력이 일정할 때 기체의 온도가 올라가면 기체의 부피는 늘어난다.
④ 기체 분자의 운동 속도가 느려지면 기체 분자가 움직이는 범위가 넓어진다.
⑤ 압력이 일정한 상태에서 온도가 달라지면 기체 분자의 운동 속도도 달라진다.

실전 1회

정답과 해설 14쪽

사례로 원리 이해하기

2 **㉠을 설명하기 위해 추가할 수 있는 사례로 가장 적절한 것은?**

① 비행기를 타면 귀가 먹먹해진다.
② 어항 속의 물이 시간이 지나면 줄어든다.
③ 물에 소금을 넣으면 물이 더 빨리 끓는다.
④ 자전거 타이어는 여름철보다 겨울철에 덜 팽팽하다.
⑤ 부엌에서 음식을 하면 음식 냄새가 집 전체에 퍼진다.

정보들의 관계 파악하기

3 **이 글을 바탕으로 하여 다음의 질문에 답하시오.**

> 밀폐 용기에 기체가 담겨 있다. 이 밀폐 용기의 온도를 0°C에서 273°C로 올리면 기체의 부피는 처음 부피의 몇 배가 될까?

어휘 확인하기

다음 문장에서 [떠오르다]의 문맥적 의미로 가장 적절한 것은?

> 몽골피에 형제는 열기구가 하늘로 [떠오르는] 까닭을 알고 있었을까?

① 탈 것에 타다.
② 솟아서 위로 오르다.
③ 관심의 대상이 되어 나타나다.
④ 얼굴에 어떠한 표정이 나타나다.
⑤ 기억이 되살아나거나 잘 구상되지 않던 생각이 나다.

파리의 위치를 표시하는 방법

교과 연계 **수학** _ 좌표 평면과 그래프

① 데카르트는 "나는 생각한다, 고로 존재한다."라는 명제로 우리에게 잘 알려져 있는 프랑스의 철학자이다. 그는 근대 철학의 아버지라고 불릴 정도로 철학을 대표하는 학자이기도 하지만 근대 수학의 기초를 이룩한 수학자이기도 하다. 특히 수학 교과서에서 자주 볼 수 있는 좌표 평면은 데카르트가 고안한 것으로, 그 과정을 담은 다음과 같은 일화가 유명하다. 데카르트는 젊은 시절, 군인으로 전쟁에 참전한 적이 있었다. 어느 날 막사 침대에 누워 있던 그는 천장에서 윙윙거리는 파리를 보고 '파리의 위치를 확실하고 쉽게 표현할 수 있는 방법이 없을까?' 하는 고민을 하게 되었다. 그러다가 천장의 바둑판무늬를 이용하면 파리의 위치를 숫자로 정확하게 나타낼 수 있다는 것을 깨달았다. 데카르트는 이를 그림으로 나타내기 위해 종이 위에 ㉠하나의 점을 찍고, 그 점을 중심으로 가로줄 하나, 세로줄 하나를 그어 위치를 표시하기 위한 ㉡기준선을 만들었다. 이렇게 좌표 평면이 만들어진 것이다.

② 종이 위에 찍은 하나의 점을 수학적 용어로 기준점 또는 원점이라고 하는데, 그 위치는 마음대로 정할 수 있다. 기준점에서 교차하는 두 직선 중 가로로 뻗은 직선을 x축, 세로로 뻗은 직선을 y축이라고 부르며 일반적으로 수학에서는 원점을 기준으로 x축에서 오른쪽, y축에서 위쪽이 양의 값이다. 그렇다면 이렇게 설정된 좌표 평면에 파리와 같은 물체의 위치를 어떻게 표시하는 것일까? 바로 원점에서의 거리를 기준으로 표시한다. 예를 들면, 그림의 점 A는 원점을 기준으로 오른쪽으로 1, 위쪽으로 1 만큼 떨어져 있으므로 (1, 1)이라고 표시한다.

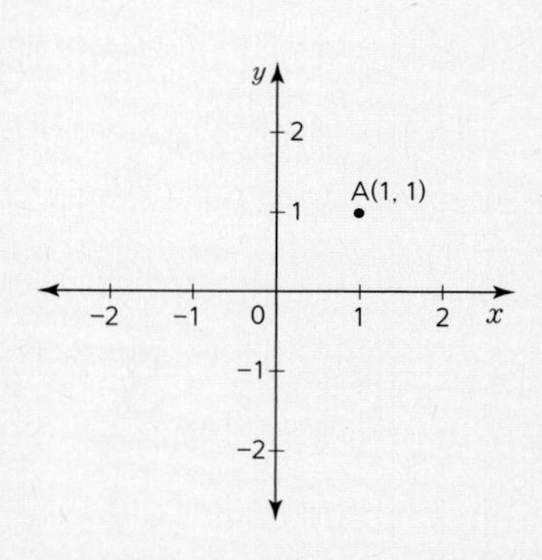

③ 좌표 평면의 탄생은 단순한 수학적 발견이 아닌, 수학에 일대 변혁을 가져온 사건이었다. 데카르트의 좌표 평면이 만들어지면서 이전에는 많이 사용되지 않았던 0이나, −1, −2와 같은 음수의 정의가 확립되었다. 또한 좌표 평면 위의 임의의 점을 (x, y)로 표시함으로써 직선뿐만 아니라 원, 타원, 쌍곡선과 같은 기하학적 도형도 모두 식으로 나타낼 수 있게 되었다.

지문 이해

① 좌표 평면을 고안한 (   )의 일화

② 좌표 평면을 설정하고 (   )을/를 표시하는 방법

③ 데카르트의 좌표 평면이 (   )에 미친 영향

- **명제** | 명할 命, 제목 題 | 어떤 문제에 대한 논리적 판단 내용과 주장을 나타낸 짧은 문장.
- **교차하다** | 서로 交, 엇갈릴 叉 | 서로 엇갈리거나 마주치다.
- **변혁** | 바뀔 變, 바꿀 革 | 급격하게 바꾸어 아주 달라지게 함.
- **임의** | 맡길 任, 뜻 意 | 대상, 장소 따위를 일정하게 정하지 아니함.

세부 내용 파악하기

1 **이 글에서 알 수 있는 내용이 아닌 것은?**

① 데카르트의 철학적 명제
② 좌표 평면을 설정하는 방법
③ 좌표 평면이 수학에 끼친 영향
④ 데카르트가 철학과 수학을 연구한 이유
⑤ 데카르트가 좌표 평면을 고안하게 된 계기

정답과 해설 15쪽

사례로 원리 이해하기

2 **아래 그림에서 파리의 위치가 (양의 값, 음의 값)으로 표시된다고 할 때, a~e 중에서 원점의 위치로 적절한 것은?**

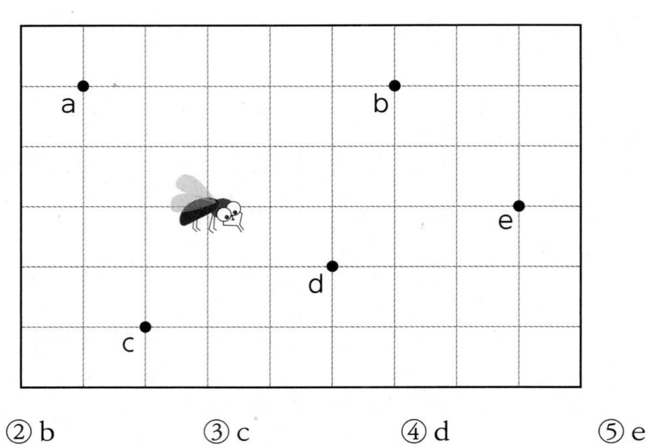

① a ② b ③ c ④ d ⑤ e

정보들의 관계 파악하기

3 **㉠과 ㉡을 가리키는 수학적 용어를 이 글에서 각각 찾아 쓰시오.**

어휘 확인하기

다음의 뜻에 해당하는 단어를 〈보기〉에서 찾아 쓰시오.

보기: 기틀 업적 변혁 정의

(1) 급격하게 바꾸어 아주 달라지게 함. ➡ (   )

(2) 어떤 사업이나 연구 따위에서 세운 공적. ➡ (   )

(3) 어떤 말이나 사물의 뜻을 명백히 밝혀 규정함. ➡ (   )

1

다음 뜻에 해당하는 단어를 말 상자에서 찾아 표시하시오.

(1) 샐 틈이 없이 꼭 막거나 닫음.
예 남은 음식은 (　　　　) 용기에 담아 냉장 보관해라.

(2) 전하여 널리 퍼뜨림.
예 그 이야기는 아주 빨리 (　　　　)되었다.

(3) 둘 이상이 서로 북돋우며 다 같이 잘 살아감.
예 자연과 인간은 (　　　　) 관계에 있다.

(4) 사물을 인식하여 논리나 기준 등에 따라 판정을 내림.
예 우리가 선택한 방법이 적절한지 (　　　　)해 보자.

예 소	망	적	극	적
원	밀	폐	행	복
판	수	입	전	파
단	출	상	운	동
탄	기	측	생	력

2

다음의 뜻에 알맞은 단어를 서로 연결하시오.

(1) 식물을 심어 가꾸다. • 　　• ① 고안하다
(2) 어떤 증거 따위를 내세워 증명하다. • 　　• ② 재배하다
(3) 연구하여 새로운 안을 생각해 내다. • 　　• ③ 규정하다
(4) 내용이나 성격, 의미 따위를 밝혀 정하다. • 　　• ④ 입증하다

3

괄호 안에 들어갈 말로 가장 적절한 것은?

> 국민들이 행복하고 안전한 세상에서 살 수 있도록 하기 위해서는 민주주의의 기틀을 올바르게 (　　　　) 것이 매우 중요하다.

① 교차하는　② 확립하는　③ 반박하는　④ 도달하는　⑤ 유용하는

4

다음 중 밑줄 친 말의 쓰임이 어색한 것은?

① 이번 체육 대회는 우리의 친목을 도모하기 위한 것이다.
② 다른 사람의 의견을 무조건 수용하는 것은 위험한 일이다.
③ 각자의 특수한 사정을 고려하여 일을 배분할 필요가 있다.
④ 그는 남의 말을 왜곡하여 많은 사람들에게 신뢰를 얻고 있다.
⑤ 마음을 다스리는 것보다 외모를 꾸미는 데 더 치중하면 안 된다.

지하철 노선도의 비밀

지하철을 타고 어딘가를 갈 때 한번쯤은 지하철 노선도를 본 일이 있을 것이다. 지금과 같은 지하철 노선도는 1931년 영국 런던의 전기 기술자였던 해리 벡이 만들었다. 그는 전기 회로도에서 힌트를 얻어 지하철이 다니는 길을 단순하게 표현하고 그 위에 역들을 같은 간격으로 배치했다.

사실 지하철 노선도는 우리가 흔히 생각하는 지도와 많이 다르다. 방향도 거리도 표시되어 있지 않고, 실제 모습을 정확하게 축소하여 나타낸 것도 아니다. 다음의 두 그림은 서울시 지하철 1호선의 노선도이다. 그런데 서울역, 인천역, 천안역의 위치가 서로 다르게 표시되어 있다. 지도에 나타난 역의 위치와 비교해 보면 노선의 방향도 맞지 않고, 역과 역 사이 거리의 비율도 실제와 다르다는 것을 알 수 있다.

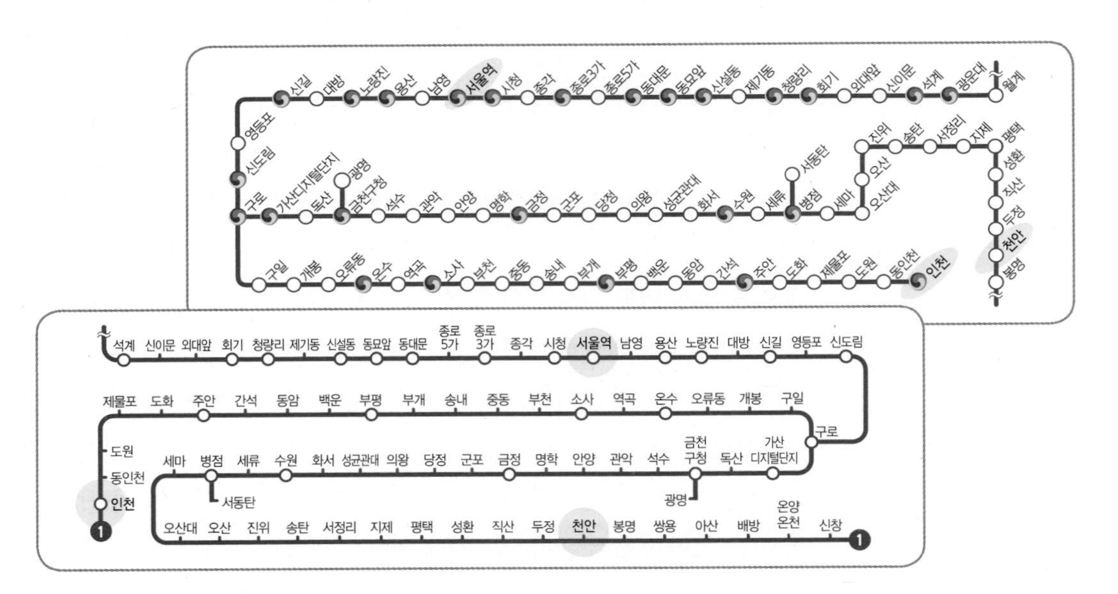

그런데도 지하철을 이용하는 사람들은 지하철 노선도를 아무런 불편 없이 잘 이용한다. 왜냐하면 지하철을 탈 때는 서울역과 인천역 사이의 실제 거리가 얼마나 되는지, 인천역이 서울역의 어느 방향에 있는지가 중요한 것이 아니기 때문이다. 지하철을 타는 사람들에게 중요한 것은 다음 역이 어디인지, 목적지에 도착하려면 몇 개의 역을 거쳐야 하는지이다. 만일 지하철 노선도에 거리와 방향 등을 상세하고 정확하게 표시한다면 오히려 너무 많은 정보 때문에 불편함을 느낄 수 있을 것이다. 지도가 무조건 실제를 정확하게 보여 주어야 하는 것은 아니며, 제작 목적에 따라 표시 방식이 다양해질 수 있는 것이다.

우리 삶의 방식을 바꿀 무인 자동차

교과 연계 **기술·가정** _ 기술과 사회 변화

① ‘무인 자동차(driverless car)’는 운전자 없이 자동차가 알아서 달리는 인공 지능을 갖춘 자동차이다. 무인 자동차는 스스로 움직인다는 점에서 자율 주행 자동차(self-driving car)와 비슷하지만, 운전자 없이 자동차가 알아서 주변 환경을 감지하고 도로를 주행한다는 점에서 직접 운전을 하지는 않지만 운전자가 탑승하는 자율 주행 자동차와 구별된다.

② 무인 자동차가 움직이는 과정은 센서의 작동 순서에 따라 ‘인지’, ‘판단’, ‘제어’의 세 단계로 나뉜다. ‘인지’는 도로 상황을 파악하는 단계이다. 이 단계에서는 레이더, 카메라, GPS 센서가 정보를 수집하여 지형과 고정된 시설물을 확인하며 자동차, 보행자 등의 움직이는 대상도 파악한다. 이와 같이 정보들이 수집되면 ‘판단’이 이루어진다. 판단은 수집한 정보를 분석해 어떻게 운전할지를 계획하는 단계이다. 이때 ‘어떤 도로를 이용할까?’, ‘어느 정도의 속도로 달려야 할까?’ 등 운전에 필요한 많은 내용을 결정한다. 그다음 판단에 따라 속도를 조절하고 방향을 바꾸는 ‘제어’가 이루어진다.

③ 시시각각 변하는 교통 상황 속에서 무인 자동차는 어떻게 안전하게 운행할 수 있을까? 무인 자동차는 스스로 학습하는 ㉠인공 지능을 갖추고 있다. 인공 지능은 차 앞에 횡단보도가 있는지, 사람이 있는지와 같은 물음에 답하며, 안전하거나 위험한 상황을 담은 동영상 정보를 스스로 학습해서 저장한다. 중요한 정보와 덜 중요한 정보를 구별해 다음 운전에 반영하는 방식이다. 이렇게 인공 지능이 학습한 정보들은 자동차 주행에 활용된다. ㉡주행 전략 프로그램은 이를 바탕으로 하여 ‘어떤 길로 가야 할까?’, ‘가야 할까, 멈춰야 할까?’ 등을 판단하고 이에 따라 자동차가 움직이도록 명령을 내린다. 한편 무인 자동차는 다른 차들이나 교통 시스템과 연결되어 있어 안전 운전을 위한 다양한 정보를 수집할 수 있다. 예를 들어 교차로에 접근했을 때 눈에 보이지 않는 곳에서 접근해 오는 다른 차와 미리 정보를 주고받아 안전하게 운행할 수 있다.

④ 무인 자동차는 자동차를 공유하는 시대를 열 전망이다. 무인 자동차들이 네트워크로 연결되어 있어서 한 번의 호출로 원하는 시간에 원하는 곳으로 차를 불러 이용할 수 있다면, 차를 소유하고 있지 않아도 신속하고 편리하게 원하는 곳으로 이동할 수 있게 될 것이다.

지문 이해

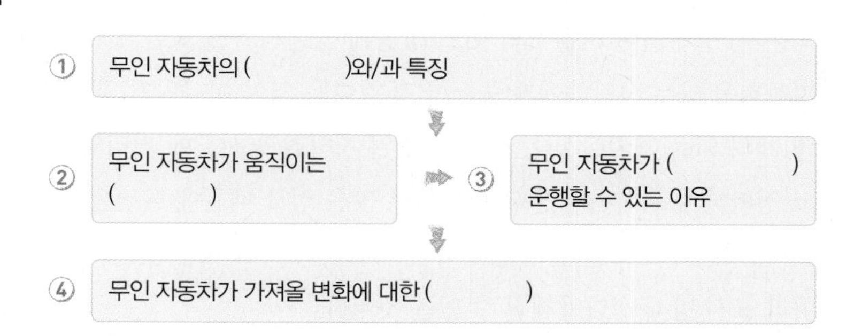

① 무인 자동차의 (　　　)와/과 특징
② 무인 자동차가 움직이는 (　　　)
③ 무인 자동차가 (　　　) 운행할 수 있는 이유
④ 무인 자동차가 가져올 변화에 대한 (　　　)

- **감지하다** | 느낄 感, 알 知 | 느끼어 알다.
- **GPS** | 위성의 신호를 받아 사용자의 현재 위치를 계산하는 시스템.
- **지형** | 땅 地, 모양 形 | 땅의 생긴 모양.
- **전망** | 펼 展, 바라볼 望 | 앞날을 헤아려 내다봄. 또는 내다보이는 장래의 상황.

세부 내용 파악하기

1

무인 자동차에 대해 이해한 내용으로 적절하지 않은 것은?

① '판단'의 결과를 바탕으로 하여 속도를 줄이거나 방향을 바꾸는 등의 '제어'가 이루어지는 것이겠군.

② 운전자가 탑승하지 않은 채 스스로 목표 지점으로 이동한다는 점에서 자율 주행 자동차와 구별되는군.

③ 도로를 주행하던 중 변화된 지형이 나타나면 레이더, 카메라 등의 센서가 이를 가장 먼저 감지하겠군.

④ 여러 갈래의 길 중 한 길을 선택하는 데 문제가 있다면 '판단' 단계가 제대로 이루어지지 않는 것이겠군.

⑤ 동일한 경로를 반복해서 운행할 경우 도로에 고정되어 있는 장애물에 관한 정보가 매번 새롭게 저장되겠군.

정답과 해설 16쪽

숨어 있는 내용 찾기

2

이 글을 바탕으로 하여 다음 학습지의 답에 들어갈 내용을 추론했을 때, 적절하지 않은 것은?

질문: 미래 사회에 무인 자동차가 대중화되면서 나타날 변화에 대해 써 보자.

답:

① 주행하는 자동차들 간의 정보 교환이 필요 없어질 것이다.

② 자동차로 인력과 물자를 수송하는 일자리가 줄어들 것이다.

③ 자동차를 소유하기 위한 목적으로 구매하는 소비자가 줄어들 것이다.

④ 도로 환경의 변화를 스스로 학습하는 인공 지능 기술이 발달할 것이다.

⑤ 운전면허가 없어서 이동이 불편했던 사람들의 이동 편의성이 높아질 것이다.

정보들의 관계 파악하기

3

㉠과 ㉡의 관계를 다음과 같이 요약하고자 할 때, 각각의 괄호 안에 들어갈 알맞은 기호를 쓰시오.

(　　　　)은 (　　　　)의 정상적인 작동을 위해 필요한 정보를 제공한다.

어휘 확인하기

다음의 밑줄 친 단어와 바꿔 쓰기에 가장 적절한 것은?

무인 자동차는 교통 시스템을 통해 다른 차들과 정보를 주고받는다.

① 교역한다　② 수신한다　③ 교환한다　④ 운행한다　⑤ 교체한다

생체 모방 기술

① 비가 내린 후 연잎을 자세히 살펴보면 물방울이 퍼지지 않고 동그랗게 맺혀 있다가 잎을 적시지 않고 주르르 흘러내리는 모습을 볼 수 있다. 사람 눈에는 매끄럽게만 보이는 연잎을 현미경으로 관찰하면 표면에 아주 미세한 돌기들을 볼 수 있는데, 이를 나노 돌기라고 한다. 이 나노 돌기가 물방울이 잎의 표면에 닿는 부분을 최소화시켜 연잎이 물에 젖지 않는 성질을 띠게 하는 것이다. 이를 '연잎 효과'라고 한다. 이 효과를 이용해 방수가 되는 옷, 세차가 필요 없는 자동차, 물과 오물이 흡수되지 않는 페인트 등을 개발할 수 있다.

② 이처럼 자연을 모방하는 기술을 생체 모방 기술이라고 한다. 생체 모방(biomimetic)은 생명을 의미하는 'bios'와 모방을 의미하는 'mimesis'라는 그리스어에서 나온 말로, 자연이나 생명체가 가지는 특성이나 형태를 적용하여 인간의 문제를 해결하는 것을 의미한다. 생체 모방 기술은 제조, 건축, 의료 등 다양한 분야에서 활용되고 있다.

③ 생체 모방 기술이 적용된 예로 전신 수영복이 있다. 전신 수영복에는 아주 작은 돌기가 나 있는데, 이것은 상어 비늘의 미세한 돌기인 리블렛을 활용한 것이다. 리블렛은 표면에서 물이 쉽게 흐를 수 있게 하여 표면 저항을 줄여 주는 역할을 한다. 따라서 리블렛을 모방한 전신 수영복을 입고 수영을 하면 리블렛이 물의 소용돌이를 밀어내는 역할을 하여 표면 저항을 줄임으로써 더 빠르게 헤엄칠 수 있게 된다. 이러한 장점 때문에 많은 수영 선수가 전신 수영복을 착용하게 되었다.

④ 우리가 찍찍이 테이프로 많이 알고 있는 벨크로도 생체 모방 기술이 활용된 경우이다. 스위스의 엔지니어 조르주 드 메스트랄(George De Mestral)은 어느 날 사냥을 마치고 돌아왔을 때 옷과 개의 털에 도꼬마리 열매의 가시가 달라붙어 있는 것을 발견하였다. 그는 도꼬마리 열매에 나 있는 특이한 모양의 가시가 옷이나 동물의 털에 잘 달라붙는다는 사실에 착안하여 쉽게 붙였다 떼었다 할 수 있는 벨크로를 발명하였다. 이 벨크로는 지금까지도 의류, 신발, 가방에서부터 우주선에까지 폭넓게 사용되고 있다.

지문 이해

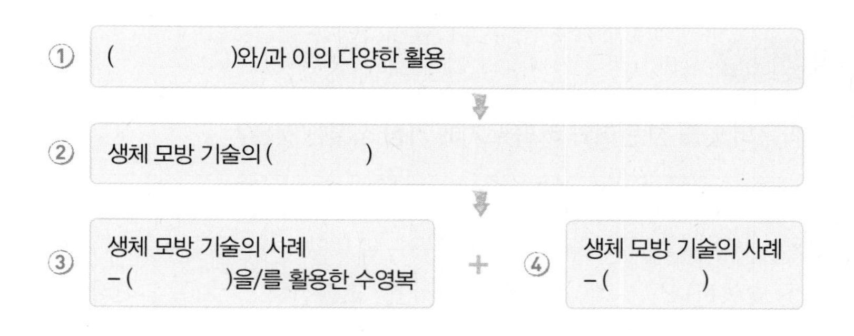

- **미세하다** | 작을 微, 가늘 細 | 분간하기 어려울 정도로 아주 작다.
- **돌기** | 내밀 突, 우뚝 솟을 起 | 뾰족하게 내밀거나 도드라짐. 또는 그런 부분.
- **착안하다** | 붙을 着, 눈 眼 | 어떤 일을 주의하여 보다. 또는 어떤 문제를 해결하기 위한 실마리를 잡다.

글의 전개 방식 알기

1 **〈보기〉는 이 글을 쓰기 전에 계획한 내용이다. 글을 쓰는 과정에 반영된 것을 모두 골라 바르게 묶은 것은?**

보기

ㄱ. 생체 모방 기술이 무엇인지 언급해야겠어.
ㄴ. 생체 모방 기술의 한계점을 설명해야겠어.
ㄷ. 생체 모방 기술이 활용된 구체적인 예를 제시해야겠어.
ㄹ. 생체 모방 기술을 처음으로 생각한 사람이 누군지 밝혀야겠어.

① ㄱ, ㄴ ② ㄱ, ㄷ ③ ㄴ, ㄷ ④ ㄴ, ㄹ ⑤ ㄷ, ㄹ

실전 1회

정답과 해설 17쪽

세부 내용 파악하기

2 **이 글을 이해한 내용으로 적절하지 않은 것은?**

① 벨크로는 도꼬마리 열매가 잘 달라붙는 개털의 모양을 본떠 개발된 것이다.
② 생체 모방 기술은 자연을 모방한 기술로 제조, 건축, 의료 등 다양한 분야에 적용되고 있다.
③ 리블렛을 활용한 전신 수영복은 수영 선수들의 기록을 향상시키는 데 도움을 줄 수 있다.
④ 생체 모방 기술은 자연이나 생명체가 가지는 특성이나 형태를 자세히 관찰해야 얻을 수 있다.
⑤ 연잎 효과를 활용하면 방수가 되는 옷이나 물과 오물이 흡수되지 않는 페인트를 개발할 수 있다.

핵심 정보 파악하기

3 **다음 괄호 안에 들어갈 알맞은 말을 이 글에서 각각 찾아 쓰시오.**

연잎의 (　　　　　　)은/는 물방울이 잎의 표면에 닿는 부분을 (　　　　　　)시켜 연잎이 물에 젖지 않는 성질을 띠게 하는데, 이를 연잎 효과라고 한다.

어휘 확인하기

괄호 안에 '미세한'이라는 말을 넣었을 때 어색한 것은?

① 청소기는 아주 (　　　　) 가루도 잘 빨아들인다.
② 그는 (　　　　) 관찰력으로 달라진 점을 발견했다.
③ 도자기를 자세히 살펴보니 (　　　　) 금이 가 있었다.
④ 이런 작은 문제보다는 좀 더 (　　　　) 사안에 주의를 기울여야 한다.
⑤ 전체적으로는 잘 쓴 글이었지만 몇 가지 (　　　　) 사항들이 빠져 있었다.

삶을 녹여 낸 문화, 힙합

① 래퍼들이 경합을 벌이는 한 방송 프로그램을 향한 대중들의 반응이 뜨겁다. 방송 때마다 이 프로그램의 제목이나 출연하는 래퍼들의 이름이 실시간 검색어 1위를 차지하고, 프로그램에서 선보인 노래가 정식으로 발표되면 순식간에 음원 차트 상위권에 진입하기도 한다. 우리를 열광시키는 힙합은 언제, 어떻게 시작되었으며 힙합 문화는 어떻게 세계 곳곳을 사로잡은 것일까?

② 힙합의 밑그림은 흑인들이 많이 거주하던 1970년대 미국 브롱크스 지역의 디제잉 클럽에서 시작되었다. '힙합의 아버지'로 불리는 디제이 쿨 허크는 두 대의 턴테이블을 놓고 리듬감이 강한 브레이크 구간을 연달아서 트는 방식을 선보였는데, 사람들은 보통의 노래를 틀 때에 비해 이 구간에서 더 적극적인 반응을 보였고 춤 좀 춘다는 사람들은 현란한 기술을 시도하기도 했다. 당대 주류 문화에 비해 더욱 역동적이고 현란했던 이러한 춤과 음악은 '힙합'이라는 이름이 붙어 전 세계로 퍼져 나갔고, 패션을 비롯한 다양한 분야에 영향을 미치면서 자유분방함을 추구하는 하나의 양식으로 자리 잡게 되었다.

③ 힙합 문화가 대중들에게 사랑받을 수 있는 것은 힙합이 기본적으로 즐거움을 추구하며, 자유로운 의사 표현을 긍정하는 문화이기 때문이다. 어떤 사람은 힙합을 억압당하며 살아온 흑인들이 분노와 저항 정신을 표출한 수단이라고 보기도 한다. 그러나 힙합이 곧 저항의 음악이라는 정의가 완전히 옳은 것은 아니다. 힙합은 여가를 즐기는 사람들 사이에서 탄생했기 때문이다. 다만 그 발생지가 미국의 흑인 사회였던 만큼, 힙합 음악에는 수백 년 동안 차별을 겪어 온 그들의 삶이 반영되어 있는 것이다. 힙합이 때로는 과격해지고, 때로는 건설적인 주장을 하게 된 이유가 바로 여기에 있다. 그런데 일부 예능 프로그램에서 공격적인 표현에 랩을 활용하는 등, 힙합이 남을 자극하고 해치는 음악으로 받아들여지는 것은 아쉬움을 준다.

④ 힙합은 삶을 녹여 낸 문화이기에 각양각색의 정서가 담겨 있다. 때로는 세상이 돌아가는 형편을 다루기도 하고, 생활에 밀접한 정치 문제를 논하기도 하며, 불합리한 제도에 거세게 맞서기도 한다. 이러한 힙합의 성격을 충분히 이해하고 올바른 시각으로 바라볼 때 우리는 비로소 힙합 문화의 진정한 즐거움을 누릴 수 있다.

지문 이해

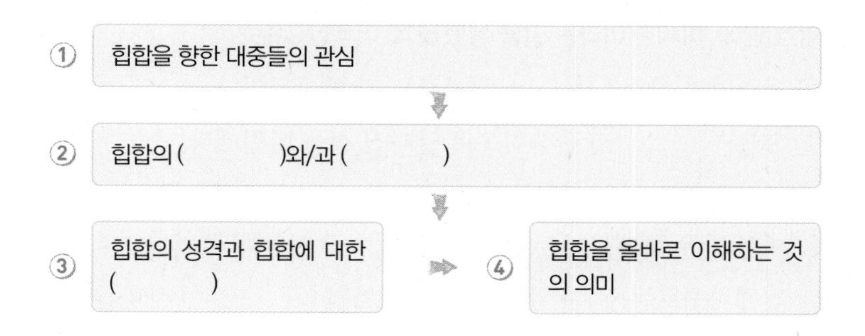

①
힙합을 향한 대중들의 관심
②
힙합의 (   )와/과 (   )
③
힙합의 성격과 힙합에 대한
(   )
④
힙합을 올바로 이해하는 것
의 의미

- **경합** | 겨룰 競, 싸울 合 | 서로 맞서 겨룸.
- **턴테이블(turntable)** | 레코드플레이어 따위에서 음반을 돌리는 동그란 받침대.
- **주류** | 주될 主, 흐를 流 | 어떤 분야의 중심이 되는 경향이나 흐름.
- **표출하다** | 겉 表, 나타낼 出 | 겉으로 나타내다.

중심 화제 짚기

1 **이 글에서 알 수 있는 내용을 〈보기〉에서 모두 골라 바르게 묶은 것은?**

보기

ㄱ. 힙합의 인기
ㄴ. 힙합의 시작
ㄷ. 힙합에 담긴 내용
ㄹ. 힙합을 이루는 요소

① ㄱ, ㄴ ② ㄴ, ㄹ ③ ㄷ, ㄹ ④ ㄱ, ㄴ, ㄷ ⑤ ㄱ, ㄷ, ㄹ

정답과 해설 18쪽

세부 내용 파악하기

2 **이 글을 읽고 보인 반응으로 적절하지 않은 것은?**

① 힙합은 우리가 살아가면서 느끼는 다양한 정서를 표현할 수 있는 문화구나.
② 힙합이 다양한 분야에 영향을 미치면서 자유분방한 성격이 많이 사라진 것 같아.
③ 힙합의 바탕에는 오랫동안 차별받으며 살아온 미국 흑인들의 삶이 반영되어 있어.
④ 힙합에 과격한 표현이 쓰이기도 하지만, 힙합이 곧 남을 공격하는 음악인 것은 아니야.
⑤ 힙합의 성격을 올바르게 이해하는 것이 힙합 문화를 누리고 즐기는 데 도움이 될 수 있구나.

핵심 정보 파악하기

3 **힙합이 대중들에게 사랑받을 수 있는 이유가 무엇인지 이 글에서 찾아 한 문장으로 쓰시오.**

어휘 확인하기

다음 빈칸에 들어갈 알맞은 단어를 〈보기〉에서 찾아 써넣으시오.

보기

반영 표출 여가 양식

음악은 목소리나 악기 등으로 다양한 정서를 (1) □□ 하는 예술이다. 음악을 통해 사람들은 (2) □□ 생활을 즐기고 표현의 자유를 누린다. 따라서 음악에는 그것을 창작하고 즐겨 온 이들의 삶이 (3) □□ 되어 있다.

아름답게 묘사된 글자, 캘리그래피

교과 연계 **미술** _ 조형 요소와 원리

① 우리의 생활 속에서 문자는 정보를 전달하는 기호 체계로서 문화의 핵심 요소로 작용해 왔다. 최근에는 문자가 의사소통의 수단을 넘어 인간의 감정을 미적으로 표현하는 수단으로도 활용되고 있는데, 그 대표적 예가 바로 캘리그래피이다. 캘리그래피는 어원적으로 '아름답게 쓰다'라는 뜻이지만, 지금은 펜이나 붓 등을 사용하여 즉흥적으로 글자를 쓰는 일이나 아름답게 묘사된 글자 자체를 가리키는 말로 두루 쓰인다. 이러한 캘리그래피는 하나의 시각 예술로 기능하며, 추상 형태와 레이아웃, 색채와 같은 조형 요소가 나타난다.

② 추상 형태란 자유롭게 창조된 형상을 말한다. 캘리그래피는 글자를 쓰는 사람의 붓놀림에 따라 자유롭게 서체가 만들어지므로 추상 형태에 해당하며, 일정한 형식이나 규칙을 따르지 않고 작가의 개성에 의존하므로 개인주의적인 경향을 띤다. 또한 반복적으로 재현할 수 없다는 특징이 있다.

③ 캘리그래피에서 또 하나 중요한 요소는 바로 레이아웃이다. 레이아웃은 일반적으로 소재를 효과적으로 배열하는 것을 말한다. 캘리그래피에서의 레이아웃은 글자의 배치에 따라 정해지며 크게 글자를 좌우 대칭으로 배치하는 대칭형과 불균형하게 배치하는 비대칭형으로 나눌 수 있다. 이때 레이아웃에 따라 결정되는 여백은 문자의 특징을 시각적으로 강화하는 역할을 한다.

④ 캘리그래피에는 무채색을 가장 많이 사용하지만, 메시지를 효과적으로 전달하고 미적 효과를 더하기 위해 다양한 색채를 사용하는 경우도 있다. 색채가 주는 느낌에 따라 메시지 전달 효과가 달라지기 때문에 색채를 선택할 때에는 세심한 주의가 필요하다. 미적 기능만을 고려하여 적합하지 않은 색채를 사용하면 전달하고자 하는 메시지가 약화될 수 있기 때문이다.

⑤ 캘리그래피는 문자의 언어적 기능에 미적 기능을 더한 것으로 지면 광고와 상품 패키지, 영화 타이틀 등에 두루 활용되고 있다. 지면 광고에서는 주목을 끌면서도 조화로운 느낌을 주는 캘리그래피가 많이 사용되고, 상품 패키지에는 다른 제품과의 차별성을 강조하는 캘리그래피가 쓰인다. 영화 타이틀에서 캘리그래피는 영화의 내용과 이미지를 강렬하게 전달할 수 있게 구성된다.

지문 이해

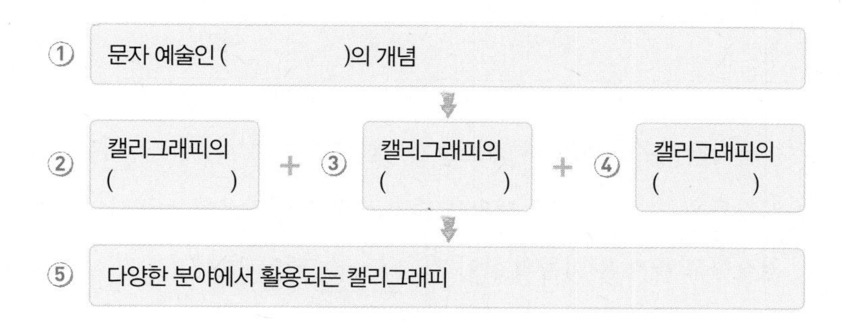

- **즉흥적** | 곧 卽, 일어날 興, 것 的 | 그 자리에서 일어나는 감흥이나 기분에 따라 하는 것.
- **서체** | 쓸 書, 모양 體 | 글씨를 써 놓은 모양.
- **재현하다** | 다시 再, 나타날 現 | 다시 나타나다. 또는 다시 나타내다.
- **지면** | 종이 紙, 쪽 面 | 기사나 글이 실리는 인쇄물의 면.

글의 전개 방식 알기

1 **이 글에 대한 설명으로 가장 적절한 것은?**

① 문자가 미적 기능을 담당하게 되기까지의 과정을 밝히고 있다.
② 캘리그래피의 개념을 제시하고 캘리그래피의 조형 요소를 설명하고 있다.
③ 산업의 여러 분야에서 캘리그래피의 활용도가 높아진 요인을 분석하고 있다.
④ 동양의 캘리그래피와 서양의 캘리그래피의 특징을 대조적으로 제시하고 있다.
⑤ 캘리그래피에 대한 서로 다른 평가를 제시하고 이를 종합하여 캘리그래피의 가치를 서술하고 있다.

정답과 해설 19쪽

시각 자료에 적용하기

2 **이 글을 바탕으로 하여 〈보기〉의 캘리그래피를 감상한 내용으로 적절하지 않은 것은?**

보기

① 레이아웃이 여백에 따라 결정되어 비대칭형이 되었겠군.
② 언어적 기능과 미적 기능을 모두 수행한다고 볼 수 있겠군.
③ 서체는 작가의 즉흥적인 붓놀림에 따라 만들어진 것이겠군.
④ 반복적으로 재현될 수 없는 추상 형태에 해당한다고 할 수 있겠군.
⑤ 전달하고자 하는 메시지를 강화하기 위해 적절한 색채를 선택한 것이겠군.

어휘 확인하기

다음 ㉠, ㉡에 들어갈 말이 바르게 짝지어진 것은?

• 문제의 (㉠)을/를 찌르는 질문에 그는 몹시 당황했다.
• 준비 없이 (㉡)으로 한 연설이었지만 청중의 반응은 뜨거웠다.

	㉠	㉡		㉠	㉡
①	핵심	즉흥적	②	배열	시각적
③	추상	일반적	④	조화	언어적
⑤	형태	반복적			

통합

11 부럼의 과학

① 부럼이란 대보름날 아침에 까먹는 잣, 밤, 호두, 은행, 땅콩 따위의 견과류를 의미하는 말이다. 부럼을 깨물면 한 해 동안 부스럼에 시달리지 않는다고 하여 특히 아이들에게 반드시 깨물게 했는데, 부럼이라는 말도 부스럼에서 유래한 것이다. 보통은 나이에 따라 개수를 정하고 껍질째 깨물어 소리를 크게 내야 효과가 있다고 믿었다. 그런데 도대체 부스럼이 무엇이기에 이를 피하기 위한 세시 풍속이 생겨난 것일까?

② 부스럼이란 피부에 생기는 급성 화농성 염증을 말하는 것으로 다른 말로 '종기(腫氣)'라고도 불렸다. 어떤 이유에서든 피부에 난 상처가 화농성 세균에 감염되면 이 부위가 붓고 곪게 되는데 이를 통틀어 모두 부스럼이라고 불렀다. 소독약과 항생제가 발달한 요즘 시대에 부스럼 혹은 종기는 어쩌다가 생기는 귀찮은 증상에 불과하지만 소독약과 항생제가 없던 시절의 부스럼은 때로 패혈증 등의 합병증을 유발해 목숨을 앗아 가기도 하는 무서운 질환이었다.

③ 부스럼은 지위 고하를 막론하고 사람들을 괴롭혔는데 천하의 지존이라고 하는 왕도 예외는 아니었다. 세조를 비롯해 문종, 예종, 성종, 정조 등 여러 왕이 부스럼을 앓다가 합병증인 패혈증 등으로 숨졌다는 기록이 《조선왕조실록》에 남아 있다. 왕실조차 부스럼에 떨었을 정도이니 백성의 공포는 훨씬 더 클 수밖에 없었다. 정월 대보름 아침에 부럼을 깨무는 풍습도 그래서 생겨난 것이다.

④ 흥미로운 사실은 부럼을 깨무는 것이 실제로 부스럼 예방에 그리 나쁘지 않은 대안이었다는 것이다. 부럼으로 깨물어 먹는 견과류에는 건조한 피부에 기름기를 더해 줄 수 있는 불포화 지방산이 많이 들어 있기 때문이다. 또한 피부 건강에 좋은 티아민, 토코페롤 등의 비타민과 철분, 마그네슘, 셀레늄 등의 무기질도 많이 들어 있다.

⑤ 식품 저장 기술이 좋지 못하던 시절, 기나긴 겨울 내내 신선한 채소와 과일을 거의 접하지 못했던 사람들은 대보름 즈음이면 대부분 비타민과 무기질 부족에 시달리기 마련이었다. 여기에 추위까지 더해져 사람들의 피부는 매우 거칠고 약해져 있었고, 그만큼 부스럼 발생 위험도 높았다. 정월 대보름에 먹는 부럼은 겨우내 지친 피부에 영양분을 공급해 주는 선조들의 지혜가 담긴 풍습이었던 것이다.

- **세시 풍속** | 해 歲, 때 時, 풍속 風, 풍속 俗 | 한 해의 절기나 달, 계절에 따라 민간에서 전하여 온 풍속.
- **화농성** | 될 化, 고름 膿, 성질 性 | 종기가 곪아서 고름이 생길 성질.
- **패혈증** | 패할 敗, 피 血, 증세 症 | 곪아서 고름이 생긴 상처나 종기 따위에서 병원균이나 독소가 계속 혈관으로 들어가 순환하여 심한 중독 증상이나 급성 염증을 일으키는 병.
- **유발하다** | 꾈 誘, 일어날 發 | 어떤 것이 다른 일을 일어나게 하다.
- **고하** | 높을 高, 아래 下 | 신분이나 지위의 높음과 낮음.
- **지존** | 지극할 至, 높을 尊 | '임금'을 높여 이르는 말.

글의 전개 방식 알기

1 이 글의 전개 방식으로 가장 적절한 것은?

① 대상의 개념을 밝히고 의의를 설명하고 있다.
② 단계에 따라 대상이 변화하는 과정을 설명하고 있다.
③ 여러 대상을 일정한 기준에 따라 나누어 설명하고 있다.
④ 대상 간의 차이를 밝히기 위해 서로 맞대어 비교하고 있다.
⑤ 대상을 이루는 각각의 구성 요소에 대해 상세히 설명하고 있다.

정답과 해설 20쪽

세부 내용 파악하기

2 이 글의 내용과 일치하지 않는 것은?

① 부스럼은 겨울철에 더 잘 생긴다.
② 부럼 깨물기에는 선조들의 지혜가 담겨 있다.
③ 부스럼에 대한 공포는 백성보다 왕실에서 더 컸다.
④ 조상들은 부럼을 깨물면 종기를 예방할 수 있다고 믿었다.
⑤ 부럼에 들어 있는 성분들은 실제로 피부 건강에 도움을 줄 수 있다.

정보들의 관계 파악하기

3 〈보기〉를 추가하여 이 글의 내용을 보완하고자 할 때, 들어가기에 가장 적절한 문단은?

보기

비타민 B_1이라고도 불리는 티아민은 피지 분비를 조절해 피부를 보호하고 피부 세포에 영양이 잘 공급되도록 하는데 이러한 티아민이 부족하면 피부에 허옇게 각질이 일어나는 마른버짐이 생기기 쉽다. 또한 토코페롤, 다른 말로 비타민 E는 피부 노화를 방지하고 피부가 트는 것을 막는다. 철분을 섭취하면 피부가 거칠고 빳빳해지는 건선을 예방할 수 있으며, 마그네슘은 피부의 수분을 적절하게 유지시켜 피부를 보호한다. 대표적인 항산화제인 셀레늄은 각종 피부염을 예방하는 효능이 있다고 알려져 있다.

① 1문단 ② 2문단 ③ 3문단 ④ 4문단 ⑤ 5문단

정답과 해설 20쪽

1

사다리타기에 따라, 빈칸에 들어갈 단어의 뜻을 〈보기〉에서 골라 그 번호를 쓰시오.

보기
① 다른 것을 본뜨거나 본받다.
② 목적을 이룰 때까지 뒤쫓아 구하다.
③ 일정한 차례나 간격에 따라 벌여 놓다.
④ 균형이 맞게 바로 잡다. 또는 적당하게 맞추어 나가다.

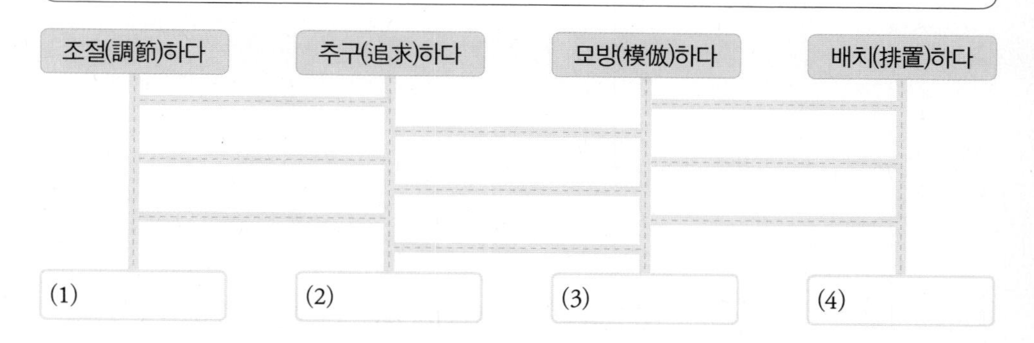

2

다음의 뜻에 알맞은 단어를 서로 연결하시오.

(1) 향하여 내처 들어가다. • • ① 재현하다

(2) 세력이나 힘이 약해지다. • • ② 진입하다

(3) 다시 나타나다. 또는 다시 나타내다. • • ③ 약화하다

3

다음에 제시된 뜻을 참고하여 초성에 해당하는 단어를 쓰시오.

(1) ㅇ ㅂ : 어떤 것이 다른 일을 일어나게 함. ➡ (   )

(2) ㄱ ㄱ : 요구나 필요에 따라 물품 따위를 제공함. ➡ (   )

(3) ㅇ ㄹ : 사물이나 일이 생겨남. 또는 그 사물이나 일이 생겨난 바. ➡ (   )

4

다음 문장에서 밑줄 친 단어와 바꿔 쓰기에 가장 적절한 것을 고르시오.

(1) 무인 자동차는 인공 지능을 바탕으로 하여 주변 환경을 감지하고 도로를 주행한다.
① 돈다 ② 만든다 ③ 달린다 ④ 움직인다 ⑤ 올라간다

(2) 글을 잘 쓰기 위해서는 다양한 자료를 모으고 그것을 체계적으로 정리하여 글에 활용해야 한다.
① 설명하고 ② 수집하고 ③ 평가하고 ④ 예측하고 ⑤ 포함하고

들어 봤니? 타이포그래피

타이포그래피(typography)란 영어로 활자를 뜻하는 'type'과 기록법이라는 뜻의 'graphy'가 합쳐진 말이다. 이 말이 생길 당시에 타이포그래피는 활자판이나 인쇄술을 뜻하는 말이었지만, 오늘날에는 글자를 이용한 모든 시각적 표현과 그 결과물들을 일컫는 데 쓰인다. 문서를 작성할 때 쓰는 '굴림체', '바탕체', '서울한강체' 등의 서체는 우리가 생활 속에서 흔히 접할 수 있는 타이포그래피이다.

서울한강체

▲ 돌기를 줄이거나 삭제하여 간결하게 표현한 '서울한강체'

수많은 서체 중 기본이 되는 서체는 '세리프체(serif體)'와 '산세리프체(Sans-serif體)'이다. 세리프(Serif)란 우리가 알파벳으로 잘 알고 있는 로마자에서 글자의 획 끝부분이 튀어나온 형태를 가리키는데, 글자에 이것이 나타나는지를 기준으로 세리프체와 산세리프체가 나뉜다. 세리프는 고대 로마 시대에 석공들이 석판을 끌로 조각할 때 글자를 장식함과 동시에 이를 가지런하게 맞추기 위해 획의 끝부분에 가는 실선을 조각했던 것에서 유래한다. 한글 서체에도 로마자의 세리프와 유사한 개념인 '돌기'가 있다. 한글의 기본 서체라고 할 수 있는 바탕체(명조체)와 돋움체(고딕체)의 차이는 바로 이 돌기의 유무에 있다. 바탕체(명조체)는 돌기가 있는 모양으로, 한자 쓰기와 붓글씨 쓰기의 영향을 받은 것이다. 돋움체(고딕체)는 돌기가 없는 좌우 대칭의 서체로, 한글 창제 당시의 글꼴이라고 할 수 있다.

▼ 생활 속에서 접할 수 있는 타이포그래피

타이포그래피는 서체에 국한되지 않으며, 최근에는 디자인의 핵심 요소로 작용한다고 할 수 있을 정도로 그 쓰임이 다양해지고 있다. 책이나 잡지의 표지는 물론 행사 안내 포스터, 도로 표지판 등 글자가 쓰이는 거의 모든 곳에서 타이포그래피를 찾아볼 수 있다. 또한 타이포그래피의 미적 요소가 중요해질수록 더불어 우리 한글의 조형성도 주목받고 있는데, 2018년 평창 동계 올림픽과 패럴림픽에 활용된 한글 타이포그래피는 우리 글자의 예술성을 널리 알린 디자인으로 평가받는다.

도덕적인 것이 최선일까?

사람이 마땅히 따라야 할 도리를 도덕이라고 한다. 따라서 "어떤 삶이 바람직할까?"라는 질문에 많은 사람은 도덕적으로 사는 것이 바람직하다고 답한다. 그러나 한편에서는 도덕적인 선택이 항상 좋은 결과를 가져오는 것은 아니라고 주장하기도 한다. 도덕적으로 옳은 것을 선택하는 것이 늘 최선일까?

도덕적인 것이 최선이다.

도덕은 인류가 추구해 온 보편타당한 가치를 담고 있기 때문에 다양한 가치가 충돌하는 현대 사회에서 판단의 기준이 되며, 사회 규범을 바로 세우고 가치관의 혼란을 줄여 준다. 또한 개인적인 차원에서도 늘 양심에 따라 행동하면 스스로 떳떳한 삶을 살아갈 수 있으므로 도덕은 최선의 선택이다.

만일 사람들이 도덕을 최선으로 여기지 않으면 어떻게 될까? 각자 자신의 욕구를 가장 우선시하여 이기적인 선택을 내릴 가능성이 크다. 이러한 선택이 서로에게 주는 피해는 결국 사회 전체가 짊어지게 되므로, 결과적으로는 모두에게 손해이다. 한편 현실적인 이유로 다른 가치를 도덕보다 우선시하는 예외를 두는 것도 위험하다. '한 번 정도야 괜찮겠지.' 혹은 '이런 경우는 거짓말을 하는 것이 더 나아.'와 같은 예외가 반복되면 점차 도덕을 따르려는 정신이 무뎌지고, 결국 도덕 불감증으로 이어지게 될 것이다.

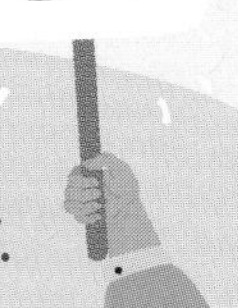

도덕적인 것이 늘 최선은 아니다.

도덕적으로 옳은 선택이 반드시 최선의 결과를 낳는 것은 아니다. 진실을 말하는 것, 약속을 지키는 것 등의 도덕적인 행위가 오히려 자기 자신이나 남에게 큰 손해를 끼치는 경우가 있기 때문이다. 가령 거짓말을 해야 누군가의 생명을 구할 수 있는 상황을 가정해 보자. 진실을 말하는 도덕적 행위가 생명을 구하는 것보다 더 중요하다고 할 수 있을까? 또한 남에게 속아서 한 약속이나 강요에 의해 억지로 한 약속이라도 반드시 지켜야 하는 것일까? 이처럼 도덕이 늘 절대적이고 객관적인 기준이 될 수는 없다.

도덕적인 것이 최선인 상황도 물론 존재하지만, 어떤 상황에서는 그렇지 않을 수 있다. 도덕은 하나의 가치인 것이다. 가치 갈등이 점점 더 복잡해지고 도덕적 가치들 사이에서도 갈등이 일어나는 오늘날, 인간적인 양심만을 최우선시하는 것은 답이 될 수 없다.

나는 도덕적인 것이 최선이라는 생각에 (찬성한다 , 반대한다).
왜냐하면 ______________________________

____

____

실전으로 차곡차곡 익숙하게!

독해 실전 2회

스트룹 효과

① 우리는 매 순간 수많은 정보와 자극을 받아들인다. 이때 우리의 처리 능력에는 한계가 있기 때문에 필요한 것을 선택적으로 받아들이며, 각각의 정보를 처리하는 과정이 서로 충돌하기도 한다. 이와 관련된 심리 현상으로 ㉠스트룹 효과(Stroop effect)라는 것이 있다.

② 1935년 미국의 심리학자 존 리들리 스트룹은 다음과 같은 실험을 고안해 냈다. 우선 〈그림 1〉과 같이 색상의 이름을 뜻하는 단어들을 실험 참가자에게 보여 주고 소리 내어 읽게 했다. 이때 참가자는 시간 지체 없이 글자를 읽었다. 그다음 〈그림 2〉와 같이 단어의 뜻과 상관없는 색을 입힌 후, 이번에는 단어에 입힌 색을 말하게 했다. 그랬더니 참가자들이 답을 하는 데는 앞의 실험보다 훨씬 더 많은 시간이 걸렸다. 왜 이런 결과가 나타난 것일까?

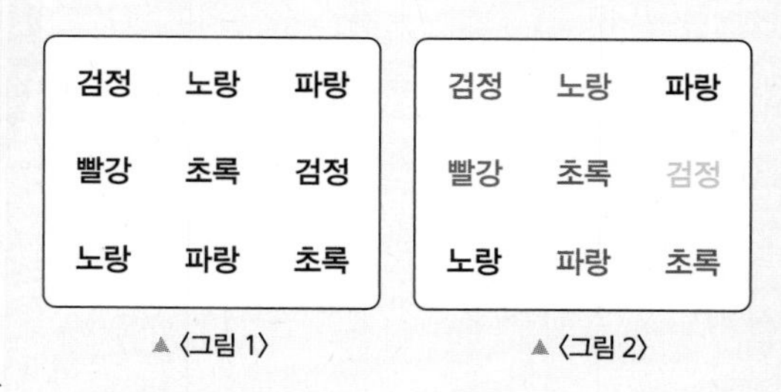

▲〈그림 1〉 ▲〈그림 2〉

③ 스트룹 효과가 나타나는 이유는 자동적 처리 때문이다. 자동적 처리란, 자주 반복해서 주의를 기울이지 않고도 매우 쉽게 처리할 수 있게 된 과정을 말한다. 일반적으로 우리가 평소에 자주 반복하는 일인 글자나 부호, 표지 등의 기호를 읽는 것은 의식하지 않는 사이에 자동적으로 일어나므로 자동적 처리에 해당한다. 위 실험에서 〈그림 2〉를 보고 단어에 입힌 색을 말하는 상황을 살펴보자. 초록색으로 적힌 '노랑'이라는 단어를 보면 '초록'이라고 답해야 한다. 그러나 '노랑'이라는 글자를 읽는 과정이 자동적으로 일어나면서 색을 맞히는 과정이 방해를 받으므로 답을 하는 데 더 오랜 시간이 걸리는 것이다.

④ 이를 응용한 실험에는 여러 가지가 있다. 예를 들어 송아지 그림 위에 '돼지'라고 적은 다음 실험 참가자에게 보여 주면서 그림 속 동물의 이름을 말하게 하면, 그림만 보고 말할 때보다 반응 속도가 느려질 수 있다. 또 횡단보도의 보행 신호등에서 초록색 신호는 걷는 모습의 기호로, 빨간색 신호는 서 있는 모습의 기호로 그려져 있는데 만약 두 신호를 모두 걷는 모습의 기호로 나타낸다면 보행자가 신호를 알아채는 데 더 오랜 시간이 걸릴 수 있다.

지문 이해

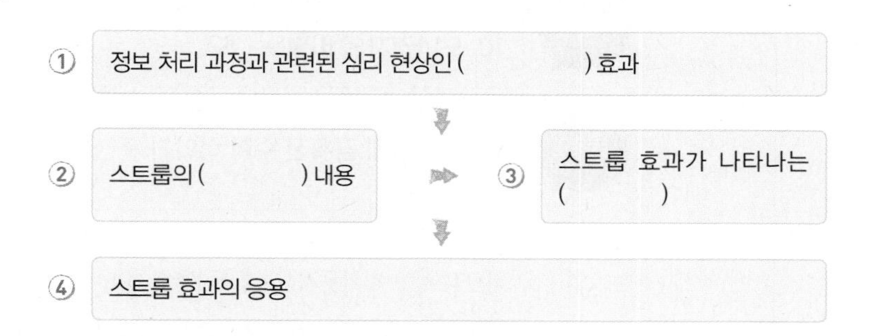

- **선택적** | 고를 選, 고를 擇, 것 的 | 여럿 가운데서 골라 뽑는 것.
- **자동적** | 스스로 自, 움직일 動, 것 的 | 의사와 상관없이 이루어지거나 어떤 절차 없이 바로 이루어지는 것.
- **의식하다** | 뜻 意, 알 識 | 생각이 미치어 어떤 일이나 현상 따위를 깨닫거나 느끼다.
- **보행** | 걸음 步, 다닐 行 | 걸어 다님.

글의 전개 방식 알기

1 **이 글에 사용된 설명 방법을 〈보기〉에서 모두 골라 바르게 묶은 것은?**

보기

가. 대상의 개념을 풀이하여 설명하고 있다.
나. 구체적인 사례를 들어 대상을 설명하고 있다.
다. 단계에 따른 대상의 변화 과정을 설명하고 있다.
라. 대상을 이루는 구성 요소에 대해 설명하고 있다.

① 가, 나　② 가, 다　③ 나, 다　④ 나, 라　⑤ 다, 라

실전 2회

정답과 해설 21쪽

비판하기

2 **㉠을 고려했을 때 〈보기〉의 신호등을 보고 제기할 수 있는 문제점으로 적절한 것은?**

보기

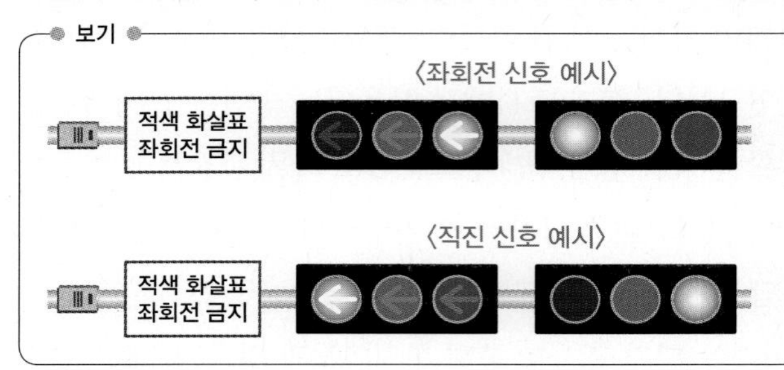

2011년 경찰청에서 발표한 '3색 좌회전 신호등'이다. 왼쪽은 좌회전과 관련된 신호를 나타내고, 오른쪽은 직진과 관련된 신호를 나타낸다.

① 운전자들이 '초록색 화살표'를 좌회전을 금지한다는 뜻으로 받아들일 것 같아.
② 운전자들은 좌회전과 관련된 신호에서 화살표 기호보다 신호의 색깔을 먼저 인식할 것 같아.
③ 운전자들은 좌회전 신호와 직진 신호를 분리해서 나타내는 것이 비효율적이지만 필요하다고 생각할 것 같아.
④ 운전자들이 좌회전 금지를 나타내는 '빨간색 화살표'를 보고 신호의 의미를 알아채는 데 더 오랜 시간이 걸릴 것 같아.
⑤ 운전자들이 '초록색 화살표'를 좌회전을 하라는 신호로 받아들이겠지만, 동시에 직진 신호로 이해할 수도 있을 것 같아.

어휘 확인하기

다음에 제시된 단어의 뜻을 참고하여 빈칸에 알맞은 말을 써넣으시오.

(1) □안하다: 연구하여 새로운 안을 생각해 내다.

(2) □□하다: 생각이 미치어 어떤 일이나 현상 따위를 깨닫거나 느끼다.

(3) 자□: 어떠한 작용을 주어 감각이나 마음에 반응이 일어나게 함.

02 인류학자는 무엇을 할까

① 아프리카의 소수 민족은 결혼식을 12일 동안 한다. 이슬람교의 여성들은 외출할 때 머리와 목을 가리기 위해 '히잡'이라는 스카프를 쓴다. 스페인의 한 해변에서는 옷을 입지 않고 해수욕을 즐길 수 있다. 이처럼 인류는 다양한 문화를 향유하며 살아가고 있다. 인류의 다양한 문화에 대해 연구하는 학문을 인류학, 이를 연구하는 사람을 인류학자라고 한다.

② 인류학자는 문화를 깊이 있게 이해하기 위해 현지 조사를 한다. 현지 조사란 일상생활 속에서 살아 움직이는 문화를 이해하고자 현지에 직접 찾아가 조사하는 것이다. ㉠현지에 사는 사람들의 관점에서 보면, 인류학자는 어린이나 배우는 학생과 같다. 어린이가 자라면서 자신이 속한 사회의 문화를 배워 가듯이, 인류학자는 현지인들을 선생님으로 모시고 현지의 문화를 배우고 연구한다. 현지 조사에서 사용되는 방법은 크게 두 가지이다. 첫 번째는 참여 관찰로, 현지 생활을 직접 경험하면서 그곳의 문화를 관찰하며 기록하는 것이다. 두 번째는 비공식적 인터뷰로, 인터뷰의 응답자가 자신이 인터뷰의 대상이라고 의식하지 못하는 상태에서 질문에 대한 응답을 하도록 하는 것이다.

③ 인류학자는 현지 조사를 통해 현지인들과 적극적으로 상호작용하면서 문화에 대한 연구 자료를 만든다. 이 연구 자료를 '민족지'라고 한다. 인류학자는 민족지를 작성할 때 문화의 여러 측면이 어떻게 연결되어 있는지를 중점적으로 파악한다. 예를 들어, 어떤 민족의 결혼식에 대해 쓴다면 결혼식의 절차만 서술하는 것이 아니라 결혼식과 관련이 있는 친족 관계, 돈과 권력의 문제 등을 다양하게 연구하여 서술하는 것이다.

④ 그렇기 때문에 인류학자는 단순히 문화를 연구하는 사람이라기보다는 어떤 문화를 현지인의 시각으로, 총체적인 관점에서 이해하는 사람이라고 할 수 있다. 따라서 인류학자는 현지인들과 가깝게 지내면서 그들의 문화를 깊이 있게 이해할 수 있는 개방적이고 포용력 있는 태도를 가져야 한다. 또한 다른 문화를 있는 그대로 존중해야 하며 신중한 태도로 접근해야 한다. 현지 조사를 빌미로 현지인들의 사생활을 침범하는 잘못을 저지를 수도 있기 때문이다.

지문 이해

① 인류의 다양한 문화를 연구하는 사람인 (　　　　)

② 인류학자의 조사 방법 – (　　　　) + ③ 인류학자의 연구 자료 – (　　　　)

④ 인류학자에게 필요한 (　　　　)

- **향유하다** | 누릴 享, 있을 有 | 누리어 가지다.
- **총체적** | 모두 總, 몸 體, 것 的 | 있는 것들을 모두 하나로 합치거나 묶은 것.
- **빌미** | 재앙이나 탈이 생기는 원인.
- **침범하다** | 쳐들어갈 侵, 범할 犯 | 남의 땅이나 나라, 권리, 재산 등을 범하여 손해를 끼치다.

글의 전개 방식 알기

1

이 글에 대한 설명으로 가장 적절한 것은?

① 시간 순서에 따라 인류학이 변천해 온 과정을 밝히고 있다.
② 구체적 사례를 통해 인류학과 인류학자에 대한 이해를 돕고 있다.
③ 전문가의 견해를 바탕으로 하여 인류학의 중요성을 강조하고 있다.
④ 인류학에 대한 상반된 평가를 제시하고 이를 절충하는 입장을 제시하고 있다.
⑤ 다른 문화권의 사람을 대할 때 피해야 하는 행동을 비유적 표현으로 설명하고 있다.

세부 내용 파악하기

2

이 글의 내용과 일치하지 않는 것은?

① 인류학자는 현지 생활을 직접 경험하면서 현지의 문화를 관찰한다.
② 민족지는 인류학자가 어떤 문화에 대해 연구한 내용을 기록한 것이다.
③ 인류학자의 현지 조사가 현지 사람들의 사생활을 침해하는 문제를 일으킬 수도 있다.
④ 인류학자는 현지 사람들과 인터뷰를 진행할 때 인터뷰의 목적과 의도에 대해 명확하게 밝혀야 한다.
⑤ 어떤 문화를 제대로 이해하기 위해 인류학자는 문화의 여러 측면이 어떻게 연결되어 있는지를 파악한다.

숨어 있는 내용 찾기

3

㉠이 의미하는 바를 다음과 같이 정리하려고 한다. 괄호 안에 들어갈 알맞은 말을 쓰시오.

> 인류학자는 현지 문화에 대한 지식과 이해의 정도가 (   ) 상태에서 현지 문화에 대해 알아가게 된다.

어휘 확인하기

밑줄 친 단어의 뜻을 〈보기〉에서 골라 그 번호를 쓰시오.

> 보기
> ① 사물이 현재 있는 곳.
> ② 재앙이나 탈 따위가 생기는 원인.
> ③ 있는 것들을 모두 하나로 합치거나 묶은 것.

(1) 독재자는 이 사건을 탄압의 빌미로 삼았다. ➡ (   )

(2) 우리는 불상이 발견된 현지로 떠날 준비를 마쳤다. ➡ (   )

(3) 현재의 위기를 극복하기 위해 총체적인 노력이 필요하다. ➡ (   )

실전 2회

정답과 해설 22쪽

착한 축구공과 착한 초콜릿

교과 연계 **사회** _ 지역 간 불평등과 해결 노력

① 전 세계 축구공의 약 70%는 파키스탄의 어린이들이 만든 것이다. 32개의 가죽 조각을 이어 축구공을 만들려면 1,600회가 넘는 바느질이 필요해서 인건비가 저렴한 파키스탄의 어린이들이 고용되는 것이다. 이 어린이들은 꼬박 2박 3일 동안 바느질하여 우리나라 돈으로 1,200원을 받는다. 우리가 흔히 먹는 초콜릿을 만드는 데도 어린이들의 노동력이 들어간다. 초콜릿의 재료인 카카오는 아프리카 열대 지방에서 주로 생산되는데, 매일 25만 명이 넘는 어린이들이 하루 종일 카카오 열매를 딴다. 이 어린이들은 카카오 농장에서 일하면서도 정작 초콜릿을 먹어 볼 수가 없다. 그래서 ㉠초콜릿에는 '어린이의 눈물'이라는 별칭이 붙어 있기도 하다.

② 이러한 상황이 벌어지는 원인은 무역 구조에 있다. 생산물을 통해 발생하는 이익이 생산자에게 돌아가지 않고 개발 도상국의 무역 중개인이나 선진국의 무역 회사, 가공업자, 소매업자에게 돌아가는 것이다. 더욱이 개발 도상국에서는 생산물의 가격이 하락하면 그 책임을 모두 생산자가 지게 되어 있다. 개발 도상국은 복지나 생활 보호 등의 사회 안전망이 부족하기 때문에, 가격 변동으로 인한 위험 부담은 직접적으로 생산자의 생활을 위협하고 때로는 생명까지 빼앗아 가기도 한다.

③ 이러한 문제를 해결하기 위한 방법으로 사회적 호응을 얻고 있는 것이 바로 공정 무역이다. 공정 무역이란 생산자의 노동에 정당한 대가를 지불하는 윤리적인 무역을 말한다. 투명하고 공정한 방식의 무역을 통해 개발 도상국의 소규모 생산자들에게 이익이 돌아갈 수 있게 하는 것이다. 소규모 생산자들이 조합을 조직하도록 돕는 것, 제품 가격을 생산자가 생산 비용과 생활비를 감당할 수 있을 정도로 책정하는 것, 생산 계획을 세울 수 있도록 장기 거래를 보증하는 것 등은 공정 무역을 실현하는 구체적인 방식들이다. 또한 공정 무역으로 발생하는 판매 이익의 일부는 개발 도상국의 학교와 진료소, 수도 시설 등을 건설하는 데 쓰이기도 한다. 그렇기 때문에 공정 무역을 통해 생산된 축구공이나 초콜릿을 소비하는 것은 윤리적 소비라는 측면에서 가치 있는 일이라고 할 수 있다.

지문 이해

① 파키스탄의 어린이들이 만드는 (　　　　　)와/과 아프리카 어린이들의 노동력으로 생산되는 (　　　　　)

↓

② 개발 도상국의 어린이들이 노동력을 착취당하는 (　　　　　)

↓

③ (　　　　　)의 개념과 공정 무역 제품을 (　　　　　) 것의 가치

- **고용되다** | 품팔 雇, 쓸 用 | 삯을 받고 남의 일을 하게 되다.
- **별칭** | 다를 別, 일컬을 稱 | 달리 부르는 이름.
- **윤리적** | 인륜 倫, 이치 理, 것 的 | 사람으로서 마땅히 행하거나 지켜야 할 도리를 따르는 것.
- **책정하다** | 꾀 策, 정할 定 | 계획이나 방책을 세워 결정하다.

중심 화제 짚기

1 **이 글의 제목으로 가장 적절한 것은?**

① 학대받는 어린이들을 보호할 수 있는 방법
② 공정 무역 제품을 소비하는 일에 담긴 윤리적 가치
③ 선진국의 이익만을 도모하는 무역 구조가 낳은 문제점
④ 개발 도상국의 어린이들을 돕는 인권 단체의 다양한 활동
⑤ 선진국과 개발 도상국 사이의 불평등을 해소하기 위한 노력

세부 내용 파악하기

2 **이 글의 내용과 일치하지 않는 것은?**

① 개발 도상국에서는 가격 변동으로 생기는 부담을 생산자가 지는 경우가 있다.
② 생산물의 장기 거래를 보증하는 것은 개발 도상국의 생산자들에게 도움이 된다.
③ 무역 구조를 개선하면 개발 도상국의 소규모 생산자에게 정당한 이익이 돌아가게 할 수 있다.
④ 공정 무역 상품의 판매 이익은 개발 도상국에서 학교와 진료소 등을 건설하는 데 쓰이기도 한다.
⑤ 공정 무역을 실현하는 방법으로 개발 도상국의 무역 중개인들이 조합을 조직하도록 돕는 것이 있다.

이유 추론하기

3 **㉠의 이유로 가장 적절한 것은?**

① 초콜릿이 어린이들의 건강에 안 좋은 음식이라고 알려져 있기 때문이다.
② 어린이들이 초콜릿을 얻기 위해서 카카오 농장에서 일하기 때문이다.
③ 초콜릿이 어린이들의 노동력을 착취하여 얻어진 것이기 때문이다.
④ 초콜릿의 재료인 카카오 열매가 어린이들에게 위험하기 때문이다.
⑤ 어린이들은 초콜릿이 어떻게 만들어지는지 모르기 때문이다.

어휘 확인하기

다음 빈칸에 들어갈 알맞은 단어를 〈보기〉에서 찾아 문맥에 맞게 써넣으시오.

보기
건설하다 고용되다 책정하다 하락하다 생산되다

힘든 노동에 어린이가 (1) [ ][ ][ ][ ] 것을 막고, 생산자에게 정당한 이익이 돌아가도록 제품 가격을 (2) [ ][ ][ ][ ] 위해서는 국가 차원의 노력이 필요하다.

선거구는 어떻게 정할까

교과 연계 **사회** _ 선거

① 한 반을 대표하는 사람인 반장을 반에서 뽑듯이 대표자를 선출하기 위해서는 어떤 단위로 뽑을지에 대한 약속이 있어야 한다. 이와 같이 대표자를 선출하는 단위 구역을 선거구라고 한다. 선거구를 정하는 것을 선거구 획정이라고 하는데, 선거에서 선거구 획정은 매우 중요하며 이 과정에서 많은 갈등이 일어나기도 한다. 한 지역이라도 선거구를 어떻게 나누느냐에 따라 선거의 결과가 달라질 수 있기 때문이다.

② 오른쪽 그림은 선거구를 나누는 세 가지 방법을 생각해 본 것이다. 15개 구역이 있고 각 구역이 지지하는 정당은 모양과 색으로 구분되어 있다. (가)와 같이 나누면 네모 정당이 3개의 의석을 가져가고, (나)와 같이 나누면 네모 정당이 2석, 세모 정당이 1석을, 그리고 (다)와 같이 나누면 네모 정당이 1석, 세모 정당이 2석을 가져간다. 당연히 네모 정당은 (가)와 같이, 세모 정당은 (다)와 같이 선거구를 획정하자고 주장할 것이다.

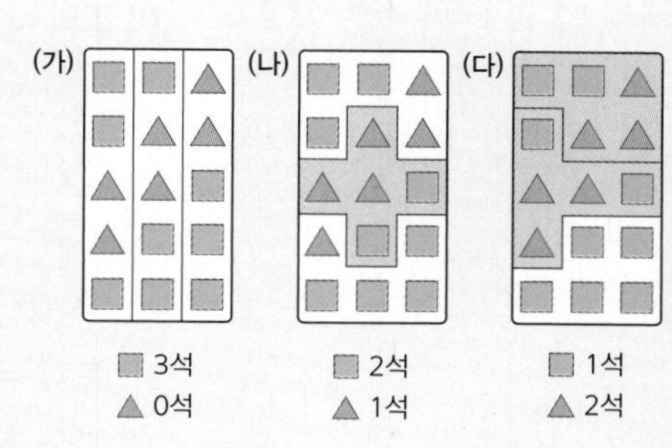

③ 이런 점 때문에 역사적으로 권력을 가진 사람들은 자기편에 유리한 방향으로 선거구를 획정하도록 압력을 행사해 왔는데, 이를 게리맨더링(Gerrymandering)이라고 한다. 많은 나라에서는 게리맨더링의 폐해를 방지하기 위해 선거구를 법률로 정하는 선거구 법정주의를 채택하고 있다.

④ 선거구는 행정 구역, 인구 균형, 지리적 여건 등을 고려하여 획정된다. 특히 선거인 수와 의석수의 비율이 균형을 이루어야 한다. 만약 인구가 100명인 A 선거구와 1,000명인 B 선거구에서 국회 의원이 1명씩 선출된다면, A 선거구의 1표의 가치가 B 선거구의 10표에 해당하므로 유권자가 행사한 1표가 모두 동등한 가치를 지녀야 하는 표의 등가성 원리에 위배된다. 우리나라는 인구의 상한선을 28만 명, 하한선을 14만 명으로 하여 28만 명이 넘는 곳은 선거구를 갑, 을 등으로 나누고 14만 명이 안 되는 곳은 인접한 지역과 합쳐서 한 선거구로 정하고 있다.

지문 이해

① (　　　　)의 뜻과 선거구 (　　　　)의 중요성

② 선거구에 따라 선거의 결과가 달라지는 사례

③ 게리맨더링의 폐해와 그것을 방지하는 (　　　　　　)

④ 선거구를 정할 때 고려할 점

- **선출하다** | 고를 選, 날 出 | 여럿 가운데서 골라내다.
- **지지하다** | 버틸 支, 지킬 持 | 어떤 사람이나 단체의 주의·의견 등에 찬성하여 이를 위하여 힘을 쓰다.
- **의석** | 의논할 議, 자리 席 | 의회 따위에서 의원이 앉는 자리.
- **폐해** | 나쁠 弊, 해칠 害 | 어떤 옳지 못한 일 때문에 생기는 해로움.

중심 화제 짚기

1 **이 글을 읽고 답할 수 있는 질문이 아닌 것은?**

① 선거구란 무엇인가?
② 우리나라의 선거구는 모두 몇 개인가?
③ 선거구 획정이 중요한 이유는 무엇인가?
④ 선거구를 획정하는 데 영향을 미치는 요인은 무엇인가?
⑤ 많은 나라에서 선거구 법정주의를 채택하는 이유는 무엇인가?

구체적 사례에 적용하기

2 **표의 등가성 원리에 따라 〈보기〉에 제시된 지역의 선거구를 정한다고 할 때, 가장 적절한 것은?**

보기

다음 a~d 지역은 행정 구역상 우리나라에 속하는 지역이다. 각 지역은 모두 서로 인접해 있다.

지역	a	b	c	d
인구수	35만 명	15만 명	9만 명	5만 명

① a / b / c / d
② a / b / c+d
③ a / b+c+d
④ a 갑 / a 을 / b / c / d
⑤ a 갑 / a 을 / b / c+d

세부 내용 파악하기

3 **이 글을 바탕으로 하여 우리나라에서 〈보기〉와 같이 법률을 정한 이유를 한 문장으로 쓰시오.**

보기

우리나라의 공직 선거법 제25조 제1항에 따르면 국회 의원을 선출하는 선거구를 획정할 때에는 인구 · 행정 구역 · 지리적 여건 · 교통 · 생활 문화권 등을 고려해야 하며, 하나의 자치구 · 시 · 군의 일부를 분할하여 다른 선거구에 속하게 해서는 안 된다.

어휘 확인하기

다음 밑줄 친 단어의 뜻풀이가 적절하지 않은 것은?

① 묵비권을 행사할 수 있다. – 권리의 내용을 실현하다.
② 우리는 태우를 반장으로 선출했다. – 여럿 가운데서 골라내다.
③ 그곳은 바다에 인접한 마을이다. – 이웃하여 있다. 또는 옆에 닿아 있다.
④ 당선자는 자신을 지지해 준 사람들에게 고마움을 표했다. – 꼭 집어서 가리키다.
⑤ 다음 달 15일까지는 선거구를 획정해야 한다. – 경계 따위를 명확히 구별하여 정하다.

05 삶은 달걀을 찾는 방법

① 식탁 위에 달걀 바구니 두 개가 놓여 있다. 하나는 삶은 달걀이 들어 있는 것이고, 다른 하나는 날달걀이 들어 있는 것이다. 어떻게 하면 삶은 달걀이 들어 있는 바구니를 골라 낼 수 있을까? 사실 삶은 달걀과 날달걀은 겉으로 보기에는 거의 똑같아서 깨 보지 않고는 구별하기가 힘들다. 이때 쉽게 구별하는 방법으로 달걀을 세워서 돌려 보는 것이 있다. 달걀을 세워서 돌리면 삶은 달걀은 팽이처럼 잘 돌지만, 날달걀은 삶은 달걀보다 잘 돌지 못한다.

② 이런 현상이 나타나는 이유는 무엇일까? 그것은 삶은 달걀과 날달걀 속의 상태가 서로 다르기 때문이다. 삶은 달걀은 겉과 속 전체가 하나의 고체 덩어리라서 껍데기와 내용물이 함께 움직이는 반면, 날달걀의 속은 액체 상태이므로 고체인 껍데기와 점성이 있는 액체인 내부가 서로 독립적으로 운동한다. 이것은 ㉠뉴턴 운동 제1법칙인 관성 법칙과 관련이 있다. 관성이란 정지해 있는 물체는 계속 정지해 있으려 하고 움직이는 물체는 계속 움직이려는 성질을 말한다. 즉, 물체는 외부에서 힘이 작용하지 않거나 힘이 작용하더라도 그 힘의 합이 0이면 기존의 운동 상태를 유지하려는 성질이 있다. 이에 따라 날달걀을 돌리면 힘이 작용한 겉 부분은 바로 회전하지만, 삶은 달걀과 달리 겉에 고정되어 있지 않은 날달걀의 내용물은 관성 때문에 잠시 정지 상태를 유지하는 것이다. 날달걀은 회전력이 껍데기에서 흰자위로, 그리고 노른자위로 점진적인 과정을 거쳐 전해지는 셈이다. 또한 회전력이 날달걀 속의 여러 층끼리 서로 마찰하면서 내부 에너지로 소비되므로, 흰자위와 노른자위에는 미약하게 전달된다. 그 결과 외부의 힘이 달걀 내부에 고르게 퍼지지 못하여 잘 돌지 못하는 것이다.

③ 한편 날달걀을 세워서 돌렸을 때 계속 서 있지 못하고 금방 넘어지는 이유는 무엇일까? 물체가 회전을 시작하면 그 회전하는 원의 중심에서 반대 방향으로 원심력이 작용한다. 그런데 삶은 달걀과 같은 고체는 원심력이 일정하게 작용하는 반면, 날달걀과 같이 유동적인 액체는 더 넓은 회전 반경을 갖는 방향으로 원심력이 쏠린다. 이렇게 어느 한쪽으로 힘이 쏠리면 균형을 잃게 되고, 결국 달걀이 넘어지는 것이다.

지문 이해

① 삶은 달걀과 (　　　　　)을/를 구별하는 방법

↓

② 날달걀이 잘 (　　　　　) 못하는 이유

↓

③ 날달걀을 세워서 돌리면 금방 (　　　　　) 이유

- **독립적** | 홀로 獨, 설 立, 것 的 | 남에게 의존하거나 속하지 않은 것.
- **점진적** | 점점 漸, 나아갈 進, 것 的 | 조금씩 앞으로 나아가는 것.
- **미약하다** | 작을 微, 약할 弱 | 미미하고 약하다.
- **유동적** | 흐를 流, 움직일 動, 것 的 | 끊임없이 흘러 움직이는 것.
- **반경** | 반 半, 지름길 徑 | 반지름.

세부 내용 파악하기

1 **이 글에서 알 수 있는 사실과 거리가 먼 것은?**

① 삶은 달걀이 날달걀보다 잘 회전한다.
② 날달걀은 회전하려는 힘을 고르게 받기 어렵다.
③ 물체는 외부의 힘이 없으면 기존의 운동을 유지하려고 한다.
④ 액체는 관성의 영향을 적게 받으므로 외부의 힘에 쉽게 반응한다.
⑤ 균일한 상태의 물질일수록 외부의 힘을 내부에 고르게 전달할 수 있다.

구체적 사례에 적용하기

2 **㉠의 사례로 가장 적절한 것은?**

① 같은 힘으로 볼링공과 탁구공을 밀면 탁구공이 더 쉽게 움직인다.
② 날아오는 야구공을 방망이로 치면 방망이가 뒤로 밀리는 힘을 받는다.
③ 달리는 자동차가 갑자기 정지하면 타고 있던 사람들의 몸이 앞으로 쏠린다.
④ 얼음판 위에서 스케이트를 신은 두 사람이 서로를 밀면 둘 다 뒤로 밀려난다.
⑤ 거친 마룻바닥에 있는 물체를 손으로 밀면 조금 굴러가다가 금방 멈춰 버린다.

정답과 해설 25쪽

이유 추론하기

3 **날달걀을 세워서 돌리면 삶은 달걀과 달리 잘 넘어지는 이유를 다음과 같이 정리할 때, 괄호 안에 들어갈 알맞은 말을 이 글에서 각각 찾아 쓰시오.**

> 삶은 달걀에는 ( )이/가 일정하게 작용하지만, ( )인 액체로 이루어진 날달걀에서는 이 힘이 한쪽으로 쏠려 잘 넘어지는 것이다.

어휘 **확인하기**

괄호 안에 '독립적'이라는 말을 넣었을 때 어색한 것은?

① 어린이를 ( )인 존재로 대해야 한다.
② 이 기구는 본부와는 무관한 ( )인 기구이다.
③ 부모가 너무 지나치게 보호하면 아이가 ( )으로 자라기 쉽다.
④ 검찰이 외부의 압력을 받지 않고 ( )으로 수사할 수 있어야 한다.
⑤ 이 냉장고는 냉장실과 냉동실에 별도의 냉각기를 사용하는 ( )인 냉각 시스템을 도입하였다.

사람의 심장과 개구리의 심장

교과 연계 **과학** _ 순환계의 구조와 기능

① 사람을 포함한 포유류의 심장은 2심방 2심실 구조이다. 어류의 심장은 1심방 1심실, 양서류는 2심방 1심실, 파충류는 2심방 1심실 혹은 2심방 2심실도 있다. 척추동물이 어류에서 양서류, 파충류를 거쳐서 포유류로 진화했다는 점을 생각한다면, 진화를 거듭할수록 심장의 구조도 복잡해졌으므로 2심방 2심실의 심장이 가장 뛰어나다고 추측하기 쉽다. 정말 그럴까?

② 먼저 ㉠사람의 심장에서 혈액이 어떻게 흘러가는지 알아보자. 온몸을 돌고 온 혈액이 우심방으로 들어간다. 우심방에서 우심실로 내려간 혈액은 우심실의 펌프 작용으로 폐의 모세 혈관으로 이동한다. 여기서 혈액은 이산화 탄소를 내보내고 산소를 얻은 다음 좌심방으로 들어간다. 심장이 수축하면 좌심방의 혈액이 좌심실로 내려간 후 온몸의 모세 혈관으로 뻗어 나가 산소와 이산화 탄소를 교환한다. 다만 폐의 모세 혈관과 온몸의 모세 혈관을 지날 때는 혈압이 약해진다. 그래서 폐로 혈액을 보내는 펌프와 온몸으로 혈액을 보내는 펌프를 이중으로 탑재하여, 혈압이 약해지는 일 없이 효율적으로 산소와 이산화 탄소를 교환하도록 진화한 것이다.

③ 그렇다면 양서류인 ㉡개구리의 심장은 어떤 구조일까? 개구리의 심장은 2심방 1심실 구조이다. 온몸을 돌아온 혈액은 우심방으로, 폐에서 흘러나온 혈액은 좌심방으로 모여서 함께 하나의 심실로 흘러 들어간다. 이처럼 산소를 포함한 깨끗한 혈액과 그렇지 않은 혈액이 하나의 심실에서 섞이므로 개구리의 심장은 '순환 효율이 나쁜 심장'이라고 여겨져 왔다. 하지만 자세히 조사해 본 결과, 개구리의 심장은 효율이 나쁜 것이 아니라 특이한 기능을 지니고 있다는 사실이 밝혀졌다. 두 개의 심방에서 흘러나온 혈액이 심실에서 거의 섞이지 않은 채 순환하는 것이다.

④ 또한 개구리는 양서 생활에 대응하는 특이한 심장 구조를 가졌다. 폐호흡을 할 수 없는 물속에서는 심실에서 폐로 보내는 혈액을 줄인다. 그러면 몸 전체로 보내는 혈류량을 높일 수 있다. 즉, 폐를 통과하지 않고 혈액을 순환시켜서 피부 호흡으로 산소를 공급하거나 혈액 안의 산소를 남김 없이 소비하는 것이다. 만약 사람처럼 2심방 2심실 구조인데 폐로 들어가는 혈액이 없어진다면, 온몸으로 공급되는 혈액의 흐름도 멈춰 버리고 말 것이다. 이를 통해 개구리와 같은 양서류의 심장은 처한 환경에 맞게 독자적으로 진화했다는 것을 알 수 있다.

지문 이해

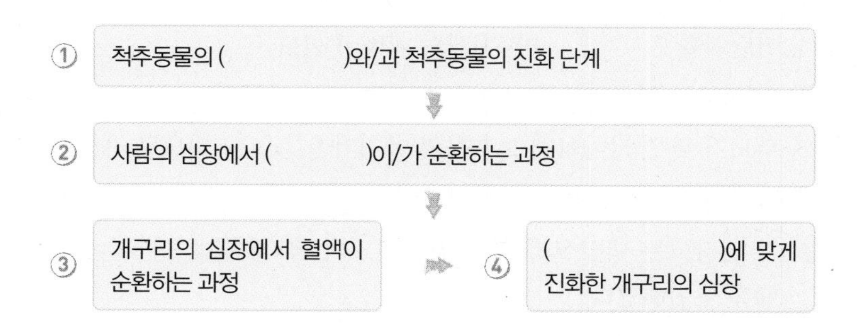

① 척추동물의 (　　　)와/과 척추동물의 진화 단계
② 사람의 심장에서 (　　　)이/가 순환하는 과정
③ 개구리의 심장에서 혈액이 순환하는 과정
④ (　　　)에 맞게 진화한 개구리의 심장

- **심방** | 심장 心, 방 房 | 심장에서, 심장으로 들어오는 혈액을 받아 심실로 보내는 부분.
- **심실** | 심장 心, 집 室 | 심장에서, 몸 전체로 혈액을 내보내는 부분.
- **양서** | 두 兩, 살다 棲 | 물속이나 땅 위의 양쪽에서 다 삶.
- **혈류량** | 피 血, 흐를 流, 헤아릴 量 | 혈관 내에 흐르는 혈액의 양.

중심 화제 짚기

1 **이 글을 통해 알 수 있는 내용이 아닌 것은?**

① 척추동물의 종류에 따른 심장 구조
② 개구리의 심장이 특이한 구조를 가진 이유
③ 양서류의 심장이 포유류의 심장보다 복잡한 이유
④ 사람의 심장 구조와 사람의 심장에서 혈액이 순환하는 과정
⑤ 개구리의 심장 구조와 개구리의 심장에서 혈액이 순환하는 과정

세부 내용 파악하기

2 **이 글의 내용을 바탕으로 하여 ㉠, ㉡에 대해 바르게 설명한 것은?**

① ㉠은 혈액을 혈관으로 이동시키는 펌프 작용이 심방에서 일어난다.
② ㉠에서 두 개의 심실은 모세 혈관의 혈압이 높아지는 것을 막아 준다.
③ ㉡에서 깨끗한 혈액은 우심방으로, 그렇지 않은 혈액은 좌심방으로 모인다.
④ ㉡은 물속에 있을 때 폐로 보내는 혈액을 줄여서 피부를 통해 호흡할 수 있도록 한다.
⑤ ㉡에서는 두 개의 심방에서 흘러나온 혈액이 하나의 심실에서 완전히 섞였다가 다시 순환한다.

비판하기

3 **이 글의 관점에서 〈보기〉의 관점을 비판한다고 할 때 괄호 안에 들어갈 알맞은 말을 각각 쓰시오.**

보기

척추동물의 진화 단계를 고려할 때, 사람의 심장이 개구리의 심장보다 훨씬 뛰어나다고 볼 수 있다.

사람의 심장은 개구리의 심장보다 뛰어나다고 말할 수 없다. 왜냐하면 심장은 각자 처한 (   )에 맞게 (   )(으)로 진화했기 때문이다.

어휘 확인하기

다음의 뜻에 알맞은 단어를 고르시오.

(1) 생물이 생명의 기원 이후부터 점진적으로 변해 가다. ➡ (진화하다 / 진전하다)

(2) 어떤 일을 자꾸 되풀이하다. ➡ (겹치다 / 거듭하다)

(3) 근육 따위가 오그라들다. ➡ (수축하다 / 팽창하다)

정답과 해설 26쪽

1 제시된 단어의 뜻에서, 괄호 안에 들어갈 알맞은 말을 〈보기〉에서 찾아 문맥에 맞게 쓰시오.

보기

적용하다　　범하다　　중요하다

(1) 중점적: 여럿 가운데 가장 (　　　　) 여기는 것.

(2) 침범하다: 남의 땅이나 나라, 권리, 재산 등을 (　　　　) 손해를 끼치다.

(3) 응용하다: 어떤 이론이나 이미 얻은 지식을 다른 일에 (　　　　) 이용하다.

2 제시된 단어의 뜻을 참고하여 괄호 안에 들어갈 알맞은 말을 〈보기〉에서 찾아 쓰시오.

보기

책정　　자동적　　총체적　　변동

(1) 바뀌어 달라짐.
　예 올해는 과일값의 (　　　　)이/가 특히 심했다.

(2) 계획이나 방책을 세워 결정함.
　예 예산안을 짜는 회의가 길어져서 예산의 (　　　　)도 늦어졌다.

(3) 있는 것들을 모두 하나로 합치거나 묶은 것.
　예 위기 극복을 위해 (　　　　)인 노력이 필요하다.

(4) 의사와 상관없이 이루어지거나 어떤 절차 없이 바로 이루어지는 것.
　예 아기의 웃음소리에 (　　　　)(으)로 미소가 지어졌다.

3 괄호 안에 공통으로 들어갈 단어로 가장 적절한 것은?

• 당신은 이 일을 신속하게 (　　　　) 할 것입니다.
• 아이들이 다치지 않게 날카로운 모서리를 곡선으로 (　　　　) 한다.

① 채택해야　② 처리해야　③ 공사해야　④ 파악해야　⑤ 조직해야

4 다음 중 밑줄 친 말의 쓰임이 어색한 것은?

① 이번 사업은 도움을 받지 않고 독자적으로 운영하고 싶다.
② 대중들이 예술을 향유할 수 있는 기회를 많이 제공해야 한다.
③ 우리 반 학생들은 새로 반장을 선출하기 위해 한 자리에 모였다.
④ 기부금의 폐해는 소외 계층에게 필요한 도움을 줄 수 있다는 것이다.
⑤ 급격한 변화보다 점진적인 변화가 더 좋은 결과를 이끌어 낼 때도 있다.

잇는 글 66쪽 사회 착한 축구공과 착한 초콜릿

아동 노동이 없는 세상을 위해

국제연합(UN)의 '아동 권리 협약'에 따르면, 아동은 몸과 마음에 해를 끼치거나 성장에 필요한 교육의 기회를 앗아 가는 모든 종류의 노동을 하지 않도록 보호받을 권리가 있다. 이와 관련하여 국제노동기구(ILO)는 세계 곳곳에서 일어나는 아동 노동의 문제를 해결하기 위해 몇 가지 중요한 역할을 맡고 있는데, 그중 하나는 노동자의 연령에 관한 구체적인 기준을 마련하여 발표하는 일이다.

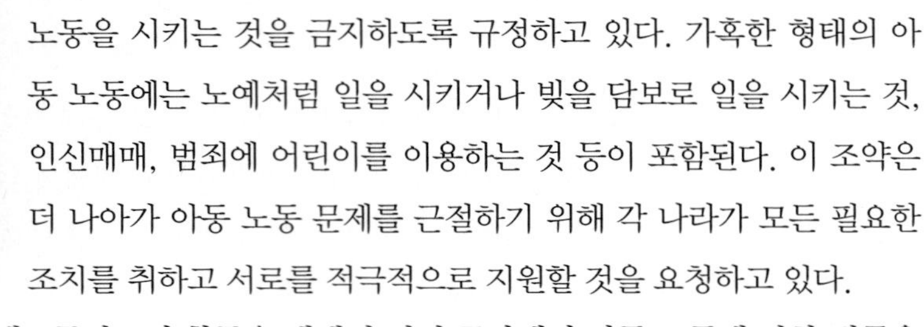

▲ 힘들게 일하고 있는 아이들

국제노동기구가 1973년에 만든 '최저 연령 협약'에서는 일할 수 있는 최저 연령을 일반적으로 의무 교육을 마친 나이인 15세로 정하고 있다. 또한 1999년에는 '가혹한 형태의 아동 노동 협약'을 채택했는데, 여기서는 18세 미만의 모든 사람에게 '가혹한 형태'라고 여겨지는 노동을 시키는 것을 금지하도록 규정하고 있다. 가혹한 형태의 아동 노동에는 노예처럼 일을 시키거나 빚을 담보로 일을 시키는 것, 인신매매, 범죄에 어린이를 이용하는 것 등이 포함된다. 이 조약은 더 나아가 아동 노동 문제를 근절하기 위해 각 나라가 모든 필요한 조치를 취하고 서로를 적극적으로 지원할 것을 요청하고 있다.

이러한 국제노동기구의 활동은 세계의 여러 국가에서 아동 노동에 관한 법률을 제정할 때 하나의 기준이 되고 있다. 대부분의 나라는 아동 노동을 법으로 금지하고 있으며 우리나라도 근로 기준법에서 15세 미만인 사람을 근로자로 고용할 수 없다고 분명하게 규정하고 있다.

나를 지켜 주는 생체 인식 기술

교과 연계 **기술·가정** _ 미래의 기술과 생명 기술

① 생체 인식 기술이란 신체적, 행동적 생체 특성을 이용하여 개인을 식별하는 기술을 말한다. 현재 사용되는 생체 인식 기술의 대표적인 예로는 지문 인식과 홍채 인식이 있다. 지문 인식은 지문에 빛을 쏴서 반사되는 신호를 통해 지문의 굴곡을 인식하고 판독하는 기술이다. 지문의 갈라진 점, 이어진 점, 끝점을 스캔하여 각 지문의 특징을 좌표로 삼아 기존 데이터와 대조하여 신분을 확인한다. 홍채 인식은 눈을 스캔했을 때, 검정색의 동공을 중심으로 홍채와 흰자위의 영역을 나눈 후 홍채의 무늬를 인식하여 본인 여부를 확인하는 기술이다.

② 지문 인식과 홍채 인식은 편리성과 데이터의 안정성 때문에 스마트폰이나 주요 공공시설의 출입 통제 시스템 등에 널리 사용되어 왔다. 그러나 안전하다고 여겨졌던 지문 인식과 홍채 인식의 보안성이 위협받기 시작했다. 지문 인식 시스템은 보통 작은 센서로 지문의 일부를 캡처하여 분석하는 방식이다. 그런데 미국의 한 컴퓨터과학과 교수팀이 8,000개가 넘는 지문을 분석해 공통점이 많은 부분을 추출하여 '마스터키' 지문을 만들었고, 꽤 높은 확률로 보안 시스템을 해제하는 데 성공했다. 또 독일의 한 해킹 단체는 사람의 홍채 사진을 출력해 콘택트렌즈와 결합하여 가짜 홍채를 만들어 냈고, 이를 통해 보안 시스템을 해제하기도 하였다.

③ 이처럼 기존의 생체 인식 기술에서 문제점이 나타나자 이를 보완하기 위한 새로운 기술도 활발하게 개발되고 있다. 그중 지정맥 인식은 근적외선 센서를 통해 손가락 안에 있는 정맥의 패턴을 분석하여 일치 여부를 판단하는 기술이다. 지문과 달리 손가락 내부의 혈관 패턴을 인증하는 것이므로 위변조할 수 없으며, 이물질이나 습도 등 외부 환경의 영향을 받지 않는다. 또한 인식 장치의 크기를 매우 작게 만들 수도 있다. 이러한 장점 때문에 여러 나라에서 보안이 중요한 금융 서비스 분야에 핑페이(FingPay)라는 명칭으로 도입되고 있다.

④ 정보 보안의 중요성과 보안 문제의 심각성이 날로 높아지면서 생체 인식 기술에 대한 사람들의 관심도 함께 커지고 있다. 더 편리하고 안정성 있는 생체 인식 기술을 찾고 대중화하려는 노력이 계속된다면, 언젠가는 외부의 위협으로부터 우리의 정보를 안전하게 지키는 강력한 수단을 가질 수 있을 것이다.

지문 이해

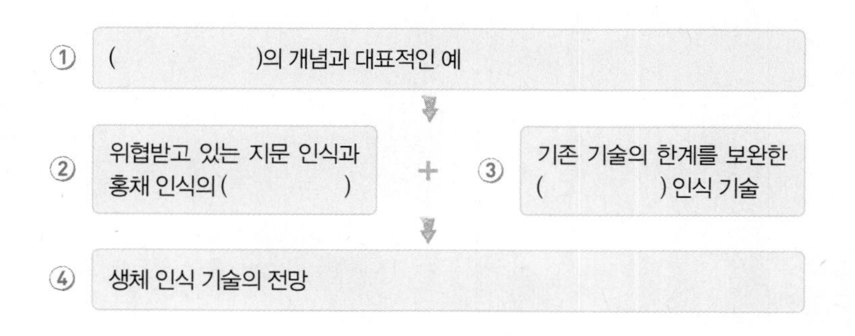

① ( )의 개념과 대표적인 예
② 위협받고 있는 지문 인식과 홍채 인식의 ( )
+
③ 기존 기술의 한계를 보완한 ( )인식 기술
④ 생체 인식 기술의 전망

- **생체** | 살 生, 몸 體 | 생물의 몸. 또는 살아 있는 몸.
- **식별하다** | 알 識, 나눌 別 | 분별하여 알아보다.
- **판독하다** | 판가름할 判, 읽을 讀 | 어려운 문장이나 암호, 고문서 따위를 뜻을 헤아리며 읽다.
- **추출하다** | 뽑을 抽, 날 出 | 전체 속에서 어떤 것을 뽑아내다.

세부 내용 파악하기

1 **이 글의 내용과 일치하지 않는 것은?**

① 사람의 신체적, 행동적 생체 특성을 이용하여 개인을 구별할 수 있다.
② 지문 인식 기술이 많이 쓰이는 이유는 편리성과 데이터의 안정성 때문이다.
③ 홍채의 특징을 활용하여 개인을 식별하는 방식은 위변조의 위험이 제기되고 있다.
④ 지정맥 인식은 손가락 내부에 존재하는 정보를 활용하는 것이므로 지문 인식에 비해 보안성이 탁월하다.
⑤ 생체 인식 기술은 기술 개발이 어렵고 비용이 많이 들기 때문에 금융 서비스 분야에 제한적으로 도입하고 있다.

비판하기

2 **이 글의 관점에서 〈보기〉의 글쓴이에게 할 수 있는 말로 가장 적절한 것은?**

정답과 해설 27쪽

보기

생체 인식 기술의 장점에는 무엇이 있을까? 첫째, 복제가 불가능하다는 것이다. 완벽한 복제 인간이 탄생하지 않는 한 특정 인간의 신체적 특징을 완벽하게 복제할 수 없다. 둘째, 편리성과 보안성을 들 수 있다. 개인 식별 번호, 주민 등록 번호, 개개인의 비밀 번호는 암호처럼 외워야 하고 손쉽게 유출될 수 있다. 하지만 개인의 신체적 특성은 외워야 할 필요가 없고, 유출되거나 도용당할 가능성이 거의 없으며, 개인의 신상에 침해가 생길 경우 추적도 용이하다.

① 모든 생체 인식 기술은 정보를 완벽하게 보호할 수 있는 수단이야.
② 개인 식별 번호와 비교할 때, 생체 인식 기술은 편리하다고 볼 수 없어.
③ 생체 인식 기술은 발전 가능성이 높지만 보안성에 문제가 없는 것은 아니야.
④ 개발 초기 단계이기 때문에 생체 인식 기술에 대한 사람들의 관심이 높지 않아.
⑤ 아직 안정성이 밝혀지지 않았기 때문에 생체 인식 기술을 도입하는 것은 위험해.

어휘 확인하기

밑줄 친 단어를 다음과 같이 바꿔 쓴다고 할 때, 적절하지 않은 것은?

① 비석의 글씨가 오랜 세월 비바람에 씻겨 <u>읽기가</u> 어렵다. → 판독하기가
② 문에 설치해 둔 잠금장치가 <u>망가져서</u> 새로 바꾸어 달았다. → 해제돼서
③ 어느 쪽이 진품인지 <u>알아보기</u> 위해 두 작품을 꼼꼼히 살폈다. → 식별하기
④ 이 항암제는 한약재에서 <u>뽑아낸</u> 몇 가지 성분을 주원료로 한다. → 추출한
⑤ 국내에 새로 <u>들어온</u> 최첨단 기술로 통신 산업이 눈부시게 발전했다. → 도입된

대만의 101 타워에는

교과 연계 사회 _ 자연재해와 인간 생활

① 지진의 공포가 전 세계로 확산되고 있다. 불의 고리로 불리는 환태평양 조산대 부근에서 끊이지 않고 강력한 지진이 발생하고 있는 것이다. 최근 우리나라에도 몇 차례 지진이 발생하면서 우리나라 역시 지진의 안전지대는 아니라는 연구가 나오고 있다.

② 지진은 지층이 지구 내부에서 생기는 힘을 받아 끊어지면서 땅이 흔들리는 현상을 말한다. 지진은 규모에 따라 0에서부터 9이상까지로 구분되는데, 규모가 2.0 차이 나면 파괴력은 약 1,000배 차이가 난다고 한다. 지진은 땅이 흔들리는 것이기 때문에 지진이 일어날 수 있는 곳에서는 건물을 안전하게 짓는 일이 매우 중요하다. 특히 고층 건물은 높이가 높아 안정성이 떨어질 수 있고 상주하는 사람들의 숫자가 많기 때문에 지진이 일어나면 그 피해가 엄청날 수밖에 없다. 따라서 지진의 진동을 잘 견딜 수 있게 하는 내진 설계가 중요하다.

③ 대만의 101 타워는 내진 설계로 유명한 초고층 건물이다. 대만은 불의 고리 지역에 속한 데다가 판과 판의 경계에 위치하여 우리나라보다 지진이 잦다. 이런 대만의 도심지에 높이가 508m에 이르는 101 타워가 세워질 수 있었던 것은, 이 건물이 지진에도 끄떡없는 건물을 표방하여 지어졌기 때문이다. 실제로 101 타워의 전망대에서는 지진을 대비하기 위한 시설인 '댐퍼'를 볼 수 있다. 댐퍼는 건물 내부에 매달린 거대한 추의 형태인데 무게가 건물 전체 중량의 1% 정도 되며 지진 발생 시 진동의 반대 방향으로 움직여서 진동을 상쇄하는 역할을 한다.

④ 101 타워의 내진 설계 방식은 ㉠'제진 설계'에 해당한다. 여기서 제진이란 진동을 제거한다는 뜻이다. 땅으로부터 건물에 전달되는 진동을 감지하고 그 진동에 대응하는 힘을 반대 방향으로 작용시켜 건물의 흔들림을 막는 것이 제진 설계이다. 이 밖에 ㉡'면진 설계' 방식도 내진 설계의 공법으로 자주 쓰인다. 면진이란 진동을 피한다는 뜻으로, 건물과 땅 사이에 고무 스프링이나 댐퍼, 베어링 등을 설치하여 진동이 건물에 전해지는 것을 막는 방식이다. 면진 설계는 지진 대비에 효과적이지만, 건물 최하층에 설치되어서 높은 위치의 흔들림에는 반응하기 어려우므로 초고층 건물을 지을 때는 주로 제진 설계가 활용된다.

지문 이해

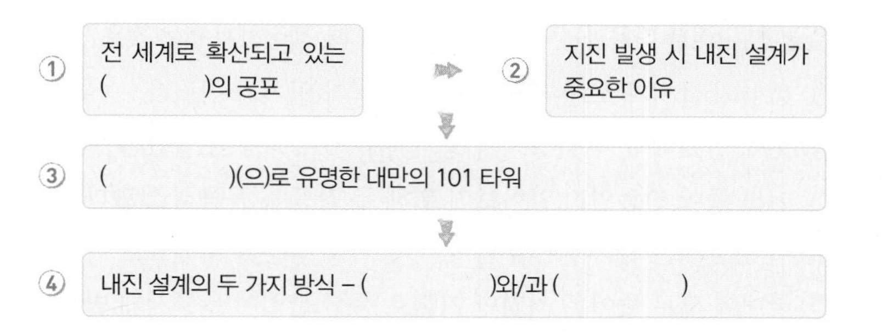

①
전 세계로 확산되고 있는
(   )의 공포
②
지진 발생 시 내진 설계가
중요한 이유
③
(   )(으)로 유명한 대만의 101 타워
④
내진 설계의 두 가지 방식 – (   )와/과 (   )

- **조산대** | 만들 造, 뫼 山, 띠 帶 | 산맥을 형성하는 지각 변동이 있었거나 일어날 가능성이 큰 지역.
- **상주하다** | 늘 常, 머무를 住 | 늘 일정하게 살다.
- **표방하다** | 나타낼 標, 알릴 榜 | 어떤 명목을 붙여 주의나 주장 또는 처지를 앞에 내세우다.

정보들의 관계 파악하기

1 **㉠과 ㉡에 대해 이해한 내용으로 적절하지 않은 것은?**

① ㉠과 ㉡은 모두 건물에 전달되는 진동을 줄이기 위해 댐퍼를 사용한다.
② ㉠과 ㉡은 모두 지진으로 발생하는 충격과 피해를 줄이는 데 목적이 있다.
③ ㉠은 ㉡과 달리 진동에 대응하는 힘을 작용시켜 진동을 상쇄하는 방식이다.
④ ㉡은 ㉠과 달리 안정성이 중요한 초고층 건물에서 주로 사용되는 방식이다.
⑤ ㉡은 ㉠과 달리 땅의 진동이 전달되는 것을 막음으로써 건물의 안전을 확보한다.

세부 내용 파악하기

2 **이 글을 읽고 심화 학습을 하기 위해 떠올린 질문으로 적절하지 않은 것은?**

① 지진은 규모에 따라 0에서부터 9이상까지로 구분된다고 하는데, 보통 지진의 규모가 어느 정도 이상이어야 위험한 것일까?
② 우리나라도 지진으로부터 안전하지 않다고 하는데, 우리나라에서는 건물 안전에 대한 연구가 얼마나 이루어지고 있을까?
③ 대만의 101 타워에 있는 댐퍼는 건물 내부에 매달린 거대한 추의 형태라고 하는데, 사진 자료를 한번 찾아볼까?
④ 내진 설계에는 제진 설계와 면진 설계가 있다고 하는데, 우리나라의 고층 건물들에는 어떤 방식이 쓰였을까?
⑤ 대만은 우리나라보다 지진이 잦은 나라라고 하는데, 대만에서 지진이 많이 일어나는 이유는 무엇일까?

핵심 정보 파악하기

3 **고층 건물에서 내진 설계가 중요한 이유 두 가지를 이 글에서 찾아 한 문장으로 쓰시오.**

어휘 확인하기

괄호 안에 들어갈 말로 가장 적절한 것을 〈보기〉에서 골라 문맥에 맞게 쓰시오.

보기

상주하다　　표방하다　　상쇄하다

(1) △△버거는 100% 한우로 만든 패티를 사용하여 고급 햄버거를 (　　　　) 왔다.
(2) 제철업계들은 늘어난 비용을 (　　　　) 위해 철 가격을 인상했다.
(3) 그 섬에 (　　　　) 사람은 100명 정도밖에 안 된다.

동양의 바이올린, 해금

① 우리나라 악기 중 가장 널리 사용되는 악기는 '깡깽이'라고도 불리는 해금이다. 해금은 임금이 있는 대궐 안의 장엄한 의식에서부터 서민들의 흥겨운 마당놀이에 이르기까지 안 쓰이는 곳이 없다. 해금은 원래 몽고 지방에 살던 해(奚)라는 종족이 즐기던 악기로 해금의 '해' 자는 여기서 유래했다. 해금이 우리나라에서 사용되기 시작한 것은 고려 시대로, 고려 예종 9년 중국 송나라에서 들어온 이래 오랜 세월을 거치면서 완전히 토착화했다.

② 표주박만 한 통 위로 비죽 올라온 마디 많은 입죽(해금 줄을 얹는 손잡이)에 줄을 문질러 소리를 내는 활 하나, 얼핏 보아도 초라하기 짝이 없는 생김이지만 해금은 만드는 재료부터 범상치 않다. 해금에는 8음이라 해서 국악기를 만드는 데 쓰이는 여덟 가지 재료인 쇠(金), 돌(石), 명주실(絲), 대나무(竹), 나무(木), 가죽(革), 바가지(匏), 흙(土)이 모두 들어간다. 이렇게 ㉠하나의 악기에 우리 땅의 정기가 응축되어 있는 셈이니 해금의 소리 또한 범상치 않다. 거친 듯 쉰 듯, 그러면서도 구수하고 애련하고 신명 나는 해금 소리에는 인간사의 희로애락이 고스란히 녹아 있다.

③ 해금에는 줄이 두 개밖에 없다. 동그란 울림통은 큰 대나무의 밑뿌리다. 통에 해묵고 마디 많은 대를 입죽으로 꽂고 입죽 위쪽에 두 개의 주아를 붙인다. 주아란 줄을 걸고 음을 조절하는 손잡이다. 해금의 두 줄 중 안쪽 줄이 중현, 바깥쪽 줄이 유현이다. 말총에 송진을 발라 쓰는 활은 중현과 유현 사이에 넣고 울림통 위를 지나면서 줄을 마찰시켜 소리를 낸다.

④ 연주할 때는 바른 자세로 앉아 왼손바닥으로 입죽을 잡고 손가락 안쪽에 두 줄을 오게 한 다음, 손가락으로 두 줄을 움켜잡아 당겼다 늦추었다 하면서 오른손에 잡은 활로 줄을 문지른다. 이때 왼손으로 줄을 올려 잡으면 낮은음이 나고 내려 잡으면 높은음이 난다. 또 음역이 넓어 낮은음에서 높은음까지 다양하게 낼 수 있는데, 자유로운 농현은 해금의 음색을 한결 돋보이게 한다. 두 개밖에 없는 줄을 죄고 풀어 농현하며 온갖 소리를 쏟아내니 해금처럼 소리 하나하나를 손으로 빚는 악기는 다른 어느 나라에도 없을 것이다. 해금은 현악기면서도 관악 합주에 반드시 편성되며 관현 합주에서는 전체적인 균형을 유지시키면서 묘한 맛을 풍긴다.

지문 이해

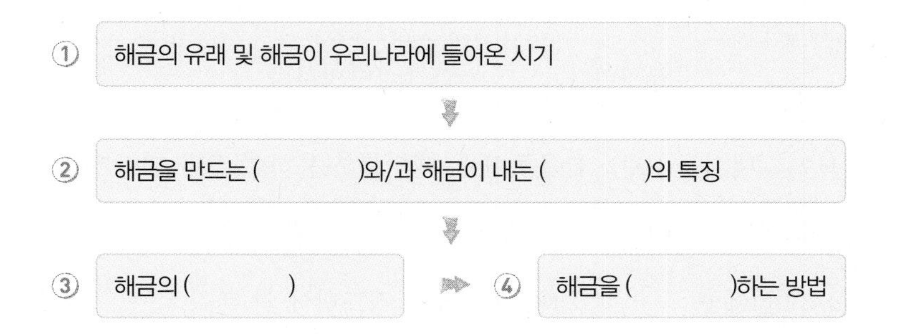

① 해금의 유래 및 해금이 우리나라에 들어온 시기
② 해금을 만드는 (　　　)와/과 해금이 내는 (　　　)의 특징
③ 해금의 (　　　)
④ 해금을 (　　　)하는 방법

- **해묵다** | 어떤 물건이 해를 넘겨 오랫동안 남아 있다.
- **송진** | 소나무 松, 끈끈할 津 | 소나무나 잣나무에서 분비되는 끈적끈적한 액체.
- **농현** | 희롱할 弄, 악기 줄 絃 | 국악에서 현악기를 연주할 때, 왼손으로 줄을 짚고 흔들어서 여러 가지 꾸밈음을 냄. 또는 그런 기법.

세부 내용 파악하기

1 **해금에 대한 설명으로 적절하지 않은 것은?**

① 해금은 다양한 계층에서 사용되어 왔다.
② 해금은 중국의 '해'라는 악기에서 유래되었다.
③ 해금의 소리에서는 인간사의 희로애락이 느껴진다.
④ 해금은 활과 두 개의 줄을 마찰시켜 소리를 내는 악기이다.
⑤ 해금을 연주할 때는 줄을 잡는 손으로 음의 높낮이를 조절한다.

정답과 해설 29쪽

시각 자료에 적용하기

2 **이 글을 참고할 때 〈보기〉의 ⓐ~ⓒ에 들어갈 명칭이 순서대로 바르게 배열된 것은?**

보기

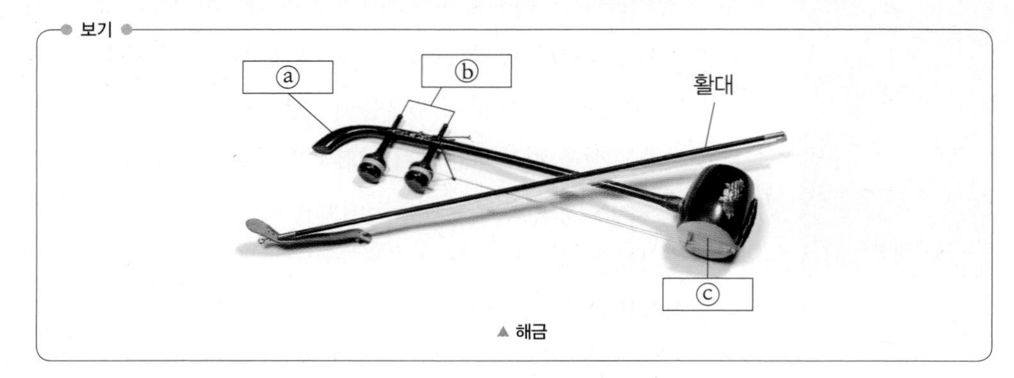

▲ 해금

① 통 – 주아 – 입죽
② 입죽 – 통 – 주아
③ 입죽 – 주아 – 통
④ 주아 – 입죽 – 통
⑤ 주아 – 통 – 입죽

이유 추론하기

3 **이 글을 바탕으로 하여 ㉠의 이유를 한 문장으로 쓰시오.**

어휘 확인하기

다음의 밑줄 친 단어와 바꿔 쓰기에 가장 적절한 것은?

> 하나의 악기에 우리 땅의 정기가 응축되어 있는 셈이니 해금의 소리 또한 범상치 않다.

① 귀하지
② 비범하지
③ 예사롭지
④ 뛰어나지
⑤ 대수롭지

10 모나리자의 비밀

교과 연계 **미술** _ 표현 의도

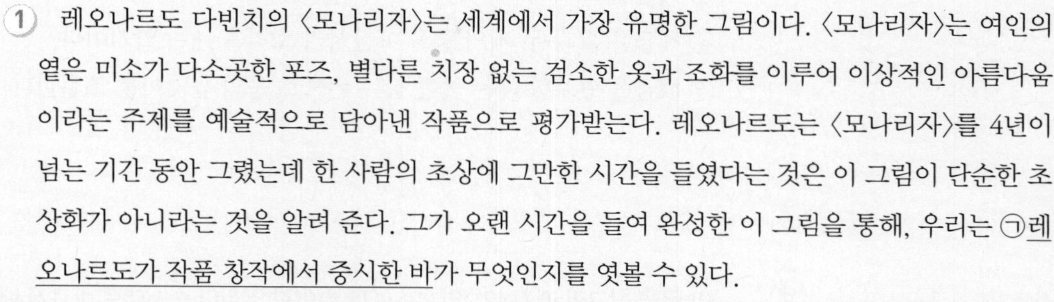

① 레오나르도 다빈치의 〈모나리자〉는 세계에서 가장 유명한 그림이다. 〈모나리자〉는 여인의 옅은 미소가 다소곳한 포즈, 별다른 치장 없는 검소한 옷과 조화를 이루어 이상적인 아름다움이라는 주제를 예술적으로 담아낸 작품으로 평가받는다. 레오나르도는 〈모나리자〉를 4년이 넘는 기간 동안 그렸는데 한 사람의 초상에 그만한 시간을 들였다는 것은 이 그림이 단순한 초상화가 아니라는 것을 알려 준다. 그가 오랜 시간을 들여 완성한 이 그림을 통해, 우리는 ㉠레오나르도가 작품 창작에서 중시한 바가 무엇인지를 엿볼 수 있다.

▲ 〈모나리자〉

② 레오나르도는 이상적 아름다움을 지닌 여인의 '살아 있는 그림'을 그리기 위해 ㉡〈모나리자〉에 다양한 기법을 동원하였다. 스푸마토는 레오나르도가 창안했다고 알려진 기법으로, 사물의 윤곽선을 지우고 명암 대비를 통해 형태를 입체적으로 살려 내는 것을 말한다. 레오나르도는 우리가 대상을 지각하는 방식을 연구하여 이를 그림에 적용하고자 했는데, 실제 얼굴은 윤곽선을 갖지 않을뿐더러 윤곽선을 지웠을 때 인물은 평면의 화면에서 훨씬 입체적으로 보인다는 것을 발견하고 이를 그림에 적용하였다. 〈모나리자〉의 여인의 이목구비가 평면에서 돌출되어 입체적으로 보이는 것은 바로 이 스푸마토 기법을 썼기 때문이다.

③ 〈모나리자〉에는 대기 원근법도 사용되었다. 대기 원근법은 멀리 보이는 물체의 색이 대기에 의해 다르게 보이는 것을 이용하여 원근을 표현하는 기법이다. 레오나르도는 과학적 연구를 통해 색채는 멀리서 볼수록 약하게 보인다고 생각하여 색을 조절함으로써 원근을 나타내었다. 〈모나리자〉에서 여인의 뒤에 보이는 배경 중 근경의 풍경에는 붉은색을 사용하고 원경의 풍경에는 푸른색을 사용한 것은 신비로운 분위기와 입체감을 표현하기 위한 것이다.

④ 〈모나리자〉는 초상화에서 권위적이고 딱딱한 느낌을 주는 측면 구도를 자연스럽고 편안한 느낌의 3/4 구도로 전환하게 한 작품으로도 알려져 있다. 신비로운 미소를 머금은 여인과 3/4 구도는 이상적인 아름다움이란 주제를 조화롭게 드러낸다. 더욱이 인물을 크게 그리고 앞쪽 경계를 두지 않음으로써 그림 속 여인과 관람자의 교감을 꾀했는데, 이를 통해 레오나르도가 '살아 있는 그림'을 추구했음을 다시 한번 느낄 수 있다.

지문 이해

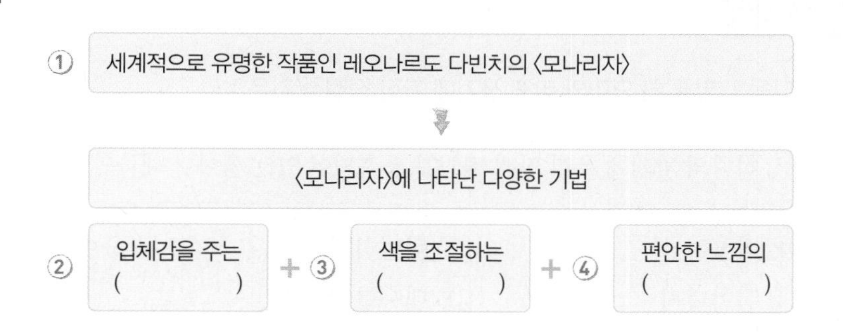

① 세계적으로 유명한 작품인 레오나르도 다빈치의 〈모나리자〉
〈모나리자〉에 나타난 다양한 기법
② 입체감을 주는 (　　　)
+ ③ 색을 조절하는 (　　　)
+ ④ 편안한 느낌의 (　　　)

- **치장** | 다스릴 治, 꾸밀 粧 | 잘 매만져 곱게 꾸밈.
- **창안하다** | 처음 創, 생각 案 | 어떤 방안, 물건 따위를 처음으로 생각하여 내다.
- **지각하다** | 알 知, 깨달을 覺 | 알아서 깨닫다.
- **돌출되다** | 쑥 나올 突, 날 出 | 쑥 내밀거나 불거지다.

세부 내용 파악하기

1 **이 글의 내용과 일치하지 않는 것은?**

① 레오나르도 다빈치는 〈모나리자〉를 4년 이상 그렸다.
② 〈모나리자〉는 이상적인 아름다움을 주제로 한 작품이다.
③ 〈모나리자〉는 상류층 가문의 여인의 권위를 표현한 초상화이다.
④ 스푸마토는 레오나르도 다빈치가 창안한 기법으로 알려져 있다.
⑤ 레오나르도 다빈치는 과학적 연구 내용을 회화 기법에 적용하였다.

숨어 있는 내용 찾기

2 **㉠의 내용으로 가장 적절한 것은?**

① 그림은 관람자에게 입체적이고 생생한 느낌을 줄 수 있어야 한다.
② 그림은 작가의 주관을 배제한 채 객관적인 시각에서 그려져야 한다.
③ 화가는 대상을 세심하게 관찰하고 정밀하게 그려 낼 수 있어야 한다.
④ 화가는 그림을 통해 현실의 문제를 상징적으로 보여 줄 수 있어야 한다.
⑤ 화가는 대상이 주는 분위기보다 대상이 지닌 형태에 주목하여 그림을 그려야 한다.

정보들의 관계 파악하기

3 **㉡에 해당하는 내용이 아닌 것은?**

① 여인의 윤곽선을 돌출되어 보이도록 그렸다.
② 여인을 크게 그리고 앞쪽 경계를 두지 않았다.
③ 여인의 뒤에 보이는 배경의 색깔을 조절하였다.
④ 여인의 형태를 명암 대비를 통해 입체적으로 그렸다.
⑤ 여인을 자연스럽고 편안한 느낌의 3/4 구도로 그렸다.

어휘 확인하기

다음의 뜻에 해당하는 단어를 〈보기〉에서 찾아 쓰시오.

보기
치장　　조화　　원근　　동원하다　　창안하다　　지각하다

(1) 알아서 깨닫다. ➡ (　　　　)

(2) 멀고 가까움. 또는 먼 곳과 가까운 곳. ➡ (　　　　)

(3) 어떤 목적을 달성하고자 사람이나 물건, 수단 등을 모으다. ➡ (　　　　)

11 석굴암에 감춰진 수학 이야기

교과 연계 **역사** _ 통일 신라의 문화

① 석굴암은 신라 시대에 만들어진 우리나라의 대표적인 석굴 사원이다. 대개 암벽을 뚫어 내부 공간을 만드는 석굴과 달리 석굴암은 화강암을 쌓아 만든 인공 석굴로, 종교적인 의미를 뛰어넘어 건축, 예술, 수학, 천문학 등이 총체적으로 종합된 작품이다.

② 석굴암은 사각형의 전실(前室)과 원형의 주실(主室)로 이루어져 있고, 전실과 주실은 복도 역할을 하는 통로로 연결되어 있다. 석굴의 입구에 해당하는 전실에는 팔부중상을 두고, 통로와 연결되는 전실의 좌우에는 금강역사상을 배치하였다. 그리고 주실 중앙에는 본존불상을 앉히고 그 주위 벽면에 십일면관음보살상과 제자상 등을 배치하였다. 불상을 통해 불교 세계의 이상을 표현하였는데, 뛰어난 조각 솜씨와 전체적인 조화의 미는 신라 미술의 극치를 보여 준다.

③ 석굴암 본존불상의 얼굴 너비는 당시 사용한 단위로 2.2자, 가슴 폭은 4.4자, 어깨 폭은 6.6자, 양 무릎의 너비는 8.8자이다. '얼굴:가슴:어깨:무릎'의 비율이 1:2:3:4인 것이다. 이때 기준이 된 1.1자는 본존불상 전체 높이의 10분의 1이다. 10분의 1이라는 비율은 로마 시대의 건축가 비트루비우스가 말한 균제 비례와 맞아 떨어진다. 신라인들이 비트루비우스의 균제 비례를 알았을 리는 없지만, 그들은 비트루비우스가 생각한 안정감과 아름다움의 비율을 자연스럽게 인식하고 있었고, 이를 석굴암에 적용한 것이다. 게다가 석굴암 전체의 구조를 기하학적으로 분석하면 모든 공간이 '가로:세로' 또는 '세로:가로'가 '1:2'인 직사각형으로 이루어져 있다고 한다.

④ 본존불상이 있는 주실의 천장은 돔형으로 만들어졌는데, 천장 반지름은 12자로 지름 24자는 하루인 24시간을, 돔의 둘레 360도는 태음력의 1년을 나타내는 우주 공간의 축소 구조이다. 돔의 중심과 전실 중심으로 이어지는 직선의 방향(동남 30도)은 동짓날 해 뜨는 방향과 일치한다고 기록하고 있으니, 주실의 돔 천장은 당시 천문도가 응용된 흔적이라고 볼 수 있다.

⑤ 이처럼 전체적인 설계와 공간 배치, 조각의 예술성, 수학적 비례 배분 등으로 예술적, 기술적 가치를 인정받은 석굴암은 1995년 12월 불국사와 함께 유네스코 세계 문화유산으로 등록되었다. 그런데 일제 강점기 때 잘못된 복원 공사로 온도 및 습기를 자연적으로 조절해 오던 석굴암에 누수 현상, 습기, 이끼 등이 생겨났고, 이 문제를 해결하기 위해 오늘날까지 노력하였으나 아직 완전하게 풀지 못하고 있다. 오늘날의 첨단 과학 기술이 1,200년 전 신라인들의 과학 기술을 따라가지 못한다는 사실이 안타까울 따름이다.

- **팔부중** | 여덟 八, 거느릴 部, 무리 衆 | 불법(佛法)을 수호하는 여덟 신.
- **금강역사** | 쇠 金, 굳셀 剛, 힘 力, 선비 士 | 불교의 수호신. 대체로 탑 또는 사찰의 문 양쪽을 지키는 역할을 맡으며, '인왕역사'라고도 함.
- **극치** | 다할 極, 이를 致 | 도달할 수 있는 최고의 정취나 경지.
- **자** | 길이의 단위. 한 자는 한 치의 열 배로 약 30.3cm에 해당한다.
- **균제** | 고를 均, 가지런할 齊 | 고르고 가지런함.
- **천문도** | 하늘 天, 무늬 文, 그림 圖 | 천체의 위치와 운행을 나타낸 그림.

세부 내용 파악하기

1 **이 글을 읽고 답할 수 있는 질문이 아닌 것은?**

① 석굴암 본존불상의 전체 높이는 얼마나 될까?
② 석굴암에서 습기를 조절한 원리는 무엇일까?
③ 석굴암에서 찾을 수 있는 수학적 비율은 무엇일까?
④ 석굴암에 반영된 당시의 천문학 지식에는 어떤 것들이 있을까?
⑤ 석굴암이 유네스코 세계 문화유산으로 등록될 수 있었던 이유는 무엇일까?

정답과 해설 31쪽

시각 자료에 적용하기

2 **〈보기〉의 ㉠~㉤에 들어갈 말을 본문에서 찾아 바르게 연결한 것은?**

보기

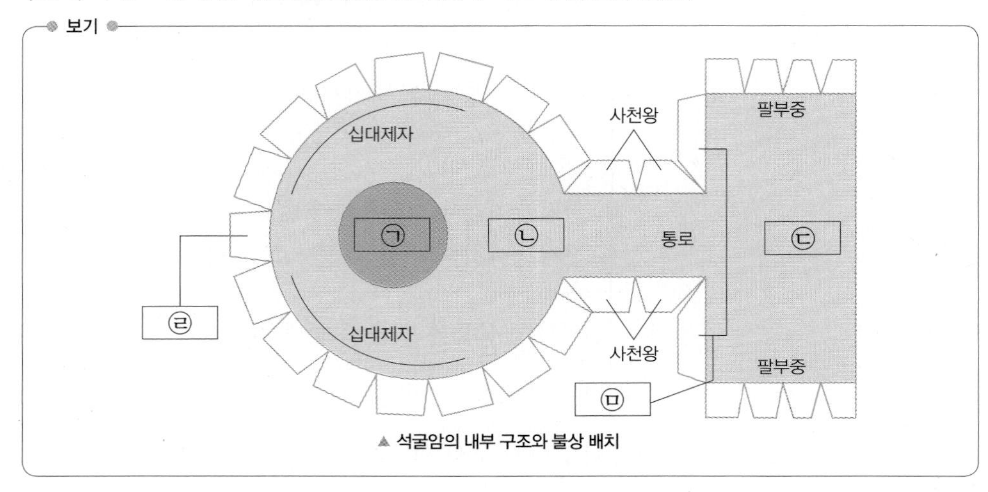

▲ 석굴암의 내부 구조와 불상 배치

① ㉠: 금강역사상 ② ㉡: 전실 ③ ㉢: 주실
④ ㉣: 십일면관음보살상 ⑤ ㉤: 본존불상

견해의 핵심 내용 파악하기

3 **이 글에 나타난 글쓴이의 관점을 잘못 이해한 사람은?**

① 보미: 천문학과 수학에 대한 신라의 지식수준을 높게 평가하고 있어.
② 정주: 석굴암이 잘못된 보수 공사 때문에 훼손된 것을 안타까워하고 있어.
③ 지석: 아름다움과 안정감에 관한 신라인들의 감각이 뛰어났음을 강조하고 있어.
④ 은희: 비트루비우스의 균제 비례를 근거로 신라와 로마의 교역을 짐작하고 있어.
⑤ 강민: 신라인들이 석굴암을 통해 불교의 이상 세계를 구현하려 했다고 보고 있어.

1 다음 뜻에 해당하는 단어를 말 상자에서 찾아 표시하시오.

(1) 잘 매만져 곱게 꾸밈.
예 아이는 (   )을/를 하지 않아도 예쁘다.

(2) 생물의 몸. 또는 살아 있는 몸.
예 밤낮이 바뀌면 (   ) 리듬이 깨지기 쉽다.

(3) 어려운 문장이나 암호 따위를 뜻을 헤아리며 읽음.
예 휘갈겨 쓴 글씨는 (   )이/가 어렵다.

(4) 도달할 수 있는 최고의 정취나 경지.
예 설악산 경치는 아름다움의 (   )을/를 보여 준다.

이	판	한	표	상
극	경	독	하	주
치	장	지	국	마
실	균	물	질	다
체	사	병	생	체

2 밑줄 친 단어의 뜻을 〈보기〉에서 골라 그 번호를 쓰시오.

보기
① 알아서 깨닫다.
② 일정한 차례나 간격에 따라 벌여 놓다.
③ 전체 속에서 어떤 물건, 생각, 요소 따위를 뽑아내다.

(1) 진열대에 상품을 보기 좋게 <u>배치하였다</u>. ➡ (   )

(2) 너무 캄캄해서 방향을 <u>지각할</u> 수도 없었다. ➡ (   )

(3) 이 글에서 주된 생각이나 의견을 <u>추출하였다</u>. ➡ (   )

3 〈보기〉의 글자들을 조합하여 다음 뜻풀이에 해당하는 단어를 만들어 쓰시오.

보기
식　줄　별　안　소　창　김　쇄　연　상

(1) 분별하여 알아봄. ➡ (   )
(2) 어떤 방안, 물건 따위를 처음으로 생각하여 냄. ➡ (   )
(3) 상반되는 것이 서로 영향을 주어 효과가 없어지는 일. ➡ (   )

4 문맥을 고려하여, 다음 문장의 괄호 안에 들어갈 알맞은 단어를 고르시오.

(1) 그녀는 본능적으로 위험을 (확산하였다 / 감지하였다 / 표방하였다).
(2) 기상청은 태풍이 지나간 후 경보를 (해제하였다 / 동원하였다 / 보완하였다).

지진의 세기는 누가 정할까

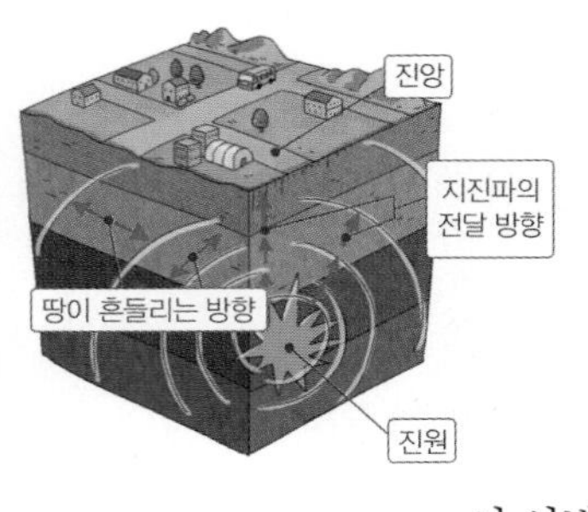

땅속에 있는 암석들 사이에는 항상 일정한 힘이 작용한다. 평소에는 이런 힘이 균형을 이루고 있지만, 균형이 갑자기 깨지면 지층이 끊어지고 진동이 발생하는데 이 진동으로 땅이 흔들리는 것이 바로 지진이다.

지구 내부에서 처음으로 지진이 발생한 곳을 '진원'이라고 하고, 진원의 바로 위 지표면 부분을 '진앙'이라고 한다. 진원에서 지진이 발생하면 진동이 사방으로 펴져 나가는데 이 진동의 세기를 나타내기 위해 만든 기준이 바로 '진도'와 '규모'이다. 진도는 1902년 이탈리아의 지진학자인 메르칼리가 만든 것으로, 지진 발생 후 지진을 경험한 사람들과 인터뷰를 하고 이를 통해 지진의 피해 정도를 몇 개의 등급으로 나누어 나타낸 것이다. 진도는 널리 사용되지만 피해 지역과 진원 사이의 거리, 건물의 튼튼한 정도 등에 따라 사람이 느끼는 흔들림의 강도가 달라지므로 상대적이라는 단점이 있다.

이러한 문제점 때문에 지진의 세기를 규모로 나타내기도 한다. 규모는 1935년 리히터가 만들어 '리히터 규모'라고도 불리는데, 지진에서 나오는 에너지의 양을 나타내며 지진 자체의 크기를 뜻한다. 진도는 정수 단위의 로마 숫자로 표시하지만, 규모는 소수 첫째 자리까지 아라비아 숫자로 표현한다. 규모를 잴 때는 진원의 깊이와 진앙까지의 거리를 이용하여 과학적으로 계산하므로 그 값을 서로 비교할 수 있다. 예를 들어 리히터 규모가 1.0 커지면 땅의 흔들림은 10배가 되고, 에너지는 약 31배로 늘어난다. 리히터 규모가 8 정도 되면 땅 위의 건물 대부분이 파괴되는데, 이때 나오는 에너지는 핵폭탄이 터지는 위력과 맞먹는다고 한다.

정리 정돈을 꼭 해야 할까?

우리는 누구나 생활 환경을 쾌적하게 관리하기를 원하지만 그 방식에 있어서는 개인별로 차이를 보인다. 모든 물건이 자신의 손이 닿는 곳에 펼쳐져 있기를 바라는 사람도 있지만, 최소한의 물건만을 깔끔하게 정리해 두는 '미니멀리즘(minimalism)'을 추구하는 사람도 있다. 각자의 생활 공간에서 물건을 잘 정돈하는 것은 우리에게 반드시 필요한 행위일까?

찬성

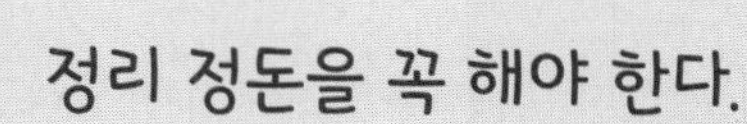

정리 정돈을 꼭 해야 한다.

물건을 정리 정돈한다는 것은 평소에 잘 사용하지 않는 물건은 즉각 치우고, 사용하는 물건들은 잘 배치하여 언제든지 꺼내어 쓰기 좋은 상태를 유지하는 것을 말한다. 정리 정돈을 하면 함께 생활하는 사람들이 다 같이 쾌적한 상태를 유지할 수 있다. 또 물건에 걸려 넘어지거나 물건들이 쓰러지면서 안전사고가 일어나는 것을 방지할 수 있고, 물건을 사용할 때 찾는 시간이 적게 들어서 생산성이 높아진다.

특히 공동으로 생활하는 공간에서 자기 물건을 잘 정리해 두지 않는 것은 주변 사람을 배려하지 않는 예의 없는 행동이다. 깔끔하게 정리되지 않은 물건들은 그것을 보는 사람에게 불쾌감을 주는데다가, 그중에 함께 사용하는 물건이라도 있을 때에는 다른 사람이 필요한 물건을 찾아서 쓰지 못하는 상황이 생길 수도 있기 때문이다. 따라서 물건을 잘 정리하고 필요한 물건만을 적재적소에 두는 것은 당연히 해야 할 일이라고 생각한다.

반대

정리 정돈을 꼭 하지 않아도 된다.

자신의 물건을 어디에 어떻게 두는지 결정하는 것은 전적으로 그 사람의 자유이다. 필요할 때 꺼내어 쓰는 것에 문제만 없다면 물건의 배치는 중요하지 않다. 심지어 필요하지 않은 물건이 놓여 있다고 하더라도 생활하는 데 불편함이 없다면 문제가 되지 않는다. 중요한 것은 자신이 그 상태를 쾌적하게 느끼는가, 그것뿐이다.

그런 의미에서 정리 정돈은 쾌적한 상태를 유지하는 많은 수단 중 하나일 뿐이며 그 자체가 목적은 아니기 때문에 꼭 필요한 것이 아니다. 공동으로 사용하는 물건 몇 가지는 당사자들끼리 약속하여 항상 정해진 장소에 놓을 수도 있겠지만, 물건마다 제자리를 정하고 그때그때 정리하는 데 시간을 들이는 것은 소모적인 일이다. 또한 깔끔하게 정리하고 싶은 사람이 정한 장소를 모두 기억하고 함께 지키는 것은 정리에 익숙하지 않은 사람에게 피로감을 줄 수 있다. 따라서 정리 정돈은 개인의 자유이지 꼭 해야 하는 일은 아니라고 생각한다.

나는 정리 정돈을 꼭 해야 한다는 생각에 (찬성한다 , 반대한다).

왜냐하면 ______________________________

____

____

실전으로 차곡차곡 익숙하게!

독해 실전 3회

백성을 사랑하는 데 돈이 필요하지 않다

① 정약용은 조선 후기의 실학자로, 거중기를 만들고 수원 화성을 축조한 인물로 잘 알려져 있다. 하지만 정약용은 500여 권의 책을 저술하기도 한 조선의 대표적인 작가이다. 《경세유표》, 《목민심서》, 《흠흠신서》, 《여유당전서》 등의 책은 현재까지도 고전(古典)으로 불린다.

② 정약용의 저서 가운데 그의 대표작으로 손꼽히는 《목민심서》는 백성을 다스리는 지방 관리의 역할을 밝힌 책이다. 그러나 이 책은 단순히 관리들의 실무에 대해 알려 주는 것이 아니라, 진정 백성을 위하는 정치가 무엇인지, 백성을 가까이에서 돌보는 수령이 그 직분을 올바르게 수행하는 것이 얼마나 중요한 일인지에 대해 말하고 있다. "오늘날 백성을 다스리는 자들은 오직 거두어들이는 데만 급급하고 백성을 기를 줄을 모른다.", "몸을 깨끗이 하고 백성을 사랑하는 데 돈이 필요하지 않다."와 같은 구절은 이 책이 담고 있는 내용을 잘 보여 주고 있다.

③ 《목민심서》는 정약용의 삶에 바탕을 둔 책이라고 평가받는다. 정약용은 유년 시절, 고을의 수령을 역임한 아버지를 따라 각 고을을 돌아다니며 견문을 넓혔다. 또한 그 자신이 33세 때 암행어사가 되어 지방 관리의 부정부패를 파헤치고 백성들의 어려움을 가까이서 지켜보기도 하였다. 무엇보다 그는 18년이라는 긴 유배 기간 동안 학문에 전념하여 사서오경(四書五經)을 반복적으로 연구하였고, 세도 정치하에서 백성들이 겪는 괴로움과 짓밟힘에 공감하며 이를 극복하기 위한 방법을 고민하였다. 이러한 그의 삶은 《목민심서》의 내용이 단순히 정치가의 공허한 가르침이 아니라는 것을 말해 준다.

④ 정약용은 우리나라의 다양한 서적과 중국의 역사책 23종에서 옛날의 관리들이 백성을 다스린 자취를 골라 정리했고, 여기에 자신의 견해를 덧붙여 48권 16책에 이르는 《목민심서》를 완성했다. 그는 맹자가 '목(牧)'을 백성을 부양하고 기르는 일로 여긴 것을 받들어 백성을 다스리는 것을 '목민(牧民)'이라 칭하고, 자신의 안위가 아니라 백성과 나라를 위하는 목민의 자세를 강조하였다. 하지만 당시의 정치 현실이 변화할 가능성은 희박했을 뿐만 아니라 유배당한 몸으로서 목민의 자세를 몸소 실천하기도 어려웠던 까닭에, 정약용은 '심서(心書)'라는 말을 붙여 자신의 정치적 이상을 마음에 담아 둘 수밖에 없는 처지를 표현하기도 하였다.

지문 이해

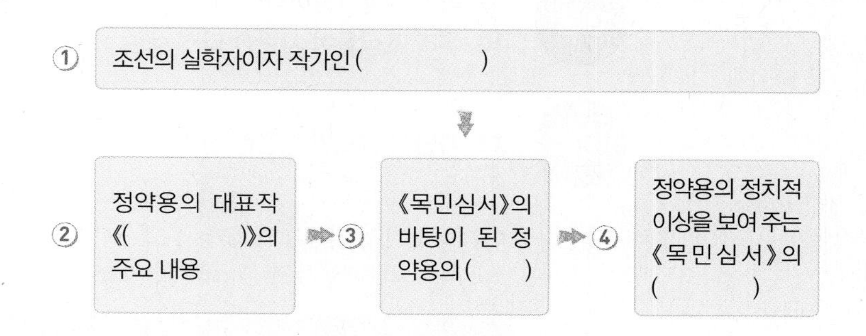

① 조선의 실학자이자 작가인 (   )
② 정약용의 대표작 《(   )》의 주요 내용
③ 《목민심서》의 바탕이 된 정약용의 (   )
④ 정약용의 정치적 이상을 보여 주는 《목민심서》의 (   )

- **직분** | 일 職, 나눌 分 | 직무상의 본분. 마땅히 하여야 할 본분.
- **역임하다** | 겪을 歷, 맡길 任 | 여러 직위를 두루 거쳐 지내다.
- **견문** | 볼 見, 들을 聞 | 보거나 듣거나 하여 깨달아 얻은 지식.
- **자취** | 어떤 것이 남긴 표시나 자리.
- **희박하다** | 드물 稀, 적을 薄 | 어떤 일이 이루어질 가능성이 적다.

중심 화제 짚기

⊕ 표제와 부제
표제는 '신문이나 잡지 기사의 제목', 부제는 '서적, 논문, 문예 작품 따위의 제목에 덧붙어 그것을 보충하는 제목'이다.

1

이 글의 ⊕표제와 부제로 가장 적절한 것은?

① 조선 후기의 대표적 실학자 정약용의 생애
– 학문에 대한 열정과 백성에 대한 사랑을 실천하다

② 정약용의 삶과 생각을 보여 주는《목민심서》
– 백성과 나라를 위하는 마음을 담아내다

③ 정약용의 정치적 야망이 드러난 역사적 사건
–《목민심서》, 그가 꿈꾸던 이상 사회를 말하다

④《목민심서》를 통해 알아보는 정약용의 실학 정신
– 공허한 가르침보다 실용적 지식이 중요하다

⑤ 조선 후기 정치인들의 교과서가 된 책,《목민심서》
– 부패한 관리를 벌하고 백성을 괴로움에서 구하라

실전 3회

정답과 해설 32쪽

숨어 있는 내용 찾기

2

이 글을 읽고 미루어 짐작한 내용으로 적절하지 않은 것은?

① 정약용은 당시에 백성을 착취하는 관리들이 많아 문제가 있다고 생각했군.
② 정약용은 중국의 역사책에도 연구하고 참고할 만한 내용이 많다고 생각했군.
③ 정약용은 정치에 있어 백성을 가까이서 돌보는 수령의 역할이 중요하다고 생각했군.
④ 정약용은 유배된 상황에서도 조정에 복귀하기 위한 방법을 마련해야 한다고 생각했군.
⑤ 정약용은 백성을 부양하여 잘 살 수 있도록 하는 것이 관리가 해야 할 일이라고 생각했군.

어휘 확인하기

문맥을 고려하여, 다음 문장의 괄호 안에 들어갈 알맞은 단어를 고르시오.

(1) 그녀는 (현상 / 자취)도 없이 사라졌다.

(2) 속초시는 외옹치항에 방파제를 (축조할 / 축출할) 계획이다.

(3) 그가 이번 선거에서 당선될 가능성은 (공허하다 / 희박하다).

까마귀 날자 배는 왜 떨어졌을까

① 어떤 일이 생기면 우리는 우선 "왜 그런 일이 생겼을까?" 하고 따져 보거나, 어떻게 해서 그 일이 발생하게 되었는지 고민하게 된다. 사람들은 왜 항상 일의 원인을 찾으려고 할까? 그것은 우리의 마음속에 '어떤 일이 일어나게 된 데에는 반드시 이유가 있다.'라는 생각이 자리 잡고 있기 때문이다. 따라서 우리는 이미 알려진 원인이나 결과를 바탕으로 하여 아직 모르는 다른 원인이나 결과를 추리해 내곤 하는데, 바로 이런 추리를 '인과 추리'라고 부른다.

② 물론 인과 추리를 통해서 문제를 올바르게 추론할 수도 있지만, 때때로 전혀 관계가 없는 원인과 결과를 연결시켜 추론하거나 추리하는 오류를 범하기도 한다. ㉠"까마귀 날자 배 떨어진다."라는 속담이 이에 해당한다. 까마귀는 그저 '동네 한 바퀴 순찰할까?' 하고 날아 본 것인데, 그때 마침 배나무에서 배가 떨어진 것이다. 여기서 '까마귀가 난 것'과 '배가 떨어진 것'은 단지 동시에 발생한 두 개의 사건일 뿐, 그 이상도 그 이하도 아니다. 이처럼 어떤 사건의 원인이 아닌 것을 원인으로 생각하는 것을 '거짓 원인의 오류'라고 한다.

③ 거짓 원인의 오류와 관련해서 주의해야 할 것 중 하나는 바로 '보이지 않는 원인'이다. 어떤 사건의 원인인 것 혹은 원인이 아닌 것이 분명하게 드러나는 경우도 있지만, 결과에 영향을 준 원인이 감추어져 있어서 쉽게 알 수 없을 때도 있다. 따라서 보이지 않는 원인을 잘 따져 보지 않으면 원인이 아닌 것을 원인으로 잘못 생각하는 오류가 생겨도 그냥 지나치기 쉽다.

④ 거짓 원인의 오류는 구체적으로 원인을 어떻게 잘못 생각했는지에 따라 보통 네 가지로 분류할 수 있다. 첫째, 선후 관계를 인과 관계로 혼동하는 오류는 단지 시간적으로 앞뒤에 발생한 것을 인과 관계로 생각하여 오류가 된 것이다. 둘째, 상관관계를 인과 관계로 혼동하는 오류는 두 사건이 우연히 동시에 발생한다는 이유만으로 인과 관계로 여기는 오류이다. 셋째, 공통 원인의 오류는 두 사건이 제3의 원인 때문에 발생한 것인데 두 사건을 일으킨 공통 원인을 찾지 못하고 결과에 해당하는 두 사건을 인과 관계로 엮어 버리는 오류이다. 마지막으로 원인과 결과를 뒤바꿔 혼동하는 오류는 어느 쪽이 원인이고 결과인지 구별하지 못하여 오류가 되는 것을 말한다.

지문 이해

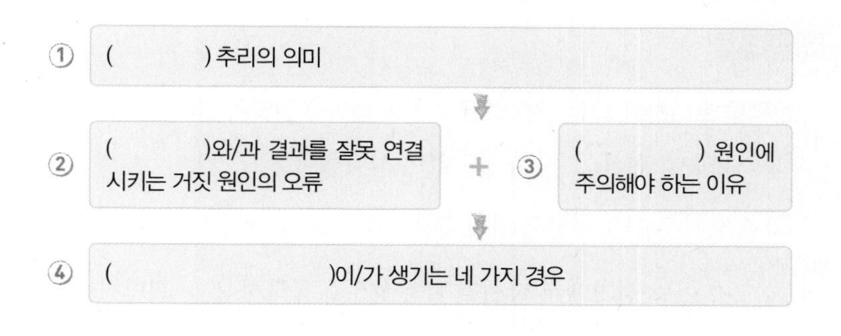

① (　　　) 추리의 의미
② (　　　)와/과 결과를 잘못 연결시키는 거짓 원인의 오류
+
③ (　　　) 원인에 주의해야 하는 이유
④ (　　　)이/가 생기는 네 가지 경우

- **추리하다** | 추측할 推, 이치 理 | 알고 있는 것을 바탕으로 알지 못하는 것을 미루어서 생각하다.
- **인과** | 까닭 因, 결과 果 | 원인과 결과를 아울러 이르는 말.
- **오류** | 그릇할 誤, 그릇될 謬 | 그릇되어 이치에 맞지 않는 일.
- **혼동하다** | 섞을 混, 한가지 同 | 구별하지 못하고 뒤섞어서 생각하다.

세부 내용 파악하기

1 **이 글의 내용과 일치하지 않는 것은?**

① 사람들은 어떤 일이 일어난 이유를 찾으려는 경향이 있다.
② 인과 관계를 추리하는 과정에서 때로는 오류가 발생하기도 한다.
③ 원인이 감추어져 있을 때에는 거짓 원인의 오류를 범할 가능성이 적다.
④ 거짓 원인의 오류는 원인을 어떻게 잘못 생각했는지에 따라 네 가지로 나눌 수 있다.
⑤ 이미 알려진 원인이나 결과로 아직 밝혀지지 않은 다른 원인이나 결과를 추리하는 경우도 있다.

사례로 개념 이해하기

2 **㉠과 〈보기〉에서 공통적으로 범하고 있는 오류로 가장 적절한 것은?**

보기
나는 빨간 장갑을 끼는 날에는 꼭 홈런을 쳤다. 오늘도 홈런을 치기 위해서 빨간 장갑을 낄 것이다.

① 원인과 결과를 뒤바꿔 생각하여 발생하는 오류
② 보이지 않는 원인 대신 엉뚱한 원인을 찾아낸 오류
③ 시간적으로 앞에 발생한 사건을 원인으로 생각하는 오류
④ 우연히 함께 발생한 별개의 사건을 인과 관계로 착각하는 오류
⑤ 제3의 공통 원인을 무시한 채로 두 사건의 관계만을 따지는 오류

핵심 정보 파악하기

3 **이 글에서 인과 추리를 할 때 오류를 범하지 않기 위해 주의할 점으로 제시한 것을 찾아 3어절로 쓰시오.**

⊕ 어절
문장을 구성하고 있는 각각의 마디. 띄어쓰기로 구분할 수 있다.
예 나는(어절) 밥을(어절) 먹었다.(어절)

어휘 확인하기

다음의 뜻에 해당하는 단어를 〈보기〉에서 찾아 쓰시오.

보기
혼동하다 추리하다 오류 인과 선후

(1) 구별하지 못하고 뒤섞어서 생각하다. ➡ (   )
(2) 원인과 결과를 아울러 이르는 말. ➡ (   )

실전 3회
정답과 해설 33쪽

젓가락에 담긴 문화적 의미

교과 연계 사회 _ 문화 지역

① 문화란 어떤 지역의 주민이나 집단의 의식주, 언어, 사고방식과 같은 특정한 생활 양식을 말하며 문화적 특징이 유사하게 나타나는 일정한 공간적 범위를 개념화한 것을 문화 지역이라고 한다. 달리 말하면 문화 지역은 특정 문화 요소를 공통적으로 보유한 사람들이 거주하는 공간이라고 할 수 있다. 하지만 어떤 문화 요소에 의해 설정된 문화 지역이라 하더라도, 그 안에서 해당 문화 요소가 완전히 균질적으로 분포되어 있는 경우는 드물다.

② 세상에서 가장 간단한 운반 도구인 젓가락을 예로 들어 보자. 음식을 먹을 때 젓가락을 쓰는 문화는 주로 아시아에서 나타나며 그중 우리나라와 중국, 일본이 전 세계 젓가락 사용 인구의 약 80%를 차지한다. 이런 점에서 볼 때 이 세 나라는 이른바 ㉠젓가락 문화 지역으로 묶일 수 있을 것이다. 그렇지만 젓가락 사용 양상을 깊이 들여다보면 각 지역의 특성에 따라 그 모습이 다르게 나타나는 것을 발견할 수 있다.

③ 중국은 전통적으로 넓은 상에 함께 모여 식사를 하는 문화가 있어서 멀리 있는 음식을 집어 먹기 위해 젓가락의 길이가 길어졌다. 또 기름지고 뜨거운 음식이 많은 편이라 열전도율이 낮은 나무로 젓가락을 만들었으며, 끝을 뭉툭하게 하여 음식이 미끄러지지 않게 했다. 반면에 일본은 각자 자신의 그릇을 입 가까이에 대고 먹는 문화가 있어 짧은 길이의 젓가락을 사용하게 되었다. 또한 섬나라여서 오래전부터 생선을 즐겨 먹었기 때문에 가시를 발라내기 편리하도록 젓가락 끝이 뾰족한 것이 특징이다. 한편 우리나라에서는 젓가락을 숟가락과 함께 사용하는데, 이는 밥과 국이 주가 되는 식사 문화에서 비롯된 것이다. 나무로 된 젓가락이 아닌 쇠젓가락을 주로 사용한 것에 대해서는 절임 음식이 많은 특성상 위생적으로 관리하기 좋으며, 크기가 다양한 반찬들을 정확하게 집기 편해서라고 보는 시각이 있다.

④ 이처럼 젓가락은 서로 비슷해 보이면서도 다른 문화를 꽃피우며 오랫동안 아시아인들의 삶 깊숙이 자리해 왔다. 젓가락은 단순한 식사 도구를 넘어 그 지역의 생활 양식과 밀접한 관련이 있는 귀중한 문화 요소이다. 즉, 문화 지역은 사람들이 활동하면서 만들어 내는 다양한 의미들이 응축된 사회적 구성물이라는 가치를 지닌다.

지문 이해

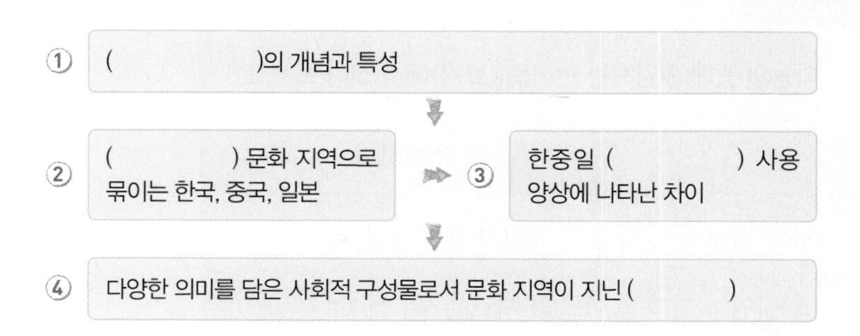

① (　　　　　)의 개념과 특성
② (　　　　　) 문화 지역으로 묶이는 한국, 중국, 일본
③ 한중일 (　　　　　) 사용 양상에 나타난 차이
④ 다양한 의미를 담은 사회적 구성물로서 문화 지역이 지닌 (　　　　　)

- **보유하다** | 지킬 保, 있을 有 | 가지고 있거나 간직하고 있다.
- **균질적** | 고를 均, 본질 質, 것 的 | 성분이나 특성이 고루 같은 것.
- **분포되다** | 나눌 分, 펼 布 | 일정한 범위에 흩어져 퍼져 있다.
- **열전도율** | 더울 熱, 전할 傳, 이끌 導, 비율 率 | 물체 속을 열이 이동하는 정도를 나타낸 수치.

글의 전개 방식 알기

1 **이 글의 전개 방식으로 가장 적절한 것은?**

① 젓가락이라는 대상을 유사한 특성이 있는 다른 도구와 비교하며 설명하고 있다.
② 문화 지역 내에서 일어나는 다양한 갈등의 원인을 따져 논리적으로 서술하고 있다.
③ 문화 지역을 구성하고 있는 각각의 구성 요소를 나누어 개별적으로 분석하고 있다.
④ 하나의 문화 요소가 변해 가는 과정을 시간의 흐름에 따라 순차적으로 제시하고 있다.
⑤ 문화 지역의 개념을 제시하고 구체적 사례를 통해 문화 지역의 특성을 설명하고 있다.

세부 내용 파악하기

2 **이 글의 내용을 바탕으로 하여 ㉠을 바르게 이해하지 못한 사람은?**

① 정민: 우리나라, 중국, 일본이 젓가락을 주로 사용하는구나.
② 윤수: 젓가락의 길이가 식사 문화와 관련이 있다는 사실을 알았어.
③ 현서: 어떤 음식을 주로 먹느냐에 따라 식사 도구의 모양이 달라지기도 하네.
④ 유준: 숟가락을 주로 쓰는 우리나라는 중국, 일본과 다른 문화 지역에 속한다고 보아야 해.
⑤ 서진: 우리나라 사람들의 식습관이 변하면 젓가락 사용 양상이 지금과 달라질 수도 있을 거야.

정답과 해설 34쪽

핵심 정보 파악하기

3 **이 글의 내용을 다음과 같이 요약할 때, 괄호 안에 들어갈 알맞은 말을 글에서 찾아 2어절로 쓰시오.**

> 동일한 문화 지역으로 설정되어 있어도 그 속의 문화 요소는 각 지역의 (   )에 따라 다른 양상으로 변화한다.

어휘 확인하기

다음에 제시된 단어의 뜻을 참고하여 빈칸에 알맞은 말을 써넣으시오.

(1) 보 ☐ 하다 : 가지고 있거나 간직하고 있다.
(2) 균 ☐ 적 : 성분이나 특성이 고루 같은 것.
(3) ☐ 축되다: 내용의 핵심이 어느 한곳에 집중되어 쌓여 있게 되다.

집단 사고와 집단 지성

① 1961년 미국의 케네디 정부는 쿠바 카스트로 정권을 무너뜨리기 위해 독특한 계획을 세웠다. 쿠바를 탈출하여 미국에 온 1,400여 명의 사람들이 군사 훈련을 받도록 한 후, 이들을 쿠바에 기습적으로 침투시켜 쿠바를 정복한다는 계획이었다. 당시 미 정부의 고급 관료들은 미국으로 온 쿠바인들이 자국의 공산 정권을 몹시 싫어한다는 이유로 이 계획이 당연히 성공할 것이라고 확신했다. 그러나 실제 작전은 처참하게 실패했고 미국은 세계적으로 비난을 받았다.

② 세계에서 가장 뛰어난 능력을 가진 사람들로 구성된 집단의 의사 결정에서 왜 이러한 문제가 발생했을까? 어빙 재니스라는 학자는 이를 '집단 사고'라는 표현으로 설명했다. 집단 사고란 말 그대로 유사성과 응집성이 높은 집단에서 의사 결정을 할 때 나타나는 사고이다. 그는 이 과정에서 불리한 정보를 차단하고, 반대 의견을 고려하지 않으며, 만장일치를 추구하는 경향이 나타난다고 보았다. 쉽게 말해서 비슷한 생각을 하는 사람들은 어떤 일에 대해 쉽게 합의하는 편이어서 그로 인한 문제점을 심사숙고하기가 어렵다는 것이다.

③ 이와 달리 '집단 지성'이라는 것이 있다. 곤충학자인 윌리엄 휠러 교수가 제시한 것으로, 다수의 개체들이 서로 협력을 통해 지적 능력의 결과물을 얻는 것을 말한다. 한 마리의 개미는 미약하지만 공동체를 이루고 협업하면 개미집과 같은 위대한 결과물을 만들 수 있다. 이처럼 인간 사회에서도 다양한 일반인들로 구성된 집단이 전문가 집단보다 더 값진 결과를 구성할 때가 있는데, 그는 이것이 바로 집단 지성 때문이라고 보았다.

④ 제도화된 사회일수록 전문가들의 의사 결정으로 정책을 집행하는 경우가 많다. 따라서 현대 사회는 과거에 비해 집단 지성보다는 집단 사고가 더 많이 이루어지고 있으며, 그렇기 때문에 집단 사고의 위험성 또한 높다. 집단 사고를 경계하고 집단 지성을 높이는 가장 좋은 방법은 다수의 구성원이 다양한 의견을 제시할 수 있는 민주적인 사회를 구성하는 것이다. 우리 사회에서 집단 지성이 더 많이 일어나도록 하는 것은 결국 정책 결정 과정을 개방하는 것과 더불어 많은 사람들이 그 과정에 적극적으로 참여하는 데 달려 있다.

지문 이해

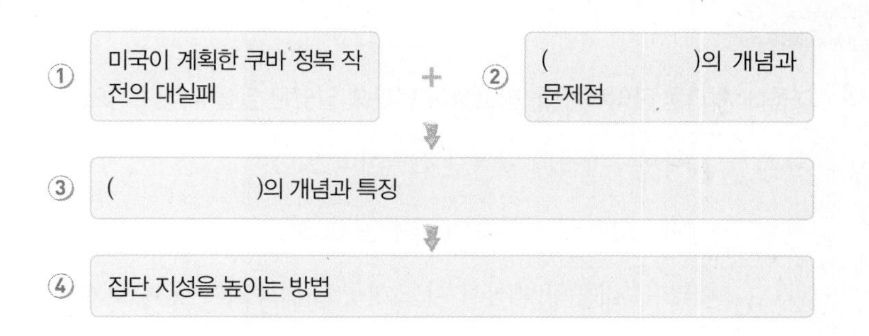

① 미국이 계획한 쿠바 정복 작전의 대실패
+
② (　　　　　)의 개념과 문제점
③ (　　　　　)의 개념과 특징
④ 집단 지성을 높이는 방법

- **관료** | 벼슬 官, 벼슬아치 僚 | 직업적인 관리. 또는 그들의 집단. 특히, 정치에 영향력이 있는 고급 관리를 이른다.
- **응집성** | 엉길 凝, 모을 集, 성질 性 | 한군데에 엉겨서 뭉치는 성질.
- **심사숙고하다** | 깊을 深, 생각 思, 깊이 熟, 살필 考 | 깊이 잘 생각하다.

세부 내용 파악하기

1 **이 글에서 알 수 있는 내용으로 적절하지 않은 것은?**

① 집단 사고가 나타난 사례
② 집단 사고와 집단 지성의 개념
③ 집단 사고의 문제점이 발생하는 이유
④ 집단 지성이라는 개념을 제시한 학자
⑤ 집단 지성의 문제점을 보완할 수 있는 방법

견해의 핵심 내용 파악하기

2 **이 글에 나타난 글쓴이의 관점을 바르게 이해한 사람은?**

① 민기: 집단 지성은 전문가들로만 이루어진 집단에서 일어나.
② 온유: 유사성과 응집성이 높은 집단에서 나타나는 의사 결정은 항상 합리적이야.
③ 미소: 다수가 다양한 의견을 제시하며 협력하면 우리 사회를 더 민주적으로 만들 수 있어.
④ 서윤: 복잡한 현대 사회에서는 전문가들의 의견을 중심으로 정책을 결정하는 것이 바람직해.
⑤ 상준: 전문적인 능력을 지닌 사람들이 내린 결정일수록 그렇지 않은 사람들이 내린 결정보다 뛰어나.

원인 추론하기

3 **이 글을 바탕으로 하여 제시된 질문에 적절한 답을 한 문장으로 쓰시오.**

질문: 비슷한 생각을 하는 사람들이 모여서 어떤 일을 결정할 때 문제점을 심사숙고하기 어려운 까닭이 무엇일까?
답: ______________________________

어휘 확인하기

밑줄 친 단어의 뜻을 〈보기〉에서 골라 그 번호를 쓰시오.

보기
① 깊이 잘 생각하다.
② 보잘것없이 아주 작고 약하다.
③ 조건이나 입장 등이 이익이 되지 않다.

(1) 투자한 시간과 노력에 비해 연구 결과가 미약해서 걱정이다. ➡ (   )
(2) 나는 친구에게 보낼 편지를 심사숙고해서 여러 번 고쳐 썼다. ➡ (   )
(3) 심판이 상대편에게 이롭게 판정하여 이번 경기는 우리 팀에게 불리했다. ➡ (   )

실전 3회
정답과 해설 35쪽

따뜻한 이글루의 비밀

교과 연계 **과학** _ 상태 변화와 열에너지 출입

① 피부에 소독용 알코올을 바르면 알코올이 마르면서 소독된 부분이 차게 느껴질 때가 있다. 또 무더운 여름날 마당에 물을 뿌리면 잠시 후 물이 증발하면서 조금 시원해지는 것을 느낄 수 있다. 이러한 현상이 생기는 이유는 물질이 상태 변화를 일으킬 때 물질에 들어오거나 물질에서 빠져나가는 열 때문이다. 여기서 주목할 점은, 상태가 변화하는 물질의 온도가 아닌 물질을 둘러싼 주변의 온도가 변한다는 사실이다. 어떻게 물질의 상태 변화가 주변 온도까지 변화시키는 것일까?

② 일반적으로 물질은 상태가 고체에서 액체로, 액체에서 기체로 변화하면 물질의 온도가 올라간다. 이때 물질이 필요로 하는 열을 주변에서 흡수하므로 물질 주변의 온도는 오히려 내려가게 된다. 예를 들어 알코올이 증발하여 액체 상태에서 기체 상태로 변하는 경우, 알코올은 기화에 필요한 열을 주변에서 흡수하게 되고 그 결과 주변의 온도가 내려가면서 알코올을 바른 피부가 시원해진다. 여름철 마당에 물을 뿌렸을 때 시원하게 느껴지는 이유도 이와 마찬가지이다.

③ 이제 거꾸로 기체에서 액체로, 액체에서 고체로 상태가 변화하는 과정에 대해 알아보도록 하자. 이 경우에는 위와 반대로 물질이 열을 주변에 방출하게 된다. 즉, 물질 자신이 가지고 있던 열을 주변에 내놓게 되므로 주위의 온도가 오히려 올라가는 것이다. 이러한 원리를 활용하여 오렌지 농장에서는 갑작스럽게 기온이 영하로 떨어지는 일이 생기면 오렌지 열매가 얼지 않도록 물을 뿌려 준다. 나무에 뿌려진 물이 금세 얼면서 열을 방출하여 오렌지가 어는 것을 막아 주고, 껍질 바깥에 얼어붙은 얼음은 외부의 차가운 공기로부터 나무를 보호하는 역할까지 해 주기 때문이다. 또한 극지방에 살고 있는 에스키모들은 날씨가 추울 때 이글루의 얼음벽에 물을 뿌린다. 안 그래도 추운데 왜 얼음벽에 물을 뿌려서 더 얼릴까? 그 이유는 추운 날씨 때문에 물이 순식간에 얼면서 그 안에 있던 열을 주위로 방출하기 때문이다. 이때 방출되는 열로 인해 이글루 내부의 온도가 올라가게 되고, 에스키모들은 오히려 더 따뜻하게 지낼 수 있다.

지문 이해

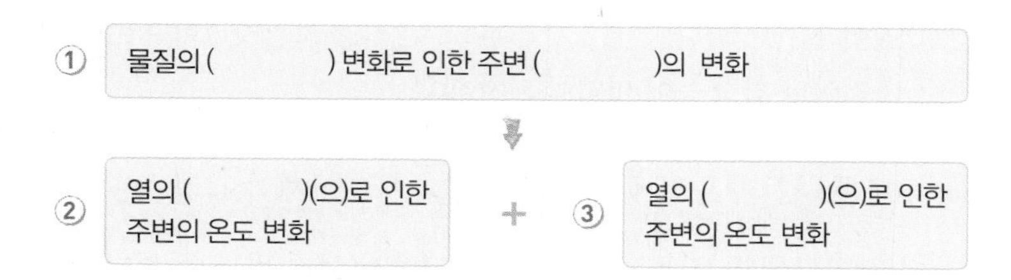

① 물질의 ( ) 변화로 인한 주변 ( )의 변화
② 열의 ( )(으)로 인한 주변의 온도 변화
+
③ 열의 ( )(으)로 인한 주변의 온도 변화

- **기화** | 기체 氣, 될 化 | 액체가 기체로 변함. 또는 그런 현상.
- **방출하다** | 놓을 放, 내놓을 出 | 모아 둔 것을 널리 공급하다. 또는 빛이나 열 등의 에너지를 밖으로 내보내다.
- **극지방** | 끝 極, 땅 地, 모 方 | 남극과 북극을 중심으로 한 그 주변 지역.

중심 화제 짚기

1 **이 글의 제목으로 가장 적절한 것은?**

① 물질의 상태 변화가 일어나는 원인
② 주변 온도를 바꾸는 물질의 상태 변화
③ 물질의 종류에 따른 상태 변화의 다양성
④ 우리 주변에서 찾을 수 있는 여러 물질의 종류
⑤ 물질의 상태 변화를 활용한 신기한 발명품의 사례

사례로 원리 이해하기

2 **이 글을 참고하여 〈보기〉의 질문에 답한 내용으로 적절한 것은?**

보기

어제 아이스크림 가게에 갔는데, 가게 직원이 아이스크림을 포장할 때 봉투에 드라이아이스를 함께 담아 주었어. 드라이아이스에서 생기는 연기가 참 신기했어. 그런데 드라이아이스를 왜 넣은 걸까?

① 드라이아이스가 가지고 있던 열을 주변에 내놓는 성질 때문이야.
② 드라이아이스가 주위로 열을 방출하면서 고체로 변하기 때문이야.
③ 드라이아이스가 액체가 되면서 주변의 온도가 올라가기 때문이야.
④ 드라이아이스가 고체에서 기체로 변하면서 주변의 열을 흡수하기 때문이야.
⑤ 드라이아이스가 얼면서 외부의 공기로부터 아이스크림을 보호하기 때문이야.

숨어 있는 내용 찾기

3 **이 글의 내용을 바탕으로 하여, 일반적인 물질의 상태 세 가지를 물질이 지닌 온도가 높은 것부터 낮은 것의 순으로 쓰시오.**

어휘 확인하기

다음 ㉠, ㉡에 들어갈 말이 바르게 짝지어진 것은?

- 나무는 광합성을 하기 위해 이산화 탄소를 (㉠   ), 산소를 내뿜는다.
- 몇 년째 가뭄이 계속되자 정부에서는 모아 둔 쌀을 (㉡   ) 발표했다.

	㉠	㉡
①	흡수하고	방출하겠다고
②	흡수하고	증발시키겠다고
③	방출하고	흡수하겠다고
④	방출하고	증발시키겠다고
⑤	증발시키고	방출하겠다고

다리를 무너뜨린 군대 행진

교과 연계 **과학** _ 진동수

① 공명이란 고유의 진동수를 지닌 물체가 그와 같은 진동수를 가진 힘을 주기적으로 받을 경우 진폭과 에너지가 크게 증가하는 현상을 가리킨다. 공명을 일으키는 진동에는 소리나 규칙적 움직임과 같은 역학적 진동과 전자기파와 같은 전기적 진동 등이 있으며, 한번 공명 현상이 일어나면 세기가 약했던 파동도 크게 증폭될 수 있다.

② 우리 생활 주변에서도 공명 현상을 자주 볼 수 있는데, 대표적인 예가 세탁기의 탈수 과정이다. 세탁물을 담은 통이 고속으로 회전하는 동안에는 세탁기가 크게 움직이지 않다가, 탈수 과정이 끝나고 통의 회전 속도가 점점 줄어들면 어느 순간 세탁기가 심하게 흔들릴 때가 있다. 이는 세탁 통이 돌아가는 속도에 따라 세탁기에 가하는 힘이 달라지기 때문이다. 통이 빠르게 회전할 때에는 세탁기에 전해지는 충격의 진동수가 세탁기의 고유 진동수와 달라서 별다른 영향을 주지 못하므로 흔들림이 별로 없다. 그러나 회전 속도가 줄어들면서 진동수가 세탁기의 고유 진동수와 일치하는 순간이 오면 공명이 일어나 세탁기가 크게 흔들리게 된다.

③ 탈수 과정에서의 공명은 세탁기를 크게 흔드는 정도이지만, 공명 현상이 심해지면 다리가 무너지거나 건물이 흔들리는 경우도 있다. 1831년 영국 맨체스터에서는 군인들의 행진에 의해 다리가 붕괴되는 사고가 있었는데 그 원인으로 공명 현상이 지목되었다. 여러 사람이 발을 맞추어 걸어가면서 다리에 반복적으로 가한 힘의 진동수가 다리의 고유 진동수와 일치하면서 큰 힘으로 증폭되었다고 본 것이다. 만약 군인들이 일사불란하게 행진하지 않고 무질서하게 걸어갔다면 공명 현상이 발생하지 않아서 다리가 무너지지 않았을지도 모른다.

④ 그런데 이러한 공명의 원리는 우리 생활 깊숙한 곳으로 들어와 유익하게 활용되기도 한다. 병원에서 질병을 검사할 때 쓰는 자기 공명 영상 장치(MRI)는 공명을 활용한 대표적인 사례이다. 우리 몸을 구성하는 물 안에는 수소 원자핵이 있다. MRI 촬영을 할 때 장치에서 나온 전자기파는 이 수소 원자핵을 공명시킨다. 이때 전자기파를 끄면 수소 원자핵이 진동을 멈추고 에너지를 방출한다. 원자의 분포나 결합 상태에 따라 방출되는 에너지의 양이 달라지기 때문에, 이를 컴퓨터로 분석하면 ㉠우리 몸속의 모습을 영상화할 수 있게 되는 것이다.

지문 이해

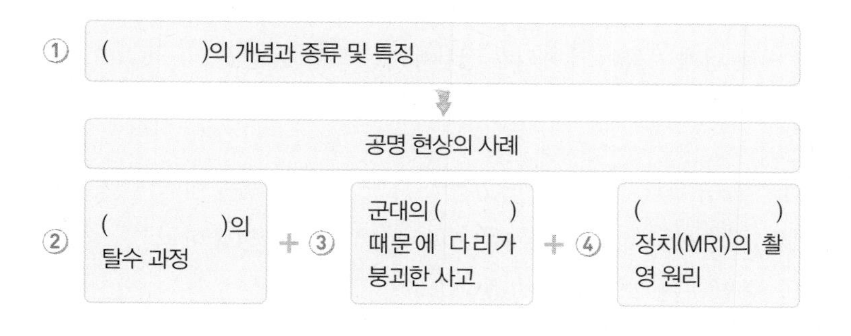

① (　　　　)의 개념과 종류 및 특징
공명 현상의 사례
② (　　　　)의 탈수 과정
+ ③ 군대의 (　　　　) 때문에 다리가 붕괴한 사고
+ ④ (　　　　) 장치(MRI)의 촬영 원리

- **진동수** | 떨칠 振, 움직일 動, 셀 數 | 연속적인 주기 현상에서, 단위 시간에 같은 상태가 몇 번이나 반복되는가를 나타내는 양. 파장이나 전기 진동의 경우 주파수라고도 한다.
- **일사불란하다** | 하나 一, 실 絲, 아닐 不, 어지러울 亂 | 질서가 정연하여 조금도 흐트러지지 아니한 상태이다.

세부 내용 파악하기

1 **이 글의 내용과 일치하지 않는 것은?**

① 공명 현상이 발생하면 진폭과 에너지가 크게 증가한다.
② 소리나 규칙적 움직임에 의한 진동은 역학적 진동에 해당한다.
③ 공명 현상은 우리 생활에 유용한 도구를 만드는 데 이용되기도 한다.
④ 세탁 통이 돌아갈 때 회전 속도와 관계없이 세탁기에 전해지는 충격은 일정하다.
⑤ 회전하는 세탁 통의 진동수와 세탁기의 고유 진동수가 일치하면 공명 현상이 발생할 수 있다.

사례로 원리 이해하기

2 **이 글을 바탕으로 하여 〈보기〉를 분석한 내용으로 적절한 것은?**

보기

고층 건물인 A빌딩에서 건물이 갑자기 흔들리면서 입주민들이 대피하는 일이 벌어졌다. 몇몇 전문가들은 11층에 있는 체육관에서 단체로 에어로빅을 할 때 발생한 진동을 흔들림의 원인으로 지목했다.

① 에어로빅의 움직임이 전기적 진동을 발생시켜 건물을 흔들리게 했군.
② 에어로빅에서 무질서한 동작을 했더라면 건물이 더욱 크게 흔들렸겠군.
③ 건물이 흔들리지 않게 하려면 평소에도 규칙적인 충격을 가해야 하는군.
④ 에어로빅으로 발생한 진동이 건물의 고유 진동수를 커지게 만들었기 때문이군.
⑤ 11층에서 발생한 진동의 진동수가 건물의 고유 진동수와 일치했다고 본 것이군.

이유 추론하기

3 **㉠의 이유를 서술한 다음 문장의 괄호 안에 들어갈 알맞은 말을 2어절로 쓰시오.**

전자기파에 의해 공명하던 (   )이/가 방출하는 에너지의 양이 원자의 분포나 결합 상태에 따라 달라지기 때문이다.

실전 3회

정답과 해설 37쪽

어휘 확인하기

다음의 뜻에 알맞은 단어를 고르시오.

(1) 사물의 범위가 늘어나 커지다. ➡ (증축하다 / 증폭되다)

(2) 이롭거나 도움이 될 만한 것이 있다. ➡ (유익하다 / 유지하다)

1 다음 뜻에 해당하는 단어를 말 상자에서 찾아 표시하시오.

(1) 많은 노동자들이 협력해 계획적으로 노동하는 일.

(2) 보거나 듣거나 하여 깨달아 얻은 지식.

(3) 몸을 편안하게 하고 마음을 위로함.

(4) 구별하지 못하고 뒤섞어서 생각함.

(5) 원인과 결과를 아울러 이르는 말.

(6) 사물이나 현상의 모양이나 상태.

인	과	김	결	협
상	범	유	성	업
안	위	물	박	작
이	치	혼	동	업
견	문	실	양	상

2 괄호 안에 들어갈 말로 가장 적절한 것은?

어젯밤에 화재가 발생했던 현장의 모습을 보니, 무너진 건물의 잔해와 불에 탄 물건들이 뒤섞여 한마디로 (   ).

① 전념했다 ② 처참했다 ③ 공허했다 ④ 밀접했다 ⑤ 응축되었다

3 밑줄 친 말과 반대되는 의미를 가진 말을 〈보기〉에서 찾아 쓰시오.

보기

축조하다 뭉툭하다 추구하다 방출하다 침투하다

(1) 송곳은 작은 구멍을 뚫을 때 쓰는 도구로 끝이 매우 뾰족하다. ➡ (   )

(2) 이 옷은 땀을 빨리 흡수해서 더운 여름에도 쾌적하게 입을 수 있다. ➡ (   )

4 다음 중 밑줄 친 말의 쓰임이 어색한 것은?

① 상대 팀이 매우 강해서 우리 팀이 이길 확률은 희박해 보인다.
② 그의 의견은 찬성과 반대가 팽팽해 만장일치로 겨우 회의를 통과했다.
③ 그는 바로 코앞에 닥친 일에 급급하여 내일 일을 준비할 겨를이 없었다.
④ 이 문제는 정말 중요한 것이니 경솔하게 판단하지 말고 심사숙고한 뒤 결정하자.
⑤ 서둘러야 한다는 선생님의 말씀에 우리 모두는 일사불란하게 움직이기 시작했다.

잇는 글 ∞ 90쪽 인문 백성을 사랑하는 데 돈이 필요하지 않다

폐지 속에서 발견된 정약용의 사랑

다산 정약용은 현실에 대한 날카로운 비판 의식으로 조선 후기 여러 사회 문제의 근본적인 원인을 밝히고, 구체적이고 실천적인 개혁안을 마련하고자 노력한 대표적 실학자이자 개혁 사상가이다. 그런 그의 삶을 떠올리면 길었던 유배 생활을 말하지 않을 수 없는데, 장기간의 유배는 다산에게 깊은 좌절을 안기기도 했지만 방대한 저작이 탄생한 중요한 배경이 되기도 했다.

1810년 봄, 정약용은 전남 강진에서 유배 생활을 하던 중 아내 홍씨 부인이 시집올 때 입었던 붉은색 비단 치마 다섯 폭을 전해 받는다. 결혼 후 34년이 지났으니 치마는 이미 누렇게 바랜 후였다. 다산은 이 오래된 비단 치마를 잘 자르고 다듬은 다음, 그 위에 가족을 걱정하는 마음을 담은 글을 써서 《하피첩》이라는 서첩으로 만들어 보냈다. '하피'는 '노을빛 붉은 치마'라는 뜻으로 조선 시대 사대부 여인의 옷을 일컫는 말이다. 《하피첩》의 내용은 대부분 두 아들에게 당부하는 말로 이루어져 있다. 선비가 가져야 할 마음가짐, 남에게 베푸는 삶의 가치, 삶을 넉넉하게 만들고 가난을 구제하는 방법, 효와 우애의 중요성 등 다산의 가치관이 담긴 글들이 다양한 필체로 적혀 있다.

그런데 이 서첩의 운명 역시 다산의 생애만큼이나 기구하다. 집안의 가보로 전해지다가 한국 전쟁 때 그만 분실되었고, 2004년 폐지를 줍던 한 할머니의 손수레에서 극적으로 발견된 것이다. 얼마 후 TV의 고문서 감정 프로그램에 등장한 이 낡은 서첩은 오랜 세월 기록으로만 전해지던 《하피첩》의 진품으로 밝혀져 세간의 주목을 끌었다. 현재는 국립민속박물관에서 경매를 통해 이를 구입하여 소장하고 있다. 자칫 폐품으로 사라질 뻔했다가 소중한 문화재로 우리 곁에 돌아온, 다산의 절절한 가족애가 담긴 《하피첩》. 영화보다 더 영화 같은 사연이란 바로 이런 것이 아닐까?

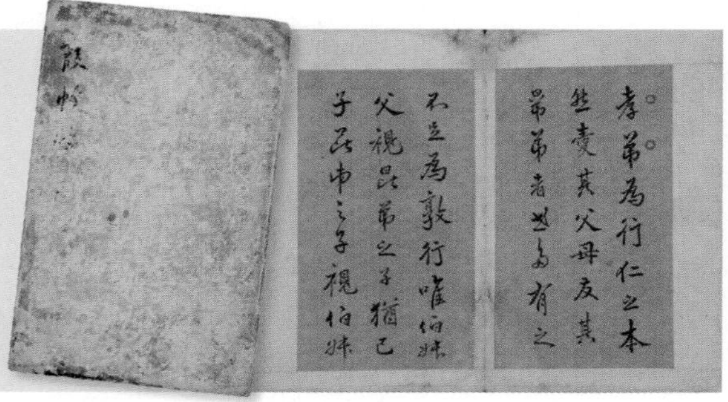

▶ 하피첩
(출처: 국립민속박물관)

빠르고 편리한 청소 기구, 진공청소기

교과 연계 **과학** _ 과학 원리와 공학적 설계

① 집안 곳곳에 부스러기나 머리카락 등이 흩어져 있어 청소할 때 흔히 사용하는 것이 진공청소기이다. 진공청소기는 먼지와 티끌을 순식간에 빨아들일 뿐만 아니라 빗자루로 해결하기 힘든 미세한 가루들도 말끔히 제거해 준다. 진공청소기가 이렇게 먼지를 빨아들이는 데에는 어떤 원리가 숨어 있을까?

② 진공청소기는 공기의 압력차를 이용하는 도구이다. 공기는 압력이 높은 쪽에서 낮은 쪽으로 이동하는데, 진공청소기는 전기 에너지를 이용하여 청소기 안에 기압이 낮은 공간을 만들어 냄으로써 기압이 높은 곳에 있는 물질들을 빨아들인다. 사실 '진공청소기'에서 '진공'은 엄밀한 의미로는 어떤 입자도 없이 텅 비어 있는 공간을 의미하지만, 여기서는 공기 입자 수가 보통의 기압 상태보다 현격하게 줄어든 공간을 의미한다.

③ 일상에서 많이 사용하는 진공청소기는 송풍 장치, 호스, 필터의 세 부분으로 구성되어 있다. 송풍 장치는 모터의 회전으로 진공 상태를 만드는 역할을 한다. 분당 만 번 이상 회전하는 강력한 모터가 청소기 안의 공기를 바깥으로 뽑아내면, 청소기 내부의 기압이 외부에 비해 현격히 낮아지면서 바깥의 공기가 호스를 통해 빨려 들어오는 것이다. 이때 공기와 함께 섞여 들어온 먼지와 오물은 청소기 필터에 걸러져 안쪽에 남고, 깨끗한 공기만 청소기 뒤로 빠져나가게 된다.

④ 진공청소기는 먼지를 빨아들이는 힘인 흡입력이 좋을수록, 필터가 걸러 낼 수 있는 먼지의 크기가 작을수록 청소하기에 좋을 것이다. 필터를 오래 사용하면 청소기의 흡입력이 줄어들기 때문에 필터를 자주 청소해 주어야 하며, ㉠청소기 내부의 공기가 외부로 나가는 통로가 막히면 청소기가 제 기능을 발휘할 수 없으므로 통로가 막히지 않도록 유의해야 한다. 한편 촘촘하고 빽빽한 필터를 사용하면 미세한 먼지는 잘 걸러 낼 수 있어도 그만큼 공기가 빠져나가는 것이 힘들어져 흡입력이 감소할 수 있다. 또한 더 많은 공기를 빨아들이기 위해 모터의 회전을 늘리면 흡입력은 좋아지는 대신 전력 소모가 커지는 문제점이 생긴다. 따라서 우수한 진공청소기란 흡입력, 필터가 조밀한 정도, 전력 소모 등이 조화를 잘 이룬 것이라고 볼 수 있다.

지문 이해

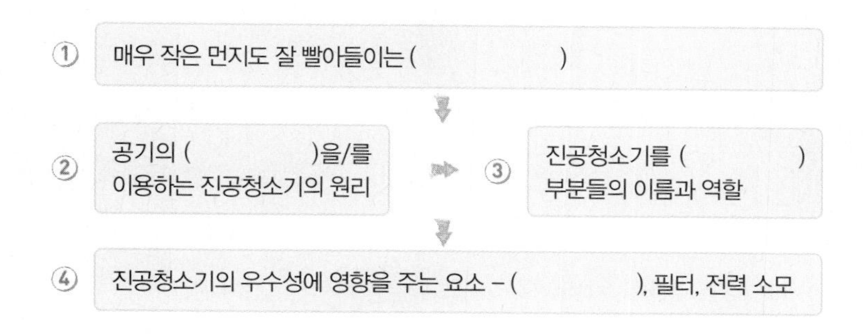

① 매우 작은 먼지도 잘 빨아들이는 (　　　　　)
② 공기의 (　　　　　)을/를 이용하는 진공청소기의 원리
③ 진공청소기를 (　　　　　) 부분들의 이름과 역할
④ 진공청소기의 우수성에 영향을 주는 요소 – (　　　　　), 필터, 전력 소모

- **입자** | 알 粒, 씨 子 | 물질을 구성하는 미세한 크기의 물체.
- **현격하다** | 매달 懸, 사이 뜰 隔 | 사이가 많이 벌어져 있는 상태이다. 또는 차이가 매우 심하다.
- **송풍** | 보낼 送, 바람 風 | 기계 따위로 바람을 일으켜 보냄.
- **조밀하다** | 빽빽할 稠, 빽빽할 密 | 촘촘하고 빽빽하다.

글의 전개 방식 알기

⊕ 통념
일반적으로 널리 통하는 개념을 뜻하며, '사회적 통념을 깨다.'와 같이 쓰인다.

1

이 글에 대한 설명으로 가장 적절한 것은?

① 논리적인 근거를 들어 통념의 오류를 바로잡고 있다.
② 특정 기술이 발전해 온 과정을 단계적으로 제시하고 있다.
③ 구체적인 현상의 원리를 설명한 후 실험을 통해 검증하고 있다.
④ 대상의 개념을 설명하고 응용할 수 있는 분야를 소개하고 있다.
⑤ 장치의 작동 원리를 과학적 사실을 바탕으로 하여 설명하고 있다.

시각 자료에 적용하기

2

이 글을 바탕으로 하여 〈보기〉에 대해 설명한 내용으로 적절하지 않은 것은?

보기

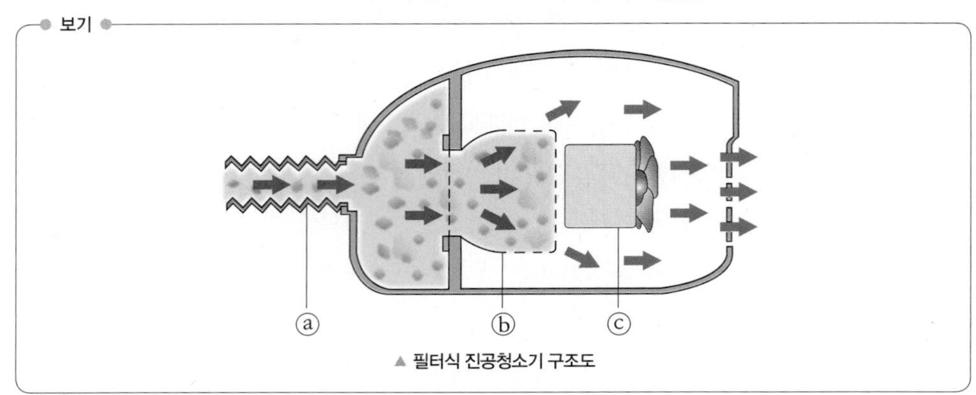

▲ 필터식 진공청소기 구조도

① ⓐ를 지나가는 공기에 비해 ⓒ를 지나가는 공기가 더 깨끗하다.
② ⓑ가 촘촘해지면 단위 시간 동안 ⓒ가 소모하는 전력이 줄어든다.
③ ⓑ의 조밀도와 ⓒ의 회전력은 청소기 기능의 우수성에 영향을 준다.
④ ⓒ의 분당 회전 속도를 높이면 ⓐ를 지나는 공기의 속도가 빨라진다.
⑤ ⓒ를 지나는 공기의 단위 면적당 공기 입자 수는 ⓑ를 지나는 공기보다 적다.

이유 추론하기

3

㉠의 이유가 무엇인지 생각해 보고, 괄호 안에 들어갈 적절한 말을 고르시오.

진공청소기가 제 기능을 발휘할 수 없는 이유는 청소기 내부와 외부의 기압 차이가 (작아지기 / 커지기) 때문이다.

어휘 확인하기

다음에 제시된 단어의 뜻을 참고하여 빈칸에 알맞은 말을 써넣으시오.

(1) ☐☐ 하다 : 사이가 많이 벌어져 있는 상태이다. 또는 차이가 매우 심하다.

(2) 발☐ 하다 : 재능, 능력 따위를 떨치어 나타내다.

정답과 해설 38쪽

크로마토그래피는 과학 수사대

교과 연계 과학 _ 크로마토그래피

① 스포츠 단체들은 경기의 공평성을 해칠 뿐만 아니라 선수의 생명을 위협할 수도 있는 약물들을 금지하고 있으며, 도핑 테스트를 통해 선수들이 금지 약물을 복용했는지 검사하고 있다. 도핑 테스트는 경기를 마친 선수들에게서 혈액이나 소변을 채취한 다음 특정 약물이 포함되어 있는지 분석하는 것이다. 이때 크로마토그래피 기법이 활용되는데, 이 방법으로는 아주 미세한 성분까지도 알아낼 수 있어 혈액이나 소변의 분석뿐만 아니라 유전자 검사, 의약품 성분의 분리 등 다양한 분야에서 유용하게 이용되고 있다.

② 1906년 러시아 식물학자 츠베트는 나뭇잎의 색소를 분리해 내기 위한 실험으로 잎의 색소 혼합물을 석유 에테르에 녹인 다음, 석회석 가루를 빽빽하게 채운 유리관 속에 그 용액을 통과시켰다. 그 결과 유리관에는 빨강, 주황, 노랑, 녹색 등 몇 개로 분리된 색소의 띠가 나타났다. 석유 에테르 용매에 녹은 성분 물질들이 미세한 틈이 있는 고체 사이를 통과하면서 석회석 가루에 잘 붙들리는 색소는 더디게 이동하고, 석회석 가루에 잘 붙들리지 않는 색소는 더 빠르게 이동했기 때문이다. 그는 이 기술을 색깔을 의미하는 그리스어 '크로마'와 기록한다는 뜻의 '그래프'를 합쳐서 '크로마토그래피'라고 불렀다.

③ 각 성분이 용매를 따라 이동해 간 거리는 물질마다 일정한 값을 갖기 때문에, 크로마토그래피를 이용하면 혼합물에 포함된 물질을 구별할 수 있게 된다. 이러한 특성 덕분에 츠베트가 발견한 크로마토그래피는 그 후 발전을 거듭하여 여러 분야에서 다양하게 활용되고 있다. 앞서 예로 든 도핑 테스트는 물론 식물이나 동물로부터 특정 성분을 얻어 낼 때, 물이나 공기 중의 오염 물질 농도를 측정할 때에도 크로마토그래피가 이용된다. 범죄 현장에서 핏자국을 분석해서 범인을 알아내는 데 사용되는 방법도 크로마토그래피이다. 피가 묻어 있는 부분에 용매를 써서 피를 녹인 용액을 크로마토그래피 장치에 넣으면 핏속의 효소와 단백질을 분리해 낼 수 있는데, 효소와 단백질의 결합 구조는 사람마다 제각각 다르게 나타나므로 범인을 잡는 데 중요한 단서로 활용되는 것이다.

지문 이해

① (   ) 테스트에 이용되는 크로마토그래피

② (   )의 기원과 원리

③ 여러 (   )에서 다양하게 활용되는 크로마토그래피

- **채취하다** | 캘 採, 가질 取 | 연구나 조사에 필요한 것을 찾거나 받아서 얻다.
- **용매** | 녹을 溶, 맺어줄 媒 | 어떤 액체에 물질을 녹여서 용액을 만들 때 그 액체를 가리키는 말.
- **더디다** | 어떤 움직임이나 일에 걸리는 시간이 오래다.

세부 내용 파악하기

1 **이 글을 읽고 답할 수 있는 질문이 아닌 것은?**

① 크로마토그래피의 기본 원리는 무엇일까?
② 크로마토그래피의 문제점과 한계는 무엇일까?
③ 크로마토그래피라는 말에는 어떤 뜻이 담겨 있을까?
④ 크로마토그래피를 처음으로 발견한 사람은 누구일까?
⑤ 크로마토그래피는 어떤 분야에서 어떻게 활용되고 있을까?

시각 자료에 적용하기

2 **이 글을 바탕으로 하여 〈보기〉를 바르게 설명한 것은?**

보기

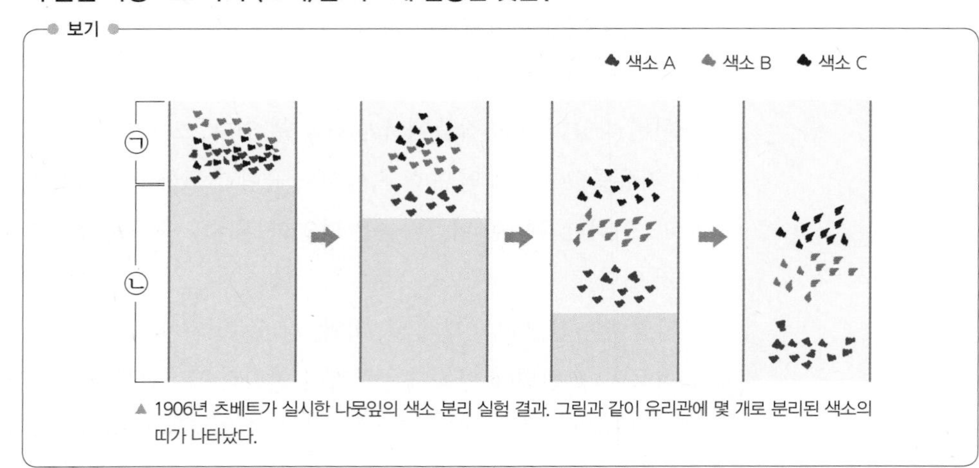

▲ 1906년 츠베트가 실시한 나뭇잎의 색소 분리 실험 결과. 그림과 같이 유리관에 몇 개로 분리된 색소의 띠가 나타났다.

① ㉠은 색소 혼합물이 지나가지 않은 부분이다.
② ㉡은 석유 에테르가 스며들어 색소가 묻은 부분이다.
③ 색소 A는 석회석 가루에 잘 붙들린다는 것을 보여 준다.
④ 색소 B는 혼합물 속의 색소들 중에 가장 빠르게 이동한다.
⑤ 색소 C는 석회석 가루 사이를 잘 통과하지 못하는 물질이다.

어휘 확인하기

다음 밑줄 친 단어의 뜻풀이가 적절하지 않은 것은?

① 의사는 나에게 소화제를 복용하라고 했다. – 약을 먹다.
② 그가 준 유용한 정보 덕분에 나는 일을 잘 끝낼 수 있었다. – 쓸모가 있다.
③ 사람들이 버린 쓰레기가 경관을 해친다. – 앞에 걸리는 것을 좌우로 물리치다.
④ 영주는 밥을 더디게 먹는 편이다. – 어떤 움직임이나 일에 걸리는 시간이 오래다.
⑤ 형사는 흉기의 지문을 채취하였다. – 연구나 조사에 필요한 것을 찾거나 받아서 얻다.

미는 아름다움이다

① 오래전부터 사람들은 아름다움을 연구하기 위한 미학(美學)이라는 학문을 형성하여 아름다움을 분석하고 탐구해 왔다. 여러 학자들은 인류가 그동안 남긴 예술 작품들을 살펴보면서 미(美)를 숭고미와 우아미, 자연미와 인공미 등의 여러 범주로 구분했는데, 이러한 여러 유형의 미는 우리가 보는 회화 작품이나 조각품, 건축물 등에서 발견할 수 있다.

② 숭고미는 인간이 가진 보통의 이해력으로는 알 수 없는 경이로움과 위대함을 느끼게 하는 것을 이르며, 자연의 장대함이나 거대하고 엄숙한 건축물, 고도로 정제된 조각품과 같은 것에서 느낄 수 있다. 이집트의 피라미드나 성 베드로 성당, 우리나라의 석굴암 본존불상 등이 바로 숭고한 아름다움을 느끼게 하는 것들이다. 우아미는 개성이 강하면서도 조화로운 감성으로 표현된 다양한 예술 작품에서 발견할 수 있다. 보통 규격화되고 정제된 딱딱한 형태에서 벗어나, 자유롭고 유희적인 표현 속에서도 균형과 조화를 잃지 않는 섬세한 예술 작품에서 느낄 수 있다. 이러한 우아한 아름다움은 다양한 형태와 색채를 조화롭게 활용한 여러 회화 작품 속에 담겨 있다.

③ 자연미는 산, 나무, 해와 달, 바람, 강 등 그 자체로 완성되어 있는 자연 그대로의 순수한 아름다움이다. 반면에 인공미는 사람이 인위적으로 만든 것에서 예술성을 느낄 수 있는 것을 말한다. 남해안과 남해의 섬을 율동적으로 연결하는 다리의 모양이나, 주변의 자연과 잘 어우러진 조선 시대 궁궐들에서 자연미와 인공미의 조화로움을 느낄 수 있다.

④ 이 밖에도 다양한 아름다움의 범주가 존재한다. 우리에게 웃음을 주는 풍속화나 탈춤에서는 해학적인 아름다움을 느낄 수 있으며, 보통 사람들은 예쁘다고 여기지 않는 추함에도, 슬픔을 표현한 비극적인 것에도 아름다움이 있다. 우리가 흔히 볼 수 있는 조그마한 꽃잎이나 구불구불 자라서 못생겼다고 하는 나무도 그 자체의 아름다움이 있으며, 보는 사람에 따라 그동안 발견하지 못하던 어떤 대상에서 아름다움의 감동을 느꼈다면 그 대상도 아름다움을 지니고 있는 것이다. 이렇게 예술은 주관적이고 다양한 범주의 아름다움을 내포하고 있으며, 우리는 지금도 계속 새로운 아름다움을 창출하고 있다.

지문 이해

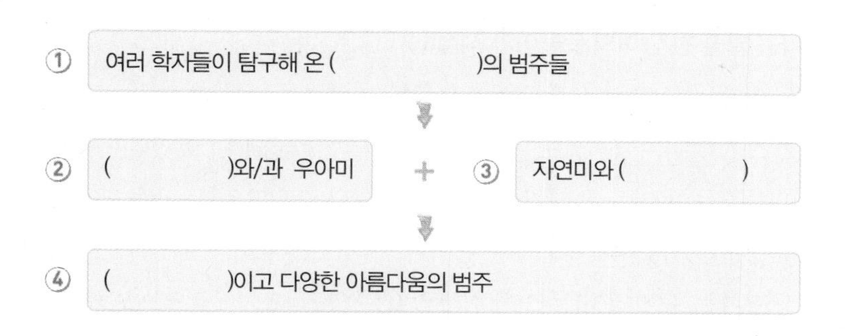

① 여러 학자들이 탐구해 온 (   )의 범주들
② (   )와/과 우아미
+
③ 자연미와 (   )
④ (   )이고 다양한 아름다움의 범주

- **장대하다** | 넓힐 張, 클 大 | 규모가 넓고 크다.
- **정제되다** | 정할 精, 만들 製 | 정성이 들어가 정밀하게 잘 만들어지다.
- **유희적** | 놀 遊, 놀이 戱, 것 的 | 즐겁게 놀며 장난하는 것.
- **해학적** | 농담 諧, 희롱할 謔, 것 的 | 익살스럽고도 품위가 있는 말이나 행동이 있는 것.

중심 화제 짚기

1 **이 글의 핵심 내용으로 가장 적절한 것은?**

① 오랜 세월 동안 변화해 온 미적 범주의 양상
② 인간이 창조해 낸 다양한 예술 작품의 위대함
③ 예술에 내포되어 있는 다양한 범주의 아름다움
④ 미학적 시각에서 분석한 예술 작품의 가치와 존재 이유
⑤ 우리 주변에서 쉽게 발견할 수 있는 아름다운 일상의 풍경

관점 비교하기

2 **이 글의 글쓴이(㉠)와 〈보기〉의 글쓴이(㉡)가 각각의 관점에서 할 수 있는 말로 적절하지 않은 것은?**

보기

많은 사람들은 절대적인 기준 없이 개인의 주관적인 느낌에 따라 아름다움이 결정되면 자유가 더욱 보장될 것이라 생각한다. 하지만 우리 삶에서 공동체의 지속성이 매우 중요함을 생각할 때, 주관화된 아름다움이 사회 전체를 지탱하는 윤리적인 규범이나 제도를 위협할 경우, 혹은 그것을 무너뜨리기까지 할 경우 그러한 아름다움도 인정해야 하는가? 우리는 아름다움의 한도를 어디까지 납득하고 예술로 인정할 것인지 고민해야 한다.

① ㉠: 아름다움은 주관적이므로 다양한 범주가 존재할 수 있어요.
② ㉡: 저는 사회 규범에 어긋나는 아름다움은 인정할 수 없습니다.
③ ㉠: 사람에 따라 미의 기준이 달라지는 것은 중요하다고 생각합니다.
④ ㉡: 어디까지를 예술로 인정할지 사회의 공통된 기준을 마련할 필요가 있습니다.
⑤ ㉠: 앞으로 새롭게 창출되는 아름다움에는 개인의 주관적인 생각이 개입하지 않을 것입니다.

어휘 확인하기

괄호 안에 들어갈 말로 가장 적절한 것을 〈보기〉에서 찾아 문맥에 맞게 쓰시오.

보기

범주 대상 정제되다 내포하다 존재하다

(1) 이 그릇은 깔끔하면서도 (   ) 디자인이 특징이다.

(2) 꽃이나 나무는 모두 식물이라는 큰 (   )에 속한다.

(3) 영화 속 주인공의 표정은 수많은 감정을 (   ) 듯 보였다.

우리 조상들이 사랑한 다섯 색깔

① 우리나라는 예로부터 다섯 방향을 제시하는 오방색(五方色)을 사용해 왔다. 오방색은 오방정색이라고도 하며, 황(黃), 청(靑), 백(白), 적(赤), 흑(黑)의 다섯 가지 색을 말한다. 이는 음과 양의 기운이 생겨나 하늘과 땅이 되고, 다시 음양의 두 기운이 목(木)·화(火)·토(土)·금(金)·수(水)의 오행을 생성하였다는 음양오행 사상을 기초로 한다.

② 오행에는 오색이 따르고 방위가 따르는데, 중앙과 사방을 기본으로 삼아 황(黃)은 중앙, 청(靑)은 동, 백(白)은 서, 적(赤)은 남, 흑(黑)은 북을 뜻한다. ㉠이러한 오방색은 고구려 고분 벽화에서도 잘 드러나고 있다. 고구려 고분 벽화를 보면 동쪽에는 청룡을 그렸고, 서쪽에는 백호, 남쪽에는 주작, 북쪽에는 현무, 중앙의 천장에는 해와 달과 별 또는 황룡 등을 그려서 무덤을 보호하고자 했다. 오방색을 사신도 및 상징적 존재와 연관시켜서 표현한 것이다.

③ 황(黃)은 오행 가운데 토(土)에 해당하며 우주의 중심을 나타냈다. 따라서 가장 고귀한 색이라 하여 임금의 옷을 만드는 데 쓰였다. 청(靑)은 목(木)에 해당하며 만물이 생성하는 푸른 봄의 색, 귀신을 물리치고 복을 비는 색이었다. 백(白)은 금(金)에 해당하며 결백과 진실, 순결 등을 뜻하는데 우리 민족이 흰옷을 즐겨 입은 것도 이와 관련이 있다. 적(赤)은 화(火)에 해당하며 생성과 창조, 정열과 애정, 적극성 등을 뜻했고 강력한 벽사의 빛깔로도 쓰였다. 흑(黑)은 수(水)에 해당하며 인간의 지혜를 관장한다고 여겨졌다.

④ 이와 같이 우리 조상들은 생활 속에서 음양오행의 사상이 담긴 여러 가지 색을 활용해 왔다. ㉡[혼례 때 신부가 바르는 연지 곤지와 어린아이에게 입히는 색동저고리, 간장 항아리에 붉은 고추를 끼워 두르는 금줄, 잔칫상의 국수에 올리는 오색 고명, 궁궐이나 사찰의 단청, 알록달록 색색의 천을 이어 붙인 조각보와 전통 공예품들, 붉은 빛이 나는 황토로 집을 짓거나 신년에 붉은 부적을 붙이는 행위 등 다양한 생활 풍습에서 쉽게 오방색을 찾아볼 수 있다.] 즉, 우리 조상들에게 색이란 각기 고유한 의미를 지니고 우리와 함께 생활하는 존재였던 것이다.

지문 이해

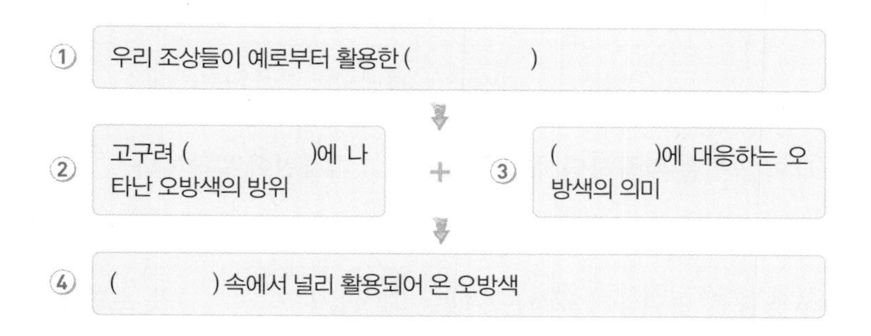

① 우리 조상들이 예로부터 활용한 (　　　　)
② 고구려 (　　　　)에 나타난 오방색의 방위
+
③ (　　　　)에 대응하는 오방색의 의미
④ (　　　　) 속에서 널리 활용되어 온 오방색

- **고분** | 옛 古, 무덤 墳 | 고대에 만들어진 무덤.
- **벽사** | 피할 辟, 간사할 邪 | 요사스러운 귀신을 물리침.
- **관장하다** | 관리할 管, 손바닥 掌 | 일을 맡아서 주관하다.
- **금줄** | 금할 禁 | 부정한 것의 침범이나 접근을 막기 위하여 문이나 신성한 대상물에 매는 새끼줄.

중심 화제 짚기

1 **이 글의 중심 내용을 표현하는 제목으로 가장 적절한 것은?**

① 오방색의 과학적 우수성
② 오방색의 의미와 쓰임새
③ 음양오행 사상의 현대적 의미
④ 고구려 고분 벽화에 담긴 당시 생활상
⑤ 우리 주변의 다양한 색깔이 지니는 의미

정보들의 관계 파악하기

2 **㉠의 내용을 제대로 이해하지 못한 사람은?**

① 가민: 동쪽에 그려진 청룡은 '목(木)'에 해당하고 봄을 상징하나 봐.
② 영아: 남쪽에 그려진 주작과 관련 있는 빛깔은 벽사의 의미가 강하네.
③ 호준: 백호는 우리 민족이 예로부터 즐겨 입던 옷의 색깔과 관련이 있군.
④ 민재: 현무가 인간의 지혜를 관장하는 색에 해당하니 모든 존재 가운데 가장 고귀해.
⑤ 경진: 천장에 그려진 해와 달, 별, 황룡 등은 오방색 중에서 중앙의 방위를 나타내는 '황(黃)'에 해당해.

정답과 해설 41쪽

글의 전개 방식 알기

3 **㉡과 〈보기〉에 공통적으로 사용된 글의 전개 방식이 무엇인지 쓰시오.**

보기

남북한 언어 차이는 어휘 면에서도 나타난다. 가령 북한에서는 '충치'를 '삭은이'라고 한다.

어휘 확인하기

다음 빈칸에 들어갈 알맞은 단어를 〈보기〉에서 찾아 문맥에 맞게 써넣으시오.

보기

관장하다　고유하다　고분　방위　기운

우리 학급의 일을 모두 (1) □□□□ 담임 선생님은 (2) □□ 감각이 없어서 처음 가는 길은 한참을 헤매시곤 한다.

11 가만히 있으면 중간은 갈까

① 다음의 두 상황을 비교해 보자. 한 사람이 산에서 발을 헛디디는 바람에 골짜기에 떨어져 크게 다쳤다. 당신은 그를 구할 수 있었지만 적극적으로 나서지 않았고, 얼마 후 그 사람은 죽게 되었다. 또 다른 상황은 당신이 그를 밀쳐서 떨어뜨린 것이다. 앞의 상황처럼 그는 얼마 후 죽었다. 이때 당신이 구조에 나서지 않은 것과 직접 밀친 것 중 어느 쪽이 더 나쁜 행동일까? 사실 두 행동은 모두 결과적으로 한 사람을 죽음으로 내몰았다. 그런데 사람들은 일반적으로 구조에 나서지 않은 것이 직접 밀친 것보다 덜 나쁘다고 여긴다. 그 결과가 같은 데도 말이다.

② 위험에 처한 사람을 보았을 때 선뜻 도움을 주기가 어려운 것은 보통 가만히 있어서 문제가 생기는 것보다 행동에 나서서 문제가 생기는 것이 더 부담스러운 일이기 때문이다. 이렇게 우리는 어떤 행위를 하는 것보다 아무것도 하지 않는 것을 선택하는 심리적 경향이 있는데, 이를 '부작위 편향', 또는 '무행동 편향'이라고 부른다.

③ 부작위 편향은 개인적인 선택의 문제뿐만 아니라 국가나 사회의 문제와도 연관이 있다. 걸리면 치사율이 80퍼센트에 이르는 질병이 있다고 하자. 한 제약 회사가 그 질병의 치료제를 개발했는데, 치료제의 부작용으로 사망할 확률이 30퍼센트에 달한다는 것도 발견했다. 이러한 경우에 국가 기관에서는 이 치료제의 사용을 허가할까? 합리적으로 따져 보면 80퍼센트의 확률로 사망하는 질병을 방치하는 것보다 30퍼센트의 확률로 사망하는 약을 사용하도록 하는 것이 더 낫다고 생각할 수 있다. 그러나 현실 상황에서는 치료제의 부작용으로 사망자가 발생하였을 때 그 책임을 떠안게 될 수 있으므로 그것을 기피하려는 마음에 약의 사용을 허가하지 않는 ㉠책임자가 있을 수 있다.

④ 공장에 폐수 처리 시설을 설치하지 않는 사람이 기존에 있던 처리 시설을 철거하는 사람보다 덜 나쁘게 느껴지며, 세금을 신고하지 않는 것이 신고 서류를 위조하는 것보다 덜 나쁘게 느껴지는 것 역시 마찬가지이다. 결국 부작위 편향은 어떤 일을 할 때의 개인적인 부담 대신 하지 않을 때의 사회적 부담을 선택하게 하여 사회 전체에 부정적인 영향을 끼친다.

⑤ 부작위 편향은 인간의 자연스러운 심리라고 볼 수도 있지만, 개인적으로나 사회적으로나 경계해야 할 대상이기도 하다. '아무것도 하지 않는 편이 낫다.'라는 생각은 삶의 능동적 선택이나 도전을 방해한다. 또한 다른 사람을 돕는 행동에 나서거나 문제 상황을 해결하기 위해 결단을 내리는 것을 망설이게 한다. 스스로 '부작위 편향'에 대해 인식하고 자신의 행동이나 선택을 점검해야 할 필요가 바로 여기에 있다.

- **부작위** | 아닐 不, 일으킬 作, 할 爲 | 마땅히 하여야 할 일을 일부러 하지 아니함.
- **편향** | 치우칠 偏, 향할 向 | 한쪽으로 치우침.
- **치사율** | 이를 致, 죽을 死, 비율 率 | 어떤 병에 걸린 환자에 대한 그 병으로 죽는 환자의 비율.
- **기피하다** | 꺼릴 忌, 피할 避 | 꺼리거나 싫어하여 피하다.

글의 전개 방식 알기

1 이 글에 대한 설명으로 적절하지 않은 것은?

① 핵심 용어의 개념에 대해 밝히고 있다.
② 통계 자료를 활용하여 정보를 구체화하고 있다.
③ 일반적 통념이 지니고 있는 오류를 보여 주고 있다.
④ 심리적 경향 때문에 발생할 수 있는 문제를 언급하고 있다.
⑤ 구체적 상황을 가정하여 핵심 용어에 대한 이해를 돕고 있다.

구체적 사례에 적용하기

2 이 글을 바탕으로 하여 〈보기〉를 이해한 내용으로 가장 적절한 것은?

보기

백신이란 병원균에 의한 감염이 있기 전에 병원균을 주입하여 면역이 생기도록 하는 것이다. 천연두를 비롯한 수많은 질병에서 백신의 효과는 매우 높은 것으로 알려져 있지만, 자신의 아이에게 백신을 접종하기를 꺼리는 사람들이 일부 나타나기도 한다. 이에 대해 심리학자들은 국가의 발전 정도나 백신 효과의 부작용에 대한 왜곡된 정보 이외에, 백신 거부에 상당한 영향을 끼치는 다른 요인이 있음을 발견하였다. 분석에 따르면, 대부분의 부모들이 백신을 접종하지 않아 아이가 병에 걸렸을 때보다 백신을 접종시킨 아이가 백신의 부작용으로 위험에 처했을 때 더 큰 괴로움을 느꼈다.

① 개인마다 병원균을 주입하는 것에 대한 두려움의 정도가 다르더라도 국가에서 백신 접종을 강제할 필요가 있겠군.
② 백신 접종을 받았을 때의 위험과 받지 않았을 때의 위험을 계산하여 행동한다면 백신 접종을 거부할 수밖에 없겠군.
③ 부작위 편향을 가진 사람은 백신의 부작용에 대한 과장된 정보를 받아들이지 않음으로써 자신의 선택을 합리화하려고 하겠군.
④ 부모가 백신 접종을 거부했을 때 아이가 병에 걸린다면 부모는 피할 수 있었던 병에 걸렸다고 생각하며 더 큰 책임감을 느끼겠군.
⑤ 백신 접종을 거부하는 사람들은 부작위 편향으로 인해 백신을 접종하는 것보다 아무것도 하지 않는 것이 낫다고 생각하는 것이겠군.

비판하기

3 ㉠에 대해 비판할 수 있는 내용으로 가장 적절한 것은?

① 의사 결정을 할 때 개인의 물질적 이익만을 추구해서는 안 된다.
② 문제의 원인을 밝히지 않고 덮어 두려고만 해서는 안 된다.
③ 심리적 경향 때문에 비합리적인 결정을 내려서는 안 된다.
④ 아무 일도 하지 않으려고 강요된 선택을 해서는 안 된다.
⑤ 중대한 일을 계획 없이 추진해서는 안 된다.

1

다음 십자말풀이의 빈칸을 채우시오.

(1)			(2)		(3)	
		(4)				
						(6)
(5)					(7)	
			(8)			
		(9)				

가로 열쇠

(3) 결정적인 판단을 하거나 단정을 내림.

(4) 수준이나 정도 따위가 매우 높거나 뛰어남.

(5) 분간하기 어려울 정도로 아주 작다.

(7) 요사스러운 귀신을 물리침.

(8) 뜻밖의 사고가 생기지 않도록 조심하여 단속함.

(9) 한쪽으로 치우침.

세로 열쇠

(1) 물질이 전혀 존재하지 아니하는 공간.

(2) 용액 따위의 진함과 묽음의 정도.

(4) 훌륭하고 귀중하다.

(6) 어떤 병에 걸린 환자에 대한 그 병으로 죽는 환자의 비율.

(8) 현상이나 사상, 행동 따위가 어떤 방향으로 기울어짐.

2

제시된 단어의 뜻풀이에서, 괄호 안에 들어갈 알맞은 말을 〈보기〉에서 찾아 문맥에 맞게 쓰시오.

보기

해결　위치　판단하다　피하다

(1) 기피하다: 꺼리거나 싫어하여 (　　　　).

(2) 인식하다: 사물을 분별하고 (　　　　) 알다.

(3) 방위: 동서남북을 기준으로 한 어떤 쪽의 (　　　　).

(4) 단서: 어떤 문제를 (　　　　)하는 방향으로 이끌어 가는 일의 첫 부분.

3

다음의 뜻에 알맞은 단어를 서로 연결하시오.

(1) 일을 맡아서 주관하다. •　　　　• ① 유희

(2) 동일한 성질을 가진 부류나 범위. •　　　　• ② 관장하다

(3) 즐겁게 놀며 장난함. 또는 그런 행위. •　　　　• ③ 범주

컴퓨터용 사인펜이 특별한 이유

각종 시험 준비물에 빠짐없이 등장하는 컴퓨터용 사인펜을 한 번도 사용해 보지 않은 사람은 드물 것이다. 요즘은 시험 시간뿐만 아니라 설문 조사를 하거나 복권을 구입할 때도 '컴퓨터용'이라고 표기된 사인펜을 사용하는 경우가 많다. 이때 사용되는 용지는 흔히 'OMR 카드'라고 불리는데, 여기에 작성된 정보가 잘 전달되려면 반드시 컴퓨터용 필기구가 필요하기 때문이다.

OMR은 종이에 기록된 글자나 숫자, 기호 등의 데이터를 읽는 장치인 광학 마크 판독기(Optical mark reader)를 의미한다. OMR 용지를 판독기에 넣으면 판독기가 종이에 빛을 비추어 기록된 내용을 해석하는데, 컴퓨터용 사인펜으로 검게 칠한 부분은 빛이 흡수되고 나머지 부분은 빛이 반사된다. 이때 반사된 빛을 전기 신호로 변환하면 내용을 읽어 낼 수 있게 되는 것이다.

그렇다면 컴퓨터용 사인펜은 어떤 특별한 기술로 제작되었기에 일반 검정 사인펜이 할 수 없는 일을 하는 것일까? 그 비밀은 '잉크'에 숨어 있다. 일반 검정 사인펜의 잉크는 우리 눈에 검은색으로 보이지만, 실제로는 여러 색의 잉크가 혼합되어 있다. 크로마토그래피 기법으로 일반 검정 사인펜의 잉크를 분리하면 검은색 외에 빨강, 파랑, 초록 등 다양한 색이 분리되는 것을 관찰할 수 있다. 반면 컴퓨터용 사인펜은 검은 탄소 성분으로 이루어진 잉크를 사용하므로, 크로마토그래피로 분리하더라도 검은색 또는 검은색에서 물이 빠져 연해진 회색만이 나타나게 된다.

따라서 OMR 용지에 일반 검정 사인펜을 사용하면, 온전한 검은색이 아니어서 빛을 다 흡수하지 못하므로 판독기가 반사된 빛을 인식하여 오류가 생길 수 있다. 반면 컴퓨터용 사인펜을 쓰면 빛이 완전히 흡수되므로 제대로 판독이 이루어진다. 눈으로 보기에는 똑같은 검은색이지만, OMR 용지에 시험 답안을 표시할 때는 컴퓨터용 사인펜만 사용해야 하는 이유가 바로 여기에 있다.

맞춤 아기, 허용해야 할까?

'맞춤 아기'는 '맞춤'이라는 말에서 알 수 있듯이, 생물학적 특징을 원하는 대로 선택하거나 수정하는 과정을 거쳐 태어난 아기를 말한다. 이에 대해 맞춤 아기가 과학 발전의 눈부신 성과라고 여기는 긍정론과, 생명의 존엄성을 해치는 위험한 발상이라고 여기는 비판론이 날카롭게 대립하고 있다. 과연 맞춤 아기를 허용해야 할까?

찬성

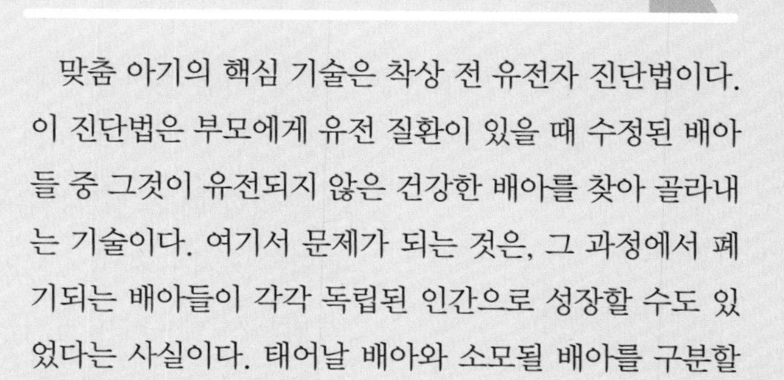

맞춤 아기를 허용해야 한다.

자신의 아이가 희귀 난치병 진단을 받는다면, 그리고 그 병을 치료할 수 있는 방법을 알게 된다면 어떻게 할 것인가? 망설임 없이 병을 치료할 것이다. 최초의 맞춤 아기 '아담'은 그렇게 탄생했다. 그는 누나가 앓고 있는 판코니 빈혈(혈액을 제대로 만들어 내지 못하는 질병으로 골수 이식으로만 치료될 수 있음.)을 치료하기에 적합한 배아로 선택되어 태어났고, 그의 골수를 이식받은 누나는 3주 만에 정상적인 생활을 할 수 있게 되었다.

이렇듯 맞춤 아기는 난치병으로 고통받는 이들에게 분명한 해결책을 제공한다. 또한 기존 방식으로 유전병을 치료하는 것보다, 맞춤 아기로 유전병을 줄이는 것이 사회적으로도 비용이 더 적게 든다고 한다. 막연한 불안이나 개인의 윤리관 때문에 문제를 해결할 확실한 방법을 금지하는 것은 옳지 않다. 생명 윤리에 관한 논의는 물론 계속되어야 하지만, 무엇보다 중요한 것은 맞춤 아기를 생명을 살리는 데 적극 활용하는 일이다.

맞춤 아기를 허용해서는 안 된다.

맞춤 아기의 핵심 기술은 착상 전 유전자 진단법이다. 이 진단법은 부모에게 유전 질환이 있을 때 수정된 배아들 중 그것이 유전되지 않은 건강한 배아를 찾아 골라내는 기술이다. 여기서 문제가 되는 것은, 그 과정에서 폐기되는 배아들이 각각 독립된 인간으로 성장할 수도 있었다는 사실이다. 태어날 배아와 소모될 배아를 구분할 권리가 우리에게 있을까? 생명은 어떤 이유에서도 도구화되어서는 안 되며 그 자체로 목적이어야 한다.

또한 맞춤 아기 시술이 더욱 발전하면 결국 유전 질환이 없는 부모들도 이를 활용하게 되어, 머지않아 자녀의 성별을 고르거나 특정 능력이 우수한 아이를 만드는 등 말 그대로 맞춤형 아기를 만드는 세상이 오게 될 것이다. 태어날 인간의 유전자를 마음대로 선택하게 되는 것이다. 하지만 이는 곧 뛰어나지 않은 인간들, 맞춤 아기 시술의 혜택을 받지 못한 인간들에 대한 차별을 낳을 것이다. 우리는 언제나 기술의 양면성을 경계해야 한다.

나의 생각은?

나는 맞춤 아기를 허용해야 한다는 생각에 (찬성한다 , 반대한다).

왜냐하면 ______________________________

____

____

실전으로 차곡차곡 익숙하게!

독해 실전 4회

우리말을 살찌우는 방언

교과 연계 국어 _ 어휘의 체계와 양상

① 한 언어 가운데 지역이나 사회적 거리에 따라 다른 모습으로 바뀌어 쓰이는 말을 방언이라고 한다. 그중 지역에 따라 분화된 방언을 지역 방언이라고 하며, 흔히 사투리라고도 일컫는다. 지역 방언은 지역 사이에 큰 산맥이나 강과 같은 지리적인 장애가 있을 때, 또는 장애물은 없더라도 거리가 멀리 떨어져 있을 때 두 지역의 언어가 점차 다르게 발전하면서 생겨난다. 우리나라에서는 '제주도 방언, 경상도 방언, 전라도 방언' 등 도명을 붙여 부르는 것이 지역 방언의 전형적인 예이며 이 외에도 '중부 방언, 영동 방언, 강릉 방언'과 같은 다양한 방언이 존재한다.

② 사회 방언은 계층, 연령, 성별, 직업, 종교 등의 차이, 즉 사회적 거리에 의해 형성되는 방언이다. 우리나라에서 60대 이상의 사람 중에 어려운 한자어를 사용하는 사람의 수는 그 이하의 세대에서 한자어를 사용하는 사람들보다 많다. 또한 10대 청소년들이 흔하게 사용하는 줄임말을 그 이상의 세대에서는 이해하기 어려울 때가 있다. 이것은 사회적 거리에 의한 언어의 분화를 잘 보여 준다.

③ 방언은 일반적으로 표준어와 대립적 관계에 있다고 여겨진다. 방언은 특정 지역이나 계층에서 사용되는 말이지만 표준어는 전 국민이 쓰는 공통어이자 공식적으로 사용되는 공용어의 자격을 부여받은 말이기 때문이다. 그러나 실제로 방언과 표준어는 대립적 관계에 있지 않다. 표준어 규정에 따르면 표준어는 '교양 있는 사람들이 두루 쓰는 현대 서울말'인데, 이는 표준어가 교양 있는 사람들이라는 특정 계층과 서울이라는 특정 지역에 기반을 두고 있음을 말해 준다. 즉, 표준어가 곧 국어는 아니며, 국어의 모든 하위 언어는 방언일 수밖에 없는 것이다.

④ 때때로 방언은 표준어보다 못한 것이나 표준어의 사용을 방해하는 것, 심지어는 없어져야 할 것으로 치부되기도 한다. 그러나 방언은 우리의 소중한 사회적, 문화적 자산이다. 표준어가 정확한 의미로 의사소통하는 데 필요한 것이라면, 방언은 집단이나 지역의 고유한 문화와 배경을 담는 그릇이다. 더욱이 방언에는 우리 옛말의 자취가 남아 있고 표준어의 어휘를 살찌우는 데에도 도움을 주기 때문에, 언어적 차원에서 높은 가치를 지닌다. 이처럼 방언은 표준어와 대립하거나 표준어보다 하등한 것이 아니라, 표준어와 유연하게 상호 작용하는 관계에 있다.

지문 이해

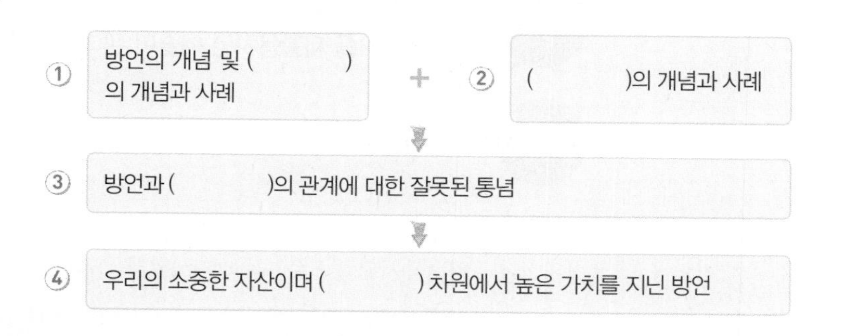

① 방언의 개념 및 (　　　　　) 의 개념과 사례
+
② (　　　　　)의 개념과 사례
③ 방언과 (　　　　　)의 관계에 대한 잘못된 통념
④ 우리의 소중한 자산이며 (　　　　　) 차원에서 높은 가치를 지닌 방언

- **분화되다** | 나눌 分, 될 化 | 단순하거나 등질인 것에서 복잡하거나 이질인 것으로 변하게 되다.
- **부여** | 붙을 附, 줄 與 | 사람에게 권리·명예를 지니게 해 주거나, 사물이나 일에 가치·의의를 붙여 줌.
- **치부되다** | 둘 置, 문서 簿 | 마음속으로 그러하다고 생각되거나 여겨지다.

세부 내용 파악하기

1 이 글의 내용과 일치하지 않는 것은?

① 직업적 차이에 의해서 언어가 분화되기도 한다.
② 거리가 멀리 떨어져 있는 지역의 언어 사이에는 차이가 있다.
③ 지역 방언의 차이를 극복하기 위해 만들어진 말이 사회 방언이다.
④ 표준어는 공식적으로 사용되는 언어로서 자격을 부여받은 말이다.
⑤ 표준어 규정을 통해 표준어가 특정 지역에 기반을 두고 있음을 알 수 있다.

구체적 사례에 적용하기

2 〈보기〉를 바탕으로 하여 방언에 대해 이해한 내용으로 가장 적절한 것은?

보기

(가) 방언으로 취급되던 '남사스럽다, 봉숭아, 허접쓰레기, 토란대' 등이 표준어와 함께 쓰일 수 있는 복수 표준어로 인정을 받게 되었다.
(나) 중세 국어에서 '의붓어머니'를 가리키는 말인 '다슴어미'가 경상도 방언에서 '다삼어미'라는 형태로 지금도 남아 있다.

⊕ 복수 표준어
같은 의미를 나타내는 둘 이상의 형태가 다 표준어로 인정될 때, 그 둘 이상의 표준어를 이르는 말이다. '자장면'과 '짜장면'은 둘 다 표준어로 인정되는 복수 표준어이다.

① (가)를 통해 방언이 세대 간의 언어 차이를 해소하는 역할을 한다는 것을 알 수 있군.
② (가)를 통해 방언이 표준어의 어휘를 풍부하게 하는 데 도움을 준다는 것을 알 수 있군.
③ (가)를 통해 방언이 정확한 의사소통을 방해하는 요소로도 작용한다는 것을 알 수 있군.
④ (나)를 통해 방언이 전 국민이 쓰는 공통어의 자격을 부여받으면 표준어로 인정된다는 것을 알 수 있군.
⑤ (나)를 통해 방언에는 특정 계층이나 직업의 사람들이 향유하는 문화적 배경이 담겨 있다는 것을 알 수 있군.

핵심 정보 파악하기

3 이 글의 중심 내용을 다음과 같이 요약할 때, 괄호 안에 들어갈 알맞은 말을 각각 쓰시오.

방언은 표준어와 (　　　　) 관계에 있지 않으며, 우리가 소중히 지켜야 할 사회적, 문화적 (　　　　)이다.

어휘 확인하기

문맥을 고려하여, 다음 문장의 괄호 안에 들어갈 알맞은 단어를 고르시오.

(1) 발달 과정에서 뇌세포는 복잡하게 (분화되면서 / 분류되면서) 그 기능은 더 정밀해지게 된다.

(2) 학생들이 스스로 공부하도록 하려면 동기 (부여 / 수여)가 필요하다.

정답과 해설 43쪽

백지장도 맞들면 낫다

교과 연계 **도덕** _ 이웃 생활

① 우리나라는 전통적으로 이웃과 가까이 살면서 농업, 어업 등의 생계를 함께해 왔다. '이웃사촌'이라는 말이 생겨날 정도로 조상들은 다양한 상부상조의 전통을 지켜 왔는데, 우리 민족이 예부터 이웃 간의 협력에 힘을 기울였다는 사실은 두레, 품앗이, 향약 등에서도 알 수 있다.

② ㉠두레는 농촌에서 농사일을 공동으로 하기 위하여 마을이나 부락 단위로 둔 조직을 말한다. 농사일이 바쁜 농번기에는 서로 협조하여 농사에 힘썼고, 반대로 한가한 농한기에는 여러 가지 놀이를 하며 마을 사람들이 함께 즐겼다. 조선 후기 이앙법이 전개되자, 마을 전체가 공동으로 모내기를 하고 추수를 하는 일은 보편적인 생활 풍습으로 정착되었다. '두레 먹다'라는 말은 음식을 장만해 여러 사람들이 둘러 앉아 먹는 것을 말했고, 여러 사람이 둘러 앉아 음식을 먹도록 만든 상을 '두레상'이라고 불렀다. 또 마을 중앙에 있는 공동 우물은 '두레우물', 물을 길을 때 사용하던 것은 '두레박'이었다. 이렇게 마을은 두레를 중심으로 하나의 공동체가 되어 상호 협력하는 문화를 이루었다.

③ 두레와 유사하지만 체계화되지는 않은 ㉡품앗이도 농촌 사회에 널리 퍼져 있는 상부상조의 전통이다. 바쁜 농사철 일손이 모자랄 때 의무적으로 참여하는 두레와 별도로 서로 자발적으로 도와주는 품앗이야말로 가족의 사랑이 사회적으로 확장된 협력 구조였다. 두레가 공동적 내지 공동체적인 것이라고 하면, 품앗이는 개인적 또는 소집단적이라는 차이가 있다. 두레가 1년 중 가장 바쁜 농번기에 이루어진 데 반하여 품앗이는 소수의 사람들 사이에 시기와 계절을 가리지 않고 이루어졌으며, 작업의 종류도 농가에서 필요로 하는 모든 일을 포함했다.

④ 두레와 더불어 농촌의 자치 규약이었던 ㉢향약 역시 자율적이면서 협력적으로 운영하는 전통이었다. 향약은 시행 시기나 지역에 따라 다양한 내용을 담고 있으나, 기본적으로 유교적인 예의와 풍속을 보급하는 기능을 했다. 또한 농민들을 향촌 사회에 결속시켜 토지에서 이탈하는 것을 막고, 공동체 의식을 키움으로써 체제의 안정을 도모하려는 목적이 있었다. 대표적인 향약이었던 주현 향약의 4대 덕목은 '예로써 서로 교제한다.', '덕을 쌓도록 서로 권한다.', '어려운 일을 당하면 서로 돕는다.', '잘못된 일은 서로 바로잡아 준다.'라는 내용으로 구성되어 있다.

지문 이해

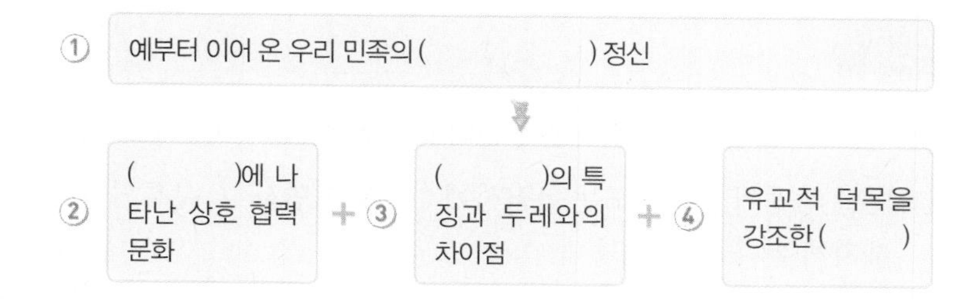

① 예부터 이어 온 우리 민족의 (　　　　　) 정신
② (　　　)에 나타난 상호 협력 문화
+ ③ (　　　)의 특징과 두레와의 차이점
+ ④ 유교적 덕목을 강조한 (　　　)

- **상부상조** | 서로 相, 도울 扶, 서로 相, 도울 助 | 서로서로 도움.
- **부락** | 나눌 部, 마을 落 | 시골에서 여러 집이 모여 마을을 이룬 곳.
- **이앙법** | 옮길 移, 모 秧, 법 法 | 모를 못자리에서 논으로 옮겨 심는 농사 방법.
- **규약** | 법 規, 맺을 約 | 한 조직체의 구성이나 운영에 관한 규칙.

핵심 정보 파악하기

1 **이 글의 중심 내용으로 가장 적절한 것은?**

① 농경 사회에서는 공동체의 이익이 개인의 이익에 앞선다.
② 우리 민족은 상부상조의 정신을 실천하는 다양한 전통을 가졌다.
③ 이웃을 배려하고 존중하는 우리 민족의 전통이 점점 사라지고 있다.
④ 공동체 의식을 키우는 것은 체제의 안정을 위해 매우 중요한 일이다.
⑤ 예로부터 우리 조상들은 이웃끼리 간섭하고 참견하는 것을 좋아했다.

세부 내용 파악하기

2 **㉠~㉢에 대해 바르게 설명한 사람은?**

① 소진: ㉠은 주로 특정 시기에 이루어지지만 ㉡은 시기를 가리지 않고 이루어지는 점이 달랐구나.
② 정수: ㉠은 작업의 종류가 매우 다양하지만 ㉡은 모내기나 추수 등 특정한 작업이 주를 이루었네.
③ 가영: ㉠과 ㉢은 국가 기관에서 의무적으로 시행한 공식적인 조직이기 때문에 서로 성격이 비슷해.
④ 훈식: ㉡과 ㉢은 둘 다 가족 단위의 소규모 집단에서 지켜야 하는 기본예절을 교육했다는 공통점이 있어.
⑤ 연지: ㉢은 농사에 필요한 일손을 충당하는 데 치중한 풍습인 반면, ㉠과 ㉡은 일상생활에서 이웃을 돕는 풍습인 것 같아.

구체적 사례에 적용하기

3 **다음의 사례에 해당하는 향약의 덕목이 무엇인지 이 글에서 찾아 한 문장으로 쓰시오.**

덕수네 마을에서는 홍수가 나서 무너진 이웃의 집을 마을 사람들이 힘을 모아 다시 지어 주었다.

어휘 **확인하기**

다음의 밑줄 친 단어와 바꿔 쓰기에 가장 적절한 것은?

품앗이는 두레와 유사하지만, 체계화되지 않은 것이라는 차이가 있다.

① 일치하지만 ② 균등하지만 ③ 비슷하지만
④ 이질적이지만 ⑤ 어우러지지만

정답과 해설 44쪽

월급날은 왜 다를까

교과 연계 사회 _ 물가 상승

① 우리나라 노동자들의 월급날을 살펴보면 흥미로운 사실을 발견할 수 있다. 월급날은 노동자와 사용자 간의 합의를 통해 결정하는 것이 원칙이지만, 일반 기업체의 월급날은 보통 20일에서 30일 사이에 집중되어 있다. 사람들이 월말에 공과금 납부와 같은 지출을 많이 하기 때문이다. 그런데 국가 기관에서 월급을 주는 날짜를 정할 수 있는 군인이나 교사와 같은 공무원의 월급날을 보면 10일, 17일, 20일 등 매우 다양하다. 급여를 주는 입장에서는 직무의 종류에 상관없이 모두 같은 날 지급하는 것이 편리할 수도 있을 텐데, ㉠이렇게 월급날을 서로 다르게 정한 이유는 무엇일까?

② 월급날이 되면 일시적으로 시장에 돈이 많이 풀려서 물가 상승 압력이 생긴다. 사람들의 지갑이 두둑해지면서 제품과 서비스에 대한 수요가 늘고 지출이 증가하기 때문이다. 반면에 수중에 돈이 별로 없는 월급날 직전에는 지출도 자연스럽게 줄어든다. 이때 월급날이 하루에 집중되어 있는 상황을 가정해 보자. 월급날 직후에는 경기가 좋아지지만 통화 공급이 늘면서 가격이 오르고, 월급날 직전에는 전반적으로 경기가 침체될 것이다. 월급날을 전후해서 물가가 큰 폭으로 등락하는 문제점이 생기는 것이다.

③ 정부에서 월급날을 여러 날로 분산시킨 것은 물가가 크게 오르내리는 것을 방지하기 위해서이다. 월급날을 각각 다르게 하면 시장에 공급되는 통화의 양을 조절할 수 있게 되어 물가를 안정적으로 유지할 수 있기 때문이다. 또한 우리나라는 한 달에 한 번씩 급여를 지급하기 때문에 월급날을 분산시켜야 할 필요성도 크다. 미국과 같이 주급제가 정착된 나라에서는 통화 공급이 일주일 단위로 이루어지기 때문에 우리나라처럼 월급제를 시행하는 나라에 비해 물가가 변하는 폭도 그리 크지 않을 것이다.

④ 사실 오늘날에는 당장 돈이 없더라도 신용 카드를 이용해 구매를 할 수 있게 되면서 월급날의 통화 집중 효과가 이전에 비해 줄어들었다. 그러나 정부에서는 여전히 월급날을 월초나 월중, 월말 등으로 달리하여 통화 집중에 의한 경기 등락을 최소화하려 노력하고 있다.

지문 이해

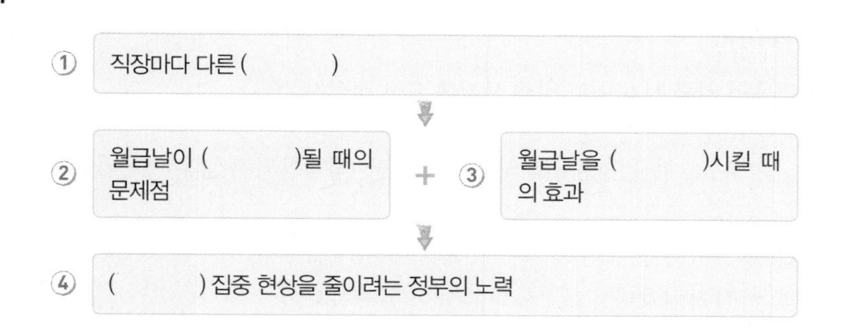

- **사용자** | 부릴 使, 쓸 用, 사람 者 | 노동을 제공하는 사람에게 그에 대한 보수를 지급하는 사람.
- **통화** | 통할 通, 돈 貨 | 유통 수단이나 지불 수단으로서 기능하는 화폐.
- **주급제** | 일주일 週, 줄 給, 제도 制 | 한 주를 단위로 급료를 계산하여 주는 제도.

세부 내용 파악하기

1 **이 글을 통해 알 수 있는 내용으로 적절하지 <u>않은</u> 것은?**

① 미국은 우리나라와 달리 주급 제도가 정착되어 있다.
② 돈이 시장에 한꺼번에 풀리면 물가가 올라갈 수 있다.
③ 월급이 거의 다 떨어지는 시기가 되면 지출도 줄어든다.
④ 일반 기업체의 월급날은 보통 비슷한 시기에 집중되어 있다.
⑤ 신용 카드의 사용으로 월급날의 통화 집중 현상이 심해졌다.

핵심 정보 파악하기

2 **이 글의 내용을 바탕으로 하여 ㉠에 답할 때, 가장 적절한 것은?**

① 노동자들이 월급을 계획적으로 사용하도록 하기 위해서이다.
② 제품과 서비스에 대한 수요를 일시에 집중시키기 위해서이다.
③ 월급 제도를 개선하여 시장에 통화를 일주일 간격으로 공급하기 위해서이다.
④ 시장에 공급되는 통화의 양을 조절하여 물가가 큰 폭으로 오르내리는 것을 막기 위해서이다.
⑤ 월급날에 관한 노동자와 사용자 간의 합의가 각자의 상황에 맞게 이루어지도록 하기 위해서이다.

핵심 정보 파악하기

3 **이 글을 바탕으로 하여 정부가 통화 집중에 의한 경기 등락을 최소화하기 위해 사용할 수 있는 방법을 한 문장으로 쓰시오.**

어휘 확인하기

다음 ㉠, ㉡에 들어갈 말이 바르게 짝지어진 것은?

• 사람들의 생활 수준이 향상되자 (㉠)이/가 늘면서 경기가 좋아졌다.
• 갑자기 머리가 아팠지만 다행히 (㉡)인 현상이었다.

	㉠	㉡		㉠	㉡
①	집중	안정적	②	합의	장기적
③	급여	전반적	④	공급	자연적
⑤	수요	일시적			

국민이 판결에 참여한다고?

교과 연계 **사회** _ 법과 재판

① 형사 재판은 강도, 살인과 같이 사회 질서를 어지럽히는 행동을 한 사람에게 벌을 주기 위한 재판이다. 전통적으로 형사 재판에서 진실을 가리고 판결을 내리는 일은 판사들만이 담당해 왔으며, 일반 국민은 재판을 받거나 방청할 수 있을 뿐 결정 과정에 직접 참여하지는 못했다. 그러다 보니 간혹 판사가 자신의 권한을 남용하거나 공정치 못한 판결을 하는 경우도 있었다.

② 이런 문제점을 보완하기 위한 제도가 바로 배심원 제도이며, 우리나라에서는 '국민 참여 재판'이라는 명칭으로 2008년부터 도입되었다. 국민 참여 재판은 법률 전문가가 아닌 국민이 배심원이 되어 재판 절차에 참여하는 것으로 사법의 민주적 정당성과 신뢰를 높이는 데 목적이 있다. '국민의 형사 재판 참여에 관한 법률'에 따라 살인이나 고의로 남에게 상처를 입힌 사건 등 흉악한 범죄일 때만 진행할 수 있으며 결정적으로 피고인이 국민 참여 재판을 원해야 한다.

③ 배심원은 만 20세 이상의 국민이면 누구나 될 수 있으며 재판 전에 무작위로 선정된다. 단, 법률과 관련된 일을 하거나 해당 사건과 관련이 있는 사람은 제외된다. 5~9인의 배심원이 재판에 참여하는데 정확한 배심원의 수는 대상이 되는 사건에 따라 달라진다. 또한 배심원 중 빠지는 사람이 생길 때를 대비하여 5인 이내의 예비 배심원을 두고 있다. 이렇게 선정된 배심원은 재판에서 만장일치 또는 다수결로 피고인의 유무죄를 결정하고 유죄라고 판단되면 형벌의 정도도 결정하여 판사에게 제시하며, 판사는 이를 바탕으로 하여 판결을 내린다. 이때 판사는 배심원의 결정을 존중해야 하지만 이를 무조건 받아들여야 하는 것은 아니다.

④ 국민 참여 재판은 도입된 지 얼마 안 된 제도이다 보니 몇 가지 문제가 제기되기도 한다. 우선 이 제도에 대한 관심이 그리 높지 않고 비용에 견줄 때 효용이 적다는 의견이 있다. 또한 일반 재판보다 무죄를 선고하는 비율이 두 배쯤 높게 나타나는데, 이를 근거로 피고인의 감정적인 호소에 배심원의 판단이 흔들리는 것이 아니냐는 지적도 나오고 있다. 하지만 국민 참여 재판은 주권을 가진 국민이 자신들의 권리를 보장하는 중요한 과정에 직접 참여할 수 있도록 한다는 점에서 의의가 매우 크다. 국민이 배심원으로 참여함으로써 재판이 더 공정하고 투명하게 진행될 수 있다면, 재판을 받는 사람에게나 참여한 배심원에게나 모두 좋은 일일 것이다.

지문 이해

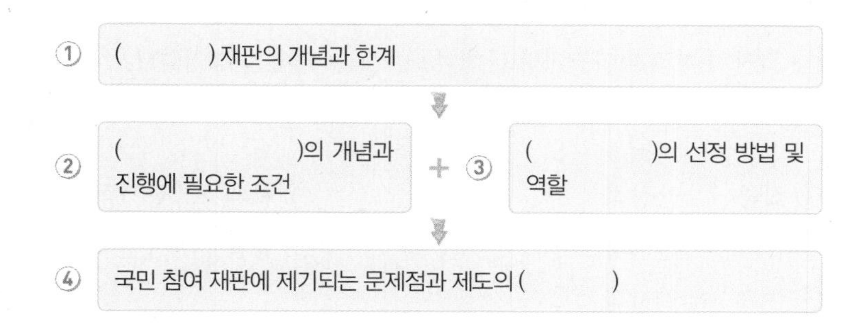

① (   ) 재판의 개념과 한계
② (   )의 개념과 진행에 필요한 조건
+
③ (   )의 선정 방법 및 역할
④ 국민 참여 재판에 제기되는 문제점과 제도의 (   )

- **사법** | 맡을 司, 법 法 | 국가의 기본적인 작용의 하나. 어떤 문제에 대하여 법을 적용하여 그 적법성과 위법성, 권리관계 따위를 확정하여 선언하는 일이다.
- **피고인** | 당할 被, 알릴 告, 사람 人 | 형사 소송에서, 범죄를 저질렀을 가능성이 있어 검사에 의하여 공소 제기를 받은 사람.

중심 화제 짚기

1 **이 글을 읽고 해결할 수 있는 질문이 아닌 것은?**

① 국민 참여 재판의 문제점은 무엇인가요?
② 국민 참여 재판이 열리기 위한 조건은 무엇인가요?
③ 어떤 사람들이 국민 참여 재판의 배심원으로 선정되나요?
④ 국민 참여 재판에서 배심원들이 하는 역할은 무엇인가요?
⑤ 우리나라의 국민 참여 재판이 다른 나라의 배심원 제도와 다른 점은 무엇인가요?

세부 내용 파악하기

2 **국민 참여 재판에 대한 설명으로 적절하지 않은 것은?**

① 만 20세 이상인 사람만 배심원이 될 수 있다.
② 배심원의 결정은 재판의 판결과 언제나 일치한다.
③ 사법의 민주적 정당성과 신뢰를 높이는 데 도움이 된다.
④ 흉악한 범죄자라도 피고인이 원하지 않으면 국민 참여 재판을 할 수 없다.
⑤ 피고인의 감정적인 호소가 배심원들의 결정에 영향을 미칠 수 있다는 의견이 제기되기도 한다.

핵심 정보 파악하기

3 **이 글을 바탕으로 하여 국민 참여 재판의 의의를 다음과 같이 정리할 때, 괄호 안에 들어갈 알맞은 말을 각각 쓰시오.**

국민 참여 재판은 (   )을/를 가진 국민이 자신들의 (   )을/를 보장하는 중요한 과정에 직접 참여할 수 있도록 한다.

어휘 확인하기

다음 빈칸에 들어갈 알맞은 단어를 〈보기〉에서 찾아 써넣으시오.

보기

관결　　국민　　재판　　형사　　판사

(1) ☐☐(이)란 소송 사건에 대하여 법원이 법을 적용하여 공적인 판단을 내리는 일을 말한다. 사건의 성격에 따라 민사 재판, (2) ☐☐ 재판, 행정 재판 등이 있다. 법원은 변론을 거쳐 소송 사건에 대하여 판단하고 결정하는데, 예를 들어 형사 소송에서는 피고인에게 유죄, 무죄와 같은 (3) ☐☐을/를 내린다.

실전 4회

정답과 해설 46쪽

종의 다양성은 왜 필요할까

교과 연계 과학 _ 생물의 다양성

① 생태계가 무너지지 않고 조화롭게 존속하려면 생물의 다양성은 과연 얼마만큼 유지되어야 할까? 모든 생물이 꼭 있어야 할까? 쥐, 옥수수, 겨우살이, 조개, 목련 모두가 우리에게 똑같이 필요한 존재들일까? 이와 관련해서는 서로 어긋나는 이론이 몇 가지 있다.

② 먼저 '나사못 가설'에 따르면 이 세상의 모든 종은 크든 작든, 강하든 약하든 똑같이 중요하다. 비행기 기체를 연결하는 나사못 가운데 하나만 빠져도 치명적인 사고가 일어날 수 있듯이 생태계를 유지하는 데에는 모든 종이 필요하다는 것이다. 반면 '승객 가설' 이론에서는 생태계가 존속하기 위해선 핵심적인 종 몇 개만 있으면 된다고 본다. 비행기에는 많은 승객들이 타지만 안전한 운항을 책임지는 사람들은 결국 조종사를 비롯한 승무원 몇 명뿐이기 때문이다. 이렇게 극단적으로 대립하는 두 이론 사이에 '중복 가설'이 있다. 처음에는 종의 기하급수적인 증가가 생태계에 큰 이익을 가져다주었지만 어느 수준을 넘으면 기존의 종들과 중복되면서 더 이상의 효과가 없었다고 보는 가설이다.

③ 세 가지 가설 중 '승객 가설'과 '중복 가설'은 생물이 생태계에 필요한지의 여부를 인간의 입장에서 판단하는 것이기 때문에 위험할 수 있다. 때로는 무분별한 동식물 거래를 정당화하는 데 악용될 가능성도 있다. 종의 존재 가치는 결코 유용성에 따라 평가되어서는 안 된다. 생명은 하나하나 그 자체로 가치가 있다.

④ 하나의 종이 죽어 갈 때마다 '유전자 창고'가 함께 지구상에서 사라진다. 종의 다양성이 사라지면 자연이 오랜 시간에 걸쳐 가르쳐 준 생존에 관한 갖가지 지식들도 사라질 것이다. 예를 들어 열대 지방의 해변이나 습지에서 자라는 맹그로브 나무는 소금기가 강한 바닷물에서도 잘 자라도록 적응했는데, 이 능력을 유전적으로 해독해 낼 수만 있다면 세계적인 물 고갈 문제를 해결할 훌륭한 방법이 나올 것이다. 전문가들은 오늘날과 같은 생물 다양성의 감소 추세가 지속되면 자연 자체가 새로운 환경에 적응하는 능력을 서서히 잃고 동식물의 진화 능력도 떨어질 것이라 염려한다. 다양성은 안정을 뜻하지만, 단일성은 위험을 높인다.

지문 이해

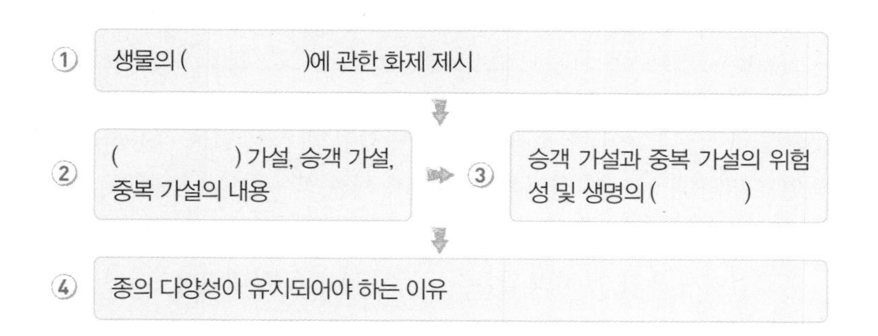

①
생물의 (　　　　)에 관한 화제 제시
②
(　　　　) 가설, 승객 가설, 중복 가설의 내용
③
승객 가설과 중복 가설의 위험성 및 생명의 (　　　　)
④
종의 다양성이 유지되어야 하는 이유

- **존속하다** | 있을 存, 이을 續 | 어떤 대상이 그대로 있거나 어떤 현상이 계속되다.
- **기하급수적** | 몇 幾, 얼마 何, 등급 級, 셀 數, 것 的 | 증가하는 수나 양이 아주 많은 것.
- **악용되다** | 나쁠 惡, 쓸 用 | 알맞지 않게 쓰이거나 나쁜 일에 쓰이다.

글의 전개 방식 알기

1 **이 글의 전개 방식에 관한 설명으로 적절한 것은?**

① 하나의 이론을 다양한 측면에서 설명하고 있다.
② 하나의 중심 이론이 형성되는 과정을 보이고 있다.
③ 다양한 이론을 제시한 후 자신의 의견을 밝히고 있다.
④ 기존의 이론을 뒤집을 수 있는 새로운 사례를 들고 있다.
⑤ 주제에 관한 여러 이론을 제시하고 각각의 한계를 설명하고 있다.

핵심 정보 파악하기

2 **이 글의 핵심 내용을 다음과 같이 요약할 때, 괄호 안에 들어갈 알맞은 말을 각각 쓰시오.**

> 종의 (　　　　)은/는 필요하다. 왜냐하면 생물종이 감소할수록 자연이 새로운 환경에 (　　　　)할 가능성도 함께 줄어들기 때문이다.

구체적 사례에 적용하기

3 **글쓴이의 생각을 뒷받침할 수 있는 사례로 적절하지 않은 것은?**

① 열대 우림의 대규모 벌목장들은 환경친화적 목재임을 인증하는 표시를 목재에 붙이고 있다.
② 국제 사회는 멸종 위기에 놓인 동식물의 거래를 제한하기 위해 '워싱턴 종 보존 협약'을 체결했다.
③ 유럽연합은 유럽 곳곳에 있는 주요 야생 동식물의 서식처를 '나투라 2000'이라는 특별 구역으로 지정해 보호하고 있다.
④ 국제자연보전연맹의 종보존위원회는 전 세계 생물의 멸종 위험도를 조사하여 정리한 '적색 목록'을 정기적으로 발표하고 있다.
⑤ 우리나라 환경부에서는 멸종 위기 야생 동식물과 보호 야생 동식물을 지정하여 야생 생물을 잡거나 채취하는 것을 금지하고 있다.

실전 4회

정답과 해설 47쪽

어휘 확인하기

다음에 제시된 단어의 뜻을 참고하여 빈칸에 알맞은 말을 써넣으시오.

(1) 이 □: 사물의 이치나 지식 따위를 해명하기 위하여 논리적으로 정연하게 일반화한 명제의 체계.

(2) □ 갈: 물이 말라서 없어짐. 어떤 일의 바탕이 되는 돈이나 물자, 소재, 인력 따위가 다하여 없어짐.

(3) □□ 되다: 알맞지 않게 쓰이거나 나쁜 일에 쓰이다.

태양이 사라졌어

교과 연계 **과학** _ 일식과 월식

① 달은 지름이 태양의 약 1/400에 지나지 않지만 지구와의 거리가 훨씬 가깝기 때문에 지구에서 보면 그 크기가 태양과 거의 비슷하다. 그리고 지구가 태양 주위를 도는 궤도(황도)와 달이 지구 주위를 도는 궤도(백도)의 궤도면이 거의 일치해 때때로 달이 지구를 돌다가 태양을 가리는 일이 생기는데, 이것을 '일식'이라고 한다. 또 달이 태양의 반대편으로 와서 지구의 그림자에 가려지는 경우도 있는데, 이것이 '월식'이다.

② 달이 태양을 완전히 가려 태양의 전부가 보이지 않는 현상을 '개기 일식'이라 하고, 달이 태양의 일부분만 가리는 현상을 '부분 일식'이라고 한다. 일식이 일어날 때 달이 지구 위에 드리우는 그림자 중에서 달이 태양 빛을 전부 가리는 본그림자에 해당하는 지역에서는 개기 일식이 관측되고, 태양 빛을 일부만 가리는 반그림자에 해당하는 지역에서는 부분 일식이 관측된다. 달은 지구보다 훨씬 작기 때문에 개기 일식이 일어나는 지역은 매우 한정되어 있다. 또한 달이 궤도상 지구에서 멀리 떨어져 있을 때 일식이 일어나면 달이 태양을 완전히 가리지 못하고 반지 모양을 남기는 '금환 일식'이 일어난다.

③ 월식은 지구가 태양과 달 사이에 위치해 지구의 그림자에 달이 가려지는 현상으로 보름달일 때만 일어난다. 지구상의 한정적인 위치에서만 볼 수 있는 일식과 달리, 월식은 지구의 밤인 지역에서는 어디서나 볼 수 있다. 지구 그림자 역시 태양 빛을 전부 가리는 본그림자와 태양 빛의 일부만 가리는 반그림자를 만드는데, 본그림자에 달이 들어가면 '개기 월식', 달의 일부만 본그림자에 들어가면 '부분 월식'이라고 한다.

④ 달의 공전 궤도면과 지구의 공전 궤도면은 약 5도 기울어져 있기 때문에 일식과 월식은 매달 일어나지는 않는다. 일식은 1년에 2~3회 정도 일어나는 것이 보통이며 개기 일식은 대략 18개월에 한 번씩 일어난다. 월식도 1년에 2~3번 황도와 백도의 궤도면이 만날 때 일어난다. 기회가 있을 때 일식과 월식을 관측하며 우리에게 가장 친숙한 천체인 태양과 달이 주는 볼거리를 만끽하는 것도 즐거울 것이다.

지문 이해

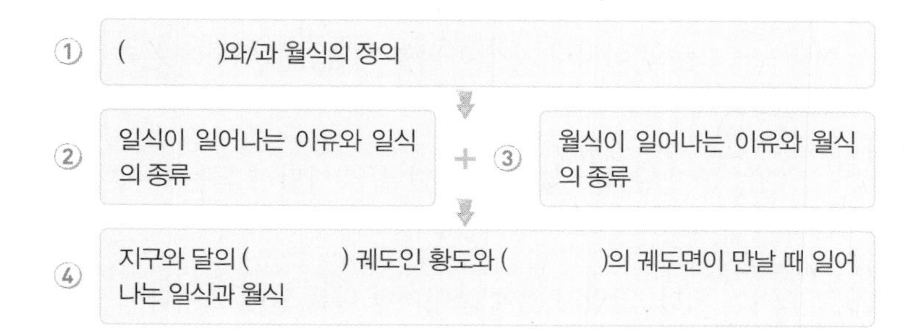

① (   )와/과 월식의 정의
② 일식이 일어나는 이유와 일식의 종류
+
③ 월식이 일어나는 이유와 월식의 종류
④ 지구와 달의 (   ) 궤도인 황도와 (   )의 궤도면이 만날 때 일어나는 일식과 월식

- **본그림자** | 본래 本 | 물체에 가로막혀서 광원(光源)으로부터 빛을 전혀 받지 못하여 아주 깜깜하게 나타나는 그림자.
- **반그림자** | 반 半 | 광원에서 나오는 빛이 물체를 비추었을 때 생기는 그림자 가운데, 빛이 부분적으로 도달하는 침침한 부분. 본그림자 주위의 흐릿한 그림자를 이른다.

중심 화제 짚기

1 **이 글의 주제로 가장 적절한 것은?**

① 일식과 월식의 원리
② 지구와 달의 공전 궤도
③ 일식과 월식을 관측하는 방법
④ 지구와 달 사이에 작용하는 힘
⑤ 일식과 월식을 볼 수 있는 지역

시각 자료에 적용하기

2 **이 글을 바탕으로 하여 〈보기〉를 이해한 내용으로 적절하지 않은 것은?**

보기

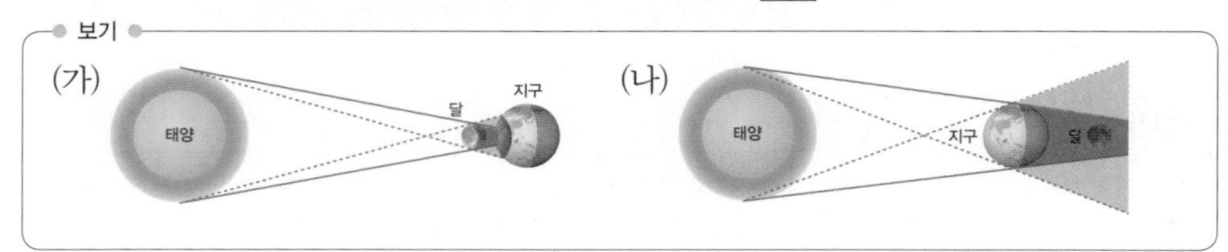

① (가)는 달에 의해 태양이 가려지는 상태를 나타낸다.
② (나)는 지구 그림자에 달이 완전히 가려지는 상태를 나타낸다.
③ (가)의 지구에서 개기 일식을 볼 수 있는 지역은 한정되어 있다.
④ (나)의 상황에서는 지구의 밤인 지역 어디서나 월식을 볼 수 있다.
⑤ (가)에서 달이 궤도상 지구에 가까이 있으면 금환 일식이 관측된다.

숨어 있는 내용 찾기

3 **이 글을 읽은 후의 반응으로 적절하지 않은 것은?**

① 일식이 일어나는 지역 중 어떤 곳에서는 태양이 보일 수 있구나.
② 월식은 일식과 달리 지구, 태양, 달이 일직선상에 놓일 때 일어나는구나.
③ 달의 크기가 지금보다 더 컸다면 개기 일식을 관측할 수 있는 지역이 더 넓었겠구나.
④ 달은 태양보다 훨씬 작지만 지구와 가깝기 때문에 크기가 태양과 비슷해 보이는구나.
⑤ 달의 공전 궤도면과 지구의 공전 궤도면이 같지 않기 때문에 일식과 월식이 매달 일어나지는 않는구나.

어휘 확인하기

다음의 의미에 알맞은 단어를 고르시오.

(1) 지구가 태양 주위를 도는 궤도. ➡ (황도 / 백도)

(2) 달이 태양의 일부나 전부를 가림. 또는 그런 현상. ➡ (일식 / 월식)

정답과 해설 48쪽

1

다음에 제시된 뜻을 참고하여 초성에 해당하는 단어를 쓰시오.

(1) ㅎ ㅇ : 낮은 지위나 등급이나 위치. ➡ (　　　　　)

(2) ㅅ ㅇ : 어떤 소비의 대상이 되는 상품에 대한 요구. ➡ (　　　　　)

(3) ㄱ ㅎ ㄱ ㅅ ㅈ : 증가하는 수나 양이 아주 많은 것. ➡ (　　　　　)

2

괄호 안에 들어갈 알맞은 단어를 〈보기 1〉에서 찾고, 그 단어의 뜻을 〈보기 2〉에서 찾으시오.

보기 1

① 남용　　② 추세　　③ 대립적　　④ 침체

보기 2

㉠ 일정한 기준이나 한도를 넘어서 함부로 씀.
㉡ 어떤 현상이 일정한 방향으로 나아가는 경향.
㉢ 어떤 현상이나 사물이 진전하지 못하고 제자리에 머무름.
㉣ 의견이나 처지, 속성 따위가 서로 반대되거나 모순되는 것.

(1) 사회자는 두 토론자의 (　　　　　)인 의견을 종합하였다.

(2) 최근 편의점에서 판매하는 제품이 다양해지는 (　　　　　)(이)다.

(3) 경기 (　　　　　)이/가 계속되자 정부가 새로운 정책을 발표하였다.

(4) 청소년들의 줄임말 (　　　　　)은/는 세대 간의 갈등을 일으키기도 한다.

3

다음 문장의 밑줄 친 말과 바꿔 쓸 수 있는 말을 〈보기〉에서 골라 알맞게 쓰시오.

보기

치부되다　　등락하다　　부여하다　　일컫다

(1) 곡물 가격이 기후에 따라 <u>오르고 내렸다</u>. ➡ (　　　　　)

(2) 담임 선생님께서 졸업 여행에 특별한 의미를 <u>붙여 주셨다</u>. ➡ (　　　　　)

(3) 그는 사람들에게 약속을 잘 지키지 않는 사람으로 <u>여겨졌다</u>. ➡ (　　　　　)

(4) 사람들은 예로부터 우리나라를 동방예의지국이라고 <u>이름 지어 불렀다</u>. ➡ (　　　　　)

4

괄호 안에 들어갈 말로 가장 적절한 것은?

적들에게 둘러싸여 성이 무너질 위기에 처하자, 장군은 성안에 있는 아이들을 살릴 방법을 (　　　　　).

① 남용하였다　② 악용하였다　③ 참여하였다　④ 도모하였다　⑤ 상부상조하였다

종이 한 장에 담긴 오랑우탄의 눈물

국토의 76퍼센트가 열대 우림으로 뒤덮인 인도네시아에는 지구상에 존재하는 동식물 종수의 절반이 살고 있다. 그중 보르네오섬 칼리만탄 지역에는 200종이 넘는 포유류가 사는데, 원시림이 울창한 이곳에 종이를 만드는 펄프 공장이 들어서면서 평화롭던 그들의 삶은 위협받기 시작했다.

공장을 짓기 위해 사람들은 먼저 원시림을 베어 목재로 팔았다. 그리고 숲에 불을 질러 키가 작은 나무와 풀마저 없앤 뒤, 성장 속도가 빨라서 종이의 원료로 쓰이는 유칼립투스 나무를 심었다. 그런데 이렇게 같은 종류의 나무로만 채운 숲은 질병과 벌레에 취약해서 화학 비료나 농약이 많이 쓰일 수밖에 없다. 또한 유칼립투스 나무는 지하 30미터까지 뿌리를 내려 빗물과 지하수를 모두 빨아들이며, 잎에서 나오는 기름에는 살충과 살초 성분까지 있다고 한다. 결국 유칼립투스 농장 주변은 다른 작물이나 미생물이 살아남지 못하는 '녹색 사막'이 되고 말았다.

펄프 공장 때문에 숲이 급속도로 황폐해지자, 목재를 생산하는 회사들은 국립 공원 안의 나무들을 베기 시작했다. 인도네시아에 있는 국립 공원 41개 중 37개에서 이러한 불법 벌목이 벌어졌다. 문제는 이 곳을 터전으로 삼고 있던 오랑우탄들이었다. 벌목이 진행될수록 살 곳을 잃은 오랑우탄들은 점점 더 산의 높은 곳으로 쫓겨 달아났고, 벌목꾼과 사냥꾼들에게 늘 생존을 위협받으며 살아가게 되었다.

세계 종이 소비량은 해마다 늘고 있다. 우리가 종이를 더 많이 쓸수록, 열대 우림이 사라지고 오랑우탄 개체 수가 줄어드는 속도는 점점 더 빨라진다. 오랑우탄은 보르네오섬에서 매우 흔하게 볼 수 있는 동물이었지만, 현재는 멸종 위기 등급이 '야생 상태 절멸'의 직전 단계인 '위급'에 해당한다. 전문가들은 이러한 감소 추세라면 오랑우탄이 약 50년 안에 멸종될 것이라고 경고하고 있다.

아날로그와 디지털

교과 연계 **정보** _ 자료의 유형과 디지털 표현

① "디지털 시대에 아날로그 감성을 추구한다.", "아날로그에 디지털을 더한다."와 같이 우리는 일상생활에서 '아날로그'와 '디지털'이라는 말을 자주 사용한다. 그러나 아날로그와 디지털의 정확한 의미를 아는 사람들은 많지 않다. 흔히들 아날로그는 옛날 것, 단순한 것이라고 생각하고 디지털은 새로운 것, 기계화된 것이라고 생각하는 경우가 많은데 이는 잘못된 생각이다. 그렇다면 아날로그는 무엇이고 디지털은 무엇이며, 그 둘의 차이는 어디에 있을까?

② 아날로그와 디지털을 구분하는 기준은 표시 방식의 차이에 있다. 아날로그는 신호의 크기를 길이, 각도와 같은 연속되는 양으로 표현하는 방법이며 보통 눈금을 활용한다. 아날로그를 대표하는 도구는 계산자이다. 계산자에는 숫자의 역할을 하는 여러 눈금이 매겨져 있는데, '2×3'을 계산하기 위해 자를 움직여서 '2'를 나타내는 눈금과 '3'을 나타내는 눈금을 알맞게 위치시키면 결과를 가리키는 선이 '6'을 나타내는 눈금으로 가게 된다. 이때 우리는 실제 계산을 하는 것이 아니라 '눈금 읽기'를 하는 것이므로, 아날로그는 수를 간접적으로 다루는 방식이라 할 수 있다. 디지털은 신호의 크기를 최소 단위를 통해 표시한다. 전체 크기를 최소 단위로 쪼갰을 때 같은 구간에 속하는 신호는 모두 동일하게 처리한다. 디지털을 대표하는 도구는 컴퓨터이다. '2×3'을 계산할 때 컴퓨터는 중앙 처리 장치에서 숫자 '2'와 '3'을 표시하고 그 둘을 직접 곱해서 '6'이라는 결과를 얻는다. 그러므로 디지털은 수를 직접적으로 다루는 방식이라 할 수 있다.

③ 아날로그는 연속성이 나타나지만 디지털은 단속성이 나타난다. '1/3'이란 수를 생각해 보자. 계산자나 재래식 저울의 눈금 위에는 이 수를 가리키는 지점이 있다. 그러나 컴퓨터는 '1/3'과 비슷한 수를 표시할 수 있을 뿐이다. '1/3'은 '0.333…'처럼 무한한 숫자로 나타내야 정확한 것이지만, 실제로는 표시 장치의 한계 때문에 어디선가 반드시 끊어야 하기 때문이다. 그래서 아날로그와 달리 디지털은 단속적이다. 이를 바탕으로 하여 "디지털 시대에 아날로그 감성을 추구한다."라는 말을 다시 보면, 단절을 극복하고 연결과 유대를 추구한다는 의미로 이해할 수도 있을 것이다.

지문 이해

① 정확한 의미를 알지 못하고 쓰는 말, (　　　　)와/과 디지털

② 아날로그와 디지털의 정확한 (　　　　)와/과 대표적인 (　　　　)

③ 아날로그의 (　　　　)와/과 (　　　　)의 단속성

- **계산자** | 셀 計, 셀 算 | 로그 눈금이 새겨진 평행한 두 고정 자와 그 사이를 움직이는 안쪽 자 및 계산의 눈금을 맞추는 커서로 이루어져 있는 계산기.
- **단속** | 끊을 斷, 이을 續 | 끊겼다 이어졌다 함. 또는 끊었다 이었다 함.
- **재래식** | 있을 在, 올 來, 법 式 | 예전부터 전하여 내려오는 방식.

글의 전개 방식 알기

1 **이 글에 대한 설명으로 가장 적절한 것은?**

① 아날로그 방식을 정의한 학자와 디지털 방식을 정의한 학자에 대해 언급하고 각각의 이론을 서술하고 있다.
② 아날로그가 적용된 기술과 디지털이 적용된 기술을 제시하고 그 기술들이 가진 장점과 단점을 살펴보고 있다.
③ 아날로그와 디지털이라는 용어가 탄생한 배경을 분석하고 이들이 서로 다른 발전 과정을 거쳤음을 강조하고 있다.
④ 아날로그와 디지털에 대한 일반적인 생각에서 잘못된 부분을 지적하고 각각의 개념과 둘의 차이점을 설명하고 있다.
⑤ 아날로그와 디지털을 함께 활용하는 분야를 소개하고 아날로그와 디지털이 서로의 한계를 극복할 수 있음을 밝히고 있다.

사례로 개념 이해하기

2 **이 글을 바탕으로 하여 〈보기〉를 이해한 내용으로 적절하지 않은 것은?**

보기

(가) 체중계 안에는 스프링과 압력 센서 등의 기계 부품이 들어 있다. 사람이 올라가면 눌림에 의해 스프링에 힘이 가해지고 센서는 힘의 양을 감지해 무게를 표시하기 위한 전기 신호를 보낸다.
(나) 산악인들은 높은 산에 오를 때 자신이 위치한 곳의 높이를 미터 단위의 숫자로 표시해 주는 측정기를 활용한다. 측정기가 없을 때에는 등고선 지도에 현재 위치를 표시하여 높이를 파악할 수 있다.

① (가): 기계 부품으로 구성되어 있는 체중계는 모두 디지털 방식이라고 할 수 있겠군.
② (가): 힘의 양을 눈금판과 눈금을 가리키는 바늘로 나타낸다면 수를 간접적으로 다룬 것이겠군.
③ (가): 무게가 유한한 숫자로 표시된다면 표시할 수 있는 최소 단위보다 가벼운 무게는 재기 어렵겠군.
④ (나): 등고선 지도에 현재 위치를 표시하여 높이를 파악하는 것은 아날로그 방식을 이용하는 것이겠군.
⑤ (나): 자신이 위치한 곳의 높이를 미터 단위의 숫자로 표시한 것은 연속되는 양을 단속적으로 나타낸 것으로 볼 수 있겠군.

실전 4회

정답과 해설 49쪽

어휘 확인하기

문맥을 고려하여, 다음 문장의 괄호 안에 들어갈 알맞은 단어를 고르시오.

(1) 우리 학교에서는 여러 행사를 통해 선후배 간의 (유대 / 단절)을/를 다지고 있다.

(2) 은지는 눈치가 빨라서 (간접적 / 직접적)으로 돌려서 말해도 금방 알아듣는다.

스마트 콘크리트

① 고대 로마 시대에 생석회와 화산재를 섞어 만들었던 콘크리트는 이후 산업 혁명기를 거치면서 성능이 급격히 향상되었고, 초고층 건물과 교량, 고속 도로 등 오늘날의 건축에서 빼놓을 수 없는 요소로 자리 잡았다. 도시를 흔히 '콘크리트 숲'이라고 표현할 만큼 콘크리트가 많이 쓰이는 것은 내구성이 뛰어나고 성형이 쉬우며, 유지 보수를 자주 하지 않아도 된다는 장점이 있기 때문이다. 하지만 한편으로는 인장 강도가 약하고 균열이 생기기 쉽다는 단점도 있어 과학자들은 이를 극복할 방안을 마련하기 위해 노력하고 있다.

② 이와 관련하여 미국 미시간 대학 토목환경공학과의 빅터 리 박사가 이끄는 연구팀에서는 최근 균열이 생겨도 그 균열이 저절로 사라지는 놀라운 콘크리트를 개발했다. 일반적으로 콘크리트가 부서지는 이유는 균열의 크기가 너무 크기 때문인데, 새로 개발된 콘크리트는 균열이 생길 때 큰 균열 대신 여러 개의 작은 균열이 생기며 시간이 흐른 후에는 자연스럽게 메워진다고 한다. 또한 일반 콘크리트가 0.01퍼센트의 인장 변형에도 깨지는 것과 달리 이 콘크리트는 그 300배인 3퍼센트의 변형에서도 견뎠다. 이것은 100미터 길이의 콘크리트가 무게나 환경 변화 등으로 3미터나 늘어나게 되더라도 끄떡없이 유지된다는 뜻이다.

③ 연구팀은 휨에 잘 견디는 콘크리트를 만드는 과정에서 특수 고분자 섬유를 넣어 균열의 크기가 60마이크로미터 이상으로 커지는 것을 막았다. 여기에 그동안 개발해 온 시멘트 복합 재료를 혼합했는데, 콘크리트에 미세한 균열이 생기면 표면에 드러난 시멘트가 물, 이산화 탄소와 반응해 탄산 칼슘 막을 형성함으로써 균열을 메워 준다. 이렇게 저절로 균열이 복구되는 콘크리트는 스스로를 고친다는 의미의 자기 치유 콘크리트, 또는 ㉠스마트 콘크리트라고 불리고 있다.

④ 스마트 콘크리트가 널리 사용되면 매해 도로나 다리 등 사회 기반 시설을 보수하는 데 들어가는 엄청난 비용이 눈에 띄게 감소할 것이다. 또한 기존의 철근 콘크리트는 균열 때문에 철근이 공기 중에 노출되면 수분과 소금기에 의해 녹이 슬면서 전체 콘크리트 구조가 훼손되는 문제가 있었는데, 스마트 콘크리트를 통해 이를 해결할 수 있을 것으로 기대된다.

지문 이해

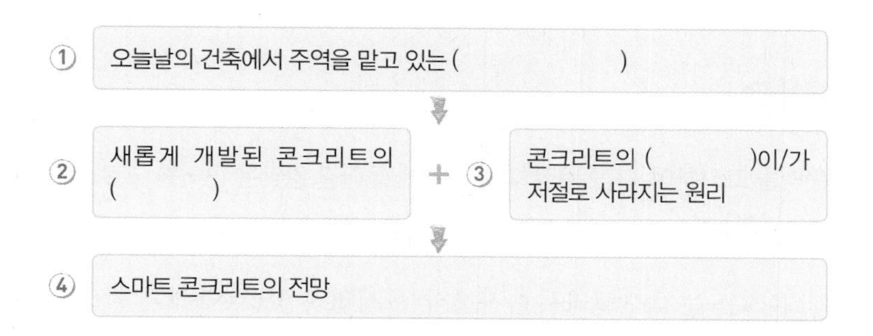

① 오늘날의 건축에서 주역을 맡고 있는 (   )
② 새롭게 개발된 콘크리트의 (   )
+
③ 콘크리트의 (   )이/가 저절로 사라지는 원리
④ 스마트 콘크리트의 전망

- **내구성** | 견딜 耐, 오랠 久, 성질 性 | 물질이 변하지 않고 오래 견디는 성질.
- **보수** | 기울 補, 고칠 修 | 건물이나 시설 따위의 낡거나 부서진 것을 손보아 고침.
- **인장 강도** | 끌 引, 넓힐 張, 강할 強, 정도 度 | 물체가 잡아당기는 힘에 견딜 수 있는 최대한의 응력.

중심 화제 짚기

1 **이 글을 과학 잡지에 싣는다고 할 때, 제목으로 가장 적절한 것은?**

① 콘크리트의 종류와 역사
② 스마트 콘크리트의 장단점
③ 현대 도시 건축의 주인공, 콘크리트
④ 콘크리트의 새로운 미래, 스마트 콘크리트
⑤ 스마트 콘크리트의 한계와 이를 극복할 방안

세부 내용 파악하기

2 **㉠에 대한 설명으로 적절하지 않은 것은?**

① 일정 크기 이상의 균열은 생기지 않는다.
② 기존 콘크리트의 단점을 보완하기 위해 개발되었다.
③ 시멘트 복합 재료와 특수 고분자 섬유를 넣어 만든다.
④ 종전의 콘크리트와 비교할 때 더 큰 인장 변형에도 견딜 수 있다.
⑤ 균열이 생겼을 때 균열된 곳에 탄산 칼슘을 넣으면 균열이 사라진다.

핵심 정보 파악하기

3 **스마트 콘크리트가 널리 사용되었을 때 얻을 수 있는 경제적 효과를 이 글에서 찾아 쓰시오.**

어휘 확인하기

밑줄 친 단어의 뜻을 〈보기〉에서 골라 그 번호를 쓰시오.

보기
① 악조건이나 고생 따위를 이겨 내다.
② 겉으로 드러나다.
③ 현상이나 물체의 자취 따위가 없어지다.

(1) 범인이 인파들 사이로 <u>사라지는</u> 바람에 놓치고 말았다. ➡ (　　　　)

(2) 그가 내놓은 계획은 거센 반대를 <u>극복하지</u> 못하고 좌절되었다. ➡ (　　　　)

(3) 피부가 자외선에 오래 <u>노출되어</u> 피부병에 걸리지 않게 주의해야 한다. ➡ (　　　　)

오선보와 정간보

① 음악은 박자나 가락 혹은 음성 등을 갖가지 형식으로 조화하고 결합하여 인간의 사상이나 감정을 나타내는 예술이다. 그러나 소리로 이루어져 있어 한번 듣고 나면 즉시 사라지며, 멀리 떨어진 곳에는 미치지 못한다는 제약이 있다. 사람들은 이런 음악을 오래도록 기억하고 전달하기 위해 음의 높이나 길이, 강약, 연주하는 방법 등을 일정한 규칙에 맞게 기록했다. 이때 음악을 기록한 방법을 기보법이라 하며, 기보법에 따라 음악을 기록한 것이 바로 악보이다. 기보법은 점차 복잡하고 다양해지는 음악을 더욱 정확하고 세밀하게 기록하려는 노력과 함께 발전을 거듭해 왔는데, 지금의 우리는 그중 오선보와 정간보를 가장 많이 사용하고 있다.

② 오선보는 서양 음악에서 발달한 기보법이다. 서양에서 음악을 기록하고자 했던 시도는 음의 높고 낮음을 문자나 기호로 표시했던 고대 그리스에서 출발한다. 이후 중세 유럽에서는 '네우마'라는 선 모양의 기호를 사용했는데, 높낮이뿐만 아니라 음색과 음의 흐름 등 소리의 다양한 특징을 표시할 수 있었다. 여기에 가로로 긋는 선이 더해지면서 정확한 음정을 기록할 수 있게 되었고, 15~16세기 무렵에는 오늘날 일반적으로 쓰이는 오선보 체계가 확립되었다.

③ 정간보는 조선 시대 때 세종이 기존에 쓰고 있던 기보법의 한계를 극복하기 위해 창안한 악보로, 동양 최초의 유량악보이다. 우물 정(井)자 모양의 네모난 칸인 '정간'을 세로로 이어서 정간 속에는 음높이를 알 수 있는 율명의 첫 글자를 넣고, 정간의 개수로는 음의 길이를 나타냈다. 궁중의 음악과 지배층의 풍류 음악들은 정간보를 사용하여 기록되었지만, 근대 이후에 기록된 민속악이나 현대의 창작 국악곡에는 오선보와 정간보가 자유롭게 쓰이는 편이다.

④ 오선보와 정간보는 대상이 되는 음악의 특징이 서로 다른 만큼 기보하는 방식도 다르다. 두 개 이상의 음을 동시에 울리는 수직적 화성이 서양 음악의 특징적인 요소라면, 우리 음악에서는 소리의 길고 짧음의 변화와 시김새가 특징적이다. 따라서 오선보에서는 음의 높이가, 정간보에서는 음의 길이가 한눈에 인식하기 쉽게 나타난다. 이처럼 기보법은 음악의 특성에 따라 가장 적절한 방식을 택하는 방향으로 발전했다. 그런 점에서 볼 때, 우리 음악에 꼭 맞는 악보인 정간보는 그 존재 자체만으로도 국악의 수준과 가치를 높여 주는 것이라 할 수 있다.

지문 이해

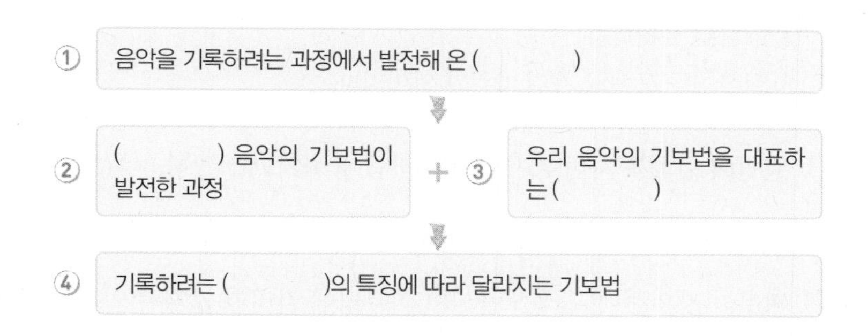

① 음악을 기록하려는 과정에서 발전해 온 (   )
② (   ) 음악의 기보법이 발전한 과정
+ ③ 우리 음악의 기보법을 대표하는 (   )
④ 기록하려는 (   )의 특징에 따라 달라지는 기보법

- **유량악보** | 있을 有, 헤아릴 量, 음악 樂, 적을 譜 | 음의 높이와 길이를 나타낼 수 있는 악보.
- **율명** | 음률 律, 이름 名 | 동양 음악에서 열두 음의 이름.
- **화성** | 어울릴 和, 소리 聲 | 일정한 법칙에 따른 화음의 연결.
- **시김새** | 국악에서, 주된 음의 앞과 뒤에서 꾸며 주는 꾸밈음.

세부 내용 파악하기

1

이 글의 내용과 일치하지 않는 것은?

① 소리로 이루어진 음악은 한번 듣고 나면 사라지는 제약이 있다.

② 악보에는 음의 높이와 길이, 강약, 연주하는 방법 등이 기록된다.

③ 서양 기보법의 기원은 고대 그리스의 '네우마'에서 찾을 수 있다.

④ 정간보는 세종 이전의 기보법이 지닌 한계를 극복하기 위해 만들어졌다.

⑤ 정간보는 우리 음악의 특성에 맞는 악보로 국악의 수준과 가치를 높여 준다.

시각 자료에 적용하기

2

이 글을 바탕으로 하여 〈보기〉의 (가), (나)를 바르게 이해한 것은?

보기

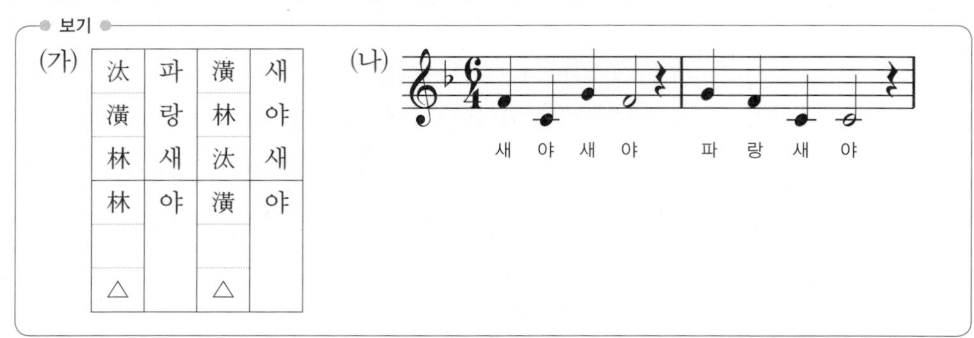

① (가)는 음의 길이뿐 아니라 높이도 표시하는 방법이야.

② (가)는 음높이를 한눈에 파악하는 데 중점을 둔 악보야.

③ (나)는 궁중 음악이나 풍류 음악에 사용되는 기보법이야.

④ (나)는 음의 높낮이만을 선 모양의 기호로 표시한 것이야.

⑤ (나)는 시김새를 수평적으로 표현하는 데 적절한 방식이야.

세부 내용 파악하기

3

다음은 서양 음악의 기보법에서 표현할 수 있게 된 대상을 발달 과정에 따라 정리한 것이다. 괄호 안에 들어갈 알맞은 말을 이 글에서 각각 찾아 쓰시오.

음의 높고 낮음 → 음색과 (　　　　) → 정확한 (　　　　)

어휘 확인하기

다음 단어의 뜻풀이가 맞으면 ○표, 틀리면 ×표를 하시오.

(1) 세밀하다: 자세하고 꼼꼼하다. ➡ (　　　　)

(2) 제약: 조건을 붙여 내용을 제한함. 또는 그 조건. ➡ (　　　　)

(3) 거듭하다: 어떤 것을 특별히 강하게 주장하거나 두드러지게 하다. ➡ (　　　　)

정답과 해설 51쪽

10 쓰레기를 재활용하면 예술이 된다

교과 연계 **미술** _ 미술의 변천과 맥락

① 과학 기술과 문명의 발달은 인간 사회에 풍요로움을 가져다주었지만 동시에 넘쳐 나는 산업 폐기물을 낳기도 했다. 인간의 무분별한 낭비와 환경 문제의 심각성이 대두되던 시기, 예술가들은 버려진 물건으로 현대 문명에 대한 비판과 고찰을 담은 작품을 만들기 시작했고 이는 '정크 아트'라는 새로운 미술을 탄생시켰다. 쓸모없는 물건, 쓰레기를 의미하는 '정크'라는 단어에서 알 수 있듯이 정크 아트는 생활 속 잡동사니나 망가진 기계 부품 따위를 이용하여 만드는 미술을 의미한다. 버려진 물건뿐만 아니라 돌, 나무 조각, 뼈, 조개껍질 등도 정크 아트의 재료가 될 수 있다. 1960년 뉴욕의 마사 잭슨 화랑에서 주관한 〈새로운 형태, 새로운 미디어〉는 정크 아트를 다룬 기념비적 전시회로 평가받는다.

② 재료뿐만 아니라 작업 방식에 있어서도 정크 아트는 획기적인 방법을 추구했다. 기존의 작품들이 캔버스 위에 2차원적으로 그림을 그린 것인 반면, 정크 아트에서는 3차원의 입체적인 표현 방식이 나타난다. 이는 20세기 초 피카소, 브라크와 같은 입체파 작가들의 콜라주 작품이나 전통적 가치를 거부한 미래파 작가들의 작품에서 영향을 받은 것으로 보인다. 피카소와 브라크는 신문지나 악보 등의 인쇄물을 캔버스에 부착하여 작품을 만들었으며, 비슷한 시기 미래파를 이끌었던 보치오니는 〈미래주의 조각 기법 선언〉에서 조각품에 조형적 감성을 더하기 위해서라면 유리, 나무 조각, 거울 등 무엇이든 자유롭게 사용할 수 있다는 주장을 폈다.

③ 정크 아트의 표현 기법 중에는 '컴바인 페인팅'과 '집적'이 있다. 콜라주의 확대된 개념인 컴바인 페인팅은 평면에 3차원의 입체를 결합해 표현하는 창작 양식으로 로버트 라우센버그가 발전시켰다. 그는 평소 자신이 쓰던 침대보를 캔버스로 삼고 베개와 이불을 붙인 후 그 위에 물감을 거칠게 뿌리는 등 무분별함과 우연성이 극대화된 기법을 사용해 〈침대〉라는 작품을 발표했다. 한편 집적은 같은 소재를 나열하여 쌓는 창작 양식을 말하며, 조각가 루이즈 네벨슨의 〈새벽의 혼인-교회 IV〉에서 볼 수 있다. 그는 계단 장식용 나무 조각과 가구의 파편 등을 넣은 상자를 쌓아 올리고 단색으로 칠하여 복잡하면서도 조화로운 작품을 창작했는데, 도시의 폐품이 집적된 모습은 감상자에게 오래 전에 사라진 문명의 흔적을 보는 듯한 느낌을 준다.

지문 이해

① (　　　　　　)의 개념과 탄생 배경

② 정크 아트에 (　　　　)을/를 준 미술가들

③ 정크 아트의 표현 기법인 (　　　　　　)와/과 (　　　　)

- **대두되다** | 들 擡, 머리 頭 | 어떤 세력, 현상이 새롭게 나타나게 되다.
- **기념비적** | 적을 紀, 생각 念, 비석 碑, 어조사 的 | 오래도록 잊지 아니할 만한 가치가 있는.
- **콜라주(collage)** | 근대 미술에서, 화면에 종이·인쇄물·사진 따위를 오려 붙이고, 일부에 붓을 대어 보태거나 지워서 작품을 만드는 일.

중심 화제 짚기

1 **이 글에서 알 수 있는 내용이 아닌 것은?**

① 정크 아트의 개념
② 정크 아트의 표현 기법
③ 정크 아트에 사용되는 재료
④ 정크 아트에 영향을 미친 작가
⑤ 정크 아트에 대한 비판적 인식

시각 자료에 적용하기

2 **이 글을 읽은 학생이 다음 (가), (나)에 보인 반응으로 적절하지 않은 것은?**

보기

(가)

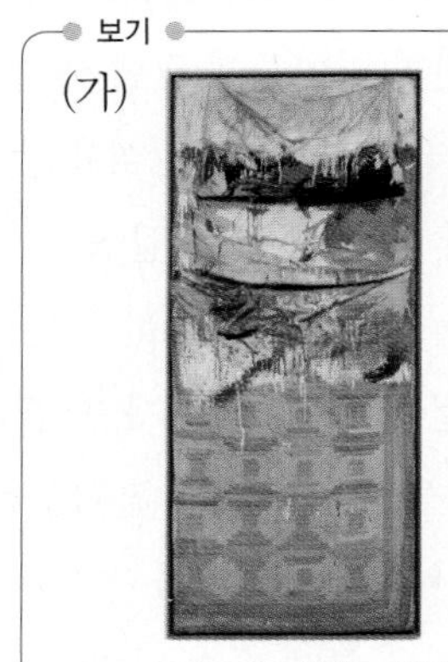

▲ 로버트 라우센버그, 〈침대〉

(나)

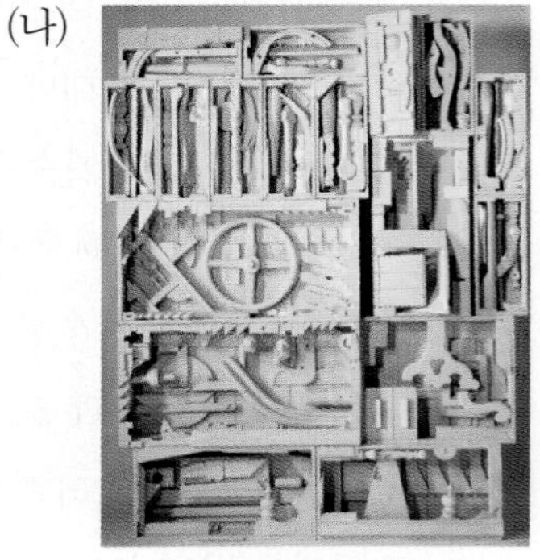

Dawn's Wedding Chapel IV, 1960 © Louise Nevelson / ARS, New York – SACK, Seoul, 2019

▲ 루이즈 네벨슨, 〈새벽의 혼인-교회 IV〉

① (가)와 (나)는 모두 잡동사니들을 재료로 만든 것으로 보아 정크 아트 작품이군.
② (가)는 침대보와 베개, 이불이 결합된 것으로 보아 입체적인 표현 방식이 쓰였군.
③ (가)는 서로 다른 물건들을 부착하여 만든 것으로 보아 콜라주 작품과 관련이 있군.
④ (나)는 작품에서 오랜 역사가 느껴지는 것으로 보아 전통적 가치를 중시하는 태도가 담겨 있군.
⑤ (나)는 버려진 나무 조각들을 모아 붙인 것으로 보아 조각품에 관한 보치오니의 주장에 부합하는군.

핵심 정보 파악하기

3 **정크 아트가 탄생한 사회적 배경과 정크 아트에 담긴 메시지를 알 수 있는 문장을 찾아 첫 어절과 끝 어절을 쓰시오.**

어휘 확인하기

다음에 제시된 단어의 뜻을 참고하여 빈칸에 알맞은 말을 써넣으시오.

(1) 대 ☐☐☐ : 어떤 세력이나 현상이 새롭게 나타나게 되다.

(2) ☐☐ 비 ☐ : 오래도록 잊지 아니할 만한 가치가 있는.

실전 4회

정답과 해설 52쪽

통합

11 기술이 경쟁력?

① 셰일 오일은 오랜 세월 모래와 진흙이 쌓여 단단하게 굳으면서 형성된 지층인 셰일층에 스며들어 있는 화석 연료이다. 미 대륙과 중앙아시아, 아프리카 등 세계 곳곳에 상당량의 셰일 오일이 매장된 것으로 알려졌지만 적절한 채굴 기술이 없어 오랫동안 활용되지 못했다. 기존의 석유 채굴 방식은 시추 장비를 원유가 모여 있는 곳에 수직으로 넣은 후 높은 압력으로 뽑아 올리는 것이지만, 이 방법으로는 단단한 암반층에 갇힌 셰일 오일을 추출할 수 없었기 때문이다. 그러다 2000년대에 들어 석유 가격이 폭등하면서 석유 생산에 대한 관심이 커졌고, 미국의 석유 업계가 채굴 기술을 개발하는 데 성공하면서 셰일 오일은 다시금 주목받게 되었다.

② 셰일층 속의 연료를 추출하는 기술은 프랙킹(fracking) 또는 수압 파쇄법이라 불리는데, 그 과정은 다음과 같다. 우선 시추관을 셰일층까지 다다르게 한 후 수평 방향으로 위치시킨다. 그런 다음 시추관을 통해 모래와 물, 화학 물질 등을 섞은 혼합물을 초고압으로 분사하여 셰일층에 균열을 만든다. 그러면 균열이 일어난 사이로 모래가 침투해 균열이 유지되는데, 이때 시추관의 압력을 낮춰 주면 셰일 오일이 균열을 통해 빠져 나와 시추관을 타고 지상으로 올라오게 된다.

③ 수압 파쇄법을 통한 원유 추출이 가능해지자 미국의 여러 지역에서는 셰일 자원을 찾아 사람들이 몰려드는 이른바 '셰일 러시'가 일어났다. 또한 셰일 오일에 대한 투자도 늘면서 미국의 석유 생산량은 급증하게 되었다. 2005년에는 700만 배럴이었던 미국의 일일 석유 생산량은 2013년에 1,000만 배럴, 2014년에는 사우디아라비아와 비슷한 1,100만 배럴에 다가섰고, 공급이 늘어나자 국제 유가는 점점 하락했다. 이때 기존의 산유국들은 큰 피해를 보게 되었지만 석유 공급을 줄여서 석유 가격을 유지하는 유가 방어 정책을 사용하지 않았다. 왜냐하면 유가가 계속 떨어져서 유가 대비 셰일 오일 추출 비용이 커지게 되면 미국도 결국은 석유 생산을 줄일 것이므로, 수요와 공급의 법칙에 따라 (㉠   ) 예상했기 때문이다.

④ 그러나 결과적으로 미국의 석유 생산량은 줄어들지 않았다. 그 이유는 무엇일까? 그동안 원유 추출 기술이 더욱 발전하여 더 적은 비용으로 더 많은 셰일 오일을 뽑아 올릴 수 있게 되었기 때문이다. ㉡<u>유가 방어 정책에 소극적이었던 산유국들의 예측이 맞아 떨어지지 않은 것이다.</u>

- **시추** | 시험할 試, 송곳 錐 | 지하자원을 탐사하거나 지층의 구조나 상태를 조사하기 위하여 땅속 깊이 구멍을 파는 일.
- **원유** | 본디 原, 기름 油 | 땅속에서 뽑아낸, 정제하지 아니한 그대로의 기름. 여러 가지 석유 제품, 석유 화학 공업의 원료로 쓴다.
- **분사하다** | 뿜을 噴, 쏠 射 | 액체나 기체 따위에 압력을 가하여 세차게 뿜어 내보내다.
- **유가** | 기름 油, 값 價 | 석유의 판매 가격.
- **산유국** | 낳을 產, 기름 油, 나라 國 | 자국의 영토 및 영해에서 원유를 생산하는 나라.

결과 추론하기

1 **㉠에 들어갈 말로 가장 적절한 것은?**

① 유가가 다시 오를 것이라고
② 유가가 더욱 하락할 것이라고
③ 유가 방어의 필요성이 커질 것이라고
④ 유가를 낮추라는 요구가 거세질 것이라고
⑤ 유가에 영향을 주는 요소가 늘어날 것이라고

숨어 있는 내용 찾기

2 **㉡을 이해한 내용으로 가장 적절한 것은?**

① 산유국이 많아지면서 석유 판매 시장이 확대될 것을 예상하지 못했군.
② 석유 생산 비용을 크게 낮출 수 있는 기술이 개발될 가능성을 고려하지 않았군.
③ 수요와 공급에 따라 가격이 결정되는 시장 경제의 기본적인 원리를 이해하지 못했군.
④ 국제 유가가 세계 경제에 미치는 영향이 시간이 흐를수록 줄어들고 있다는 점을 간과했군.
⑤ 셰일 오일에 대한 미국의 독점적 권리가 확대될 것이 두려워서 경제 법칙에 어긋나는 판단을 했군.

시각 자료에 적용하기

3 **이 글의 내용을 바탕으로 하여 〈보기〉를 설명할 때, 적절하지 않은 것은?**

보기

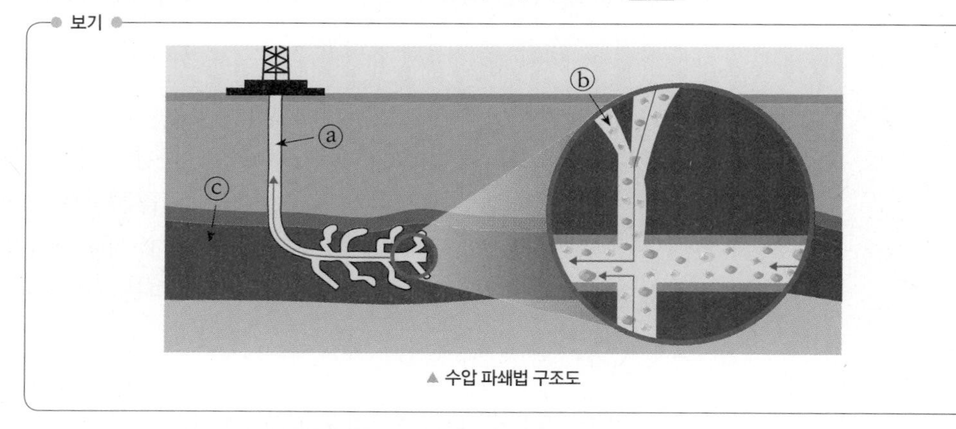

▲ 수압 파쇄법 구조도

① ⓐ가 ⓒ에 다다르면 수평으로 방향을 전환한다.
② ⓐ를 통해 혼합물을 고압으로 분사하여 ⓑ를 만든다.
③ ⓐ를 통해 분사된 모래는 ⓑ 안으로 들어가 틈을 유지한다.
④ ⓑ는 ⓒ에 매장된 셰일 오일이 흘러나오는 통로 역할을 한다.
⑤ ⓒ의 압력이 낮아지면 셰일 오일이 ⓐ를 타고 지상으로 올라온다.

실전 4회

정답과 해설 53쪽

1

사다리타기에 따라, 빈칸에 들어갈 단어의 뜻을 〈보기〉에서 골라 그 번호를 쓰시오.

보기
① 어떤 것을 깊이 생각하고 연구함.
② 건물이나 시설 따위의 낡거나 부서진 것을 손보아 고침.
③ 여러 가지 재료를 이용하여 구체적인 형태나 형상을 만듦.
④ 두 가지의 차이를 밝히기 위하여 서로 맞대어 비교함. 또는 그런 비교.

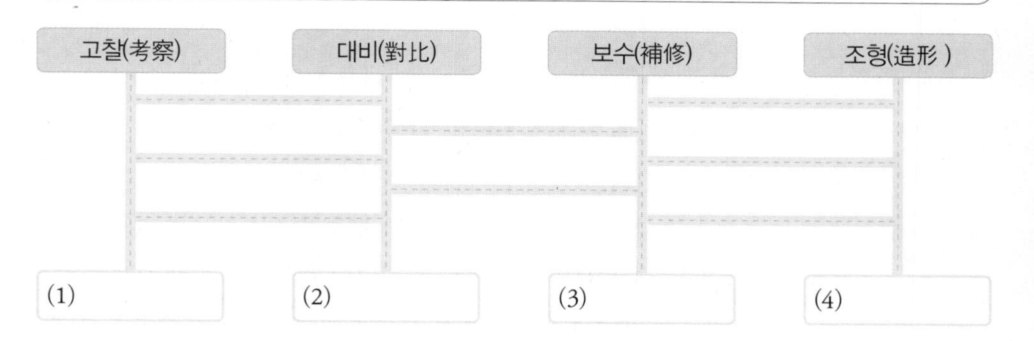

2

다음의 밑줄 친 단어와 바꿔 쓰기에 가장 적절한 것은?

이 화장품은 포도씨에서 추출한 기름을 주성분으로 활용하여 개발되었다.

① 분사한 ② 뽑아낸 ③ 거듭한 ④ 존속한 ⑤ 보급한

3

다음 글을 읽고, 빈칸에 들어갈 알맞은 말을 〈보기〉에서 찾아 문맥에 맞게 쓰시오.

보기
방안 유대 획기적 대두되다 추구하다 극복하다

오늘날 우리 사회는 세대, 성별, 지역 등 다양한 집단 간의 갈등을 (1) ______ 하는 문제를 안고 있다. 서로의 (2) ______ 을/를 회복하는 다양한 (3) ______ 을/를 고민한다면 좋은 해결책을 찾을 수 있을 것이다. 이때 단기적인 효과를 (4) ______ 것보다는 장기적으로 효과적인 해결책을 마련하는 것이 중요하다.

4

문맥을 고려하여, 다음 문장의 괄호 안에 들어갈 알맞은 단어를 고르시오.

(1) 수민이의 실수가 우리 팀이 패배한 (직접적 / 간접적)인 이유라고 볼 수는 없다.

(2) 얼마 전까지는 좋았던 우리 사이에 조금씩 (우애 / 균열)이/가 생기는 것을 느꼈다.

(3) 이번 산사태로 소중한 문화재인 돌탑의 상당수가 (훼손 / 발굴)되어 안타까움을 자아내고 있다.

디지털과 아날로그의 만남, 디지로그

언제부터인가 디지로그라는 용어를 주변에서 심심치 않게 찾아볼 수 있게 되었다. 디지로그는 디지털(digital)과 아날로그(analog)의 합성어로, 디지털 기술과 아날로그적 요소를 융합시킨 것, 감성적이며 따뜻한 디지털 문화, 또는 그러한 경향을 추구하여 만들어진 제품 등을 가리킨다. 디지로그 제품은 기술의 발전 속도를 따라가지 못하는 사람들이나 기술을 능숙하게 활용하는데도 일부러 아날로그 제품의 느낌을 선택하는 사람들을 대상으로 개발된다. 여기에는 발전된 기술만으로는 대중을 사로잡을 수 없다는 시장의 깨달음이 담겨 있으며, 주로 첨단 기술에 과거에 대한 추억과 감성을 결합한 형태의 제품이 많다.

스마트폰이나 태블릿에 터치 펜으로 글자를 입력할 수 있게 된 것도 디지로그의 예이다. 키보드로만 글을 쓰고 소통하는 요즘, 편지나 수첩에 직접 손으로 글자를 쓰던 감성을 다시 느끼고 싶은 사람들을 겨냥한 것이다. 동시에 글자의 색이나 두께를 간편하게 바꿀 수 있으며, 내용의 저장이나 편집, 전송이 편리하다는 점은 디지털 기술의 장점을 보여 준다. 한편 음악에서도 디지로그가 나타난다. 지금은 디지털화된 음원을 감상하는 것이 보편적이지만, 과거에는 아날로그 방식인 LP판이 많이 쓰였다. LP판은 음악을 재생하기 위해 턴테이블, 앰프, 스피커 등이 필요하다는 부담이 있었는데, 그 특유의 음색과 분위기를 다시 찾는 사람들이 늘어나면서 배터리와 스피커가 내장된 초소형 턴테이블이나 블루투스 연결이 가능한 턴테이블 등이 개발되고 있다.

최첨단 스마트 기기가 끊임없이 등장하는데 많은 사람들이 옛날에 쓰던 물건을 다시 찾는 이유가 무엇일까? 디지털 시대의 속도와 새로움에 지쳐 아날로그 시대를 그리워하고 있다는 뜻일 수도 있다. 디지로그 제품은 사람들의 이러한 욕구를 제한적으로나마 충족시켜 준다. 이런 점에서 볼 때, 어쩌면 디지털 기술 발전의 끝은 아날로그의 특징과 맞닿아 있을지도 모른다.

◀ 휴대용 턴테이블

플라스틱을 쓰지 말아야 할까?

플라스틱은 장점이 많지만 재활용률이 현저히 낮다는 문제점이 있다. 버려진 플라스틱은 대부분 소각되거나 매립되는데 이 과정에서 환경을 심각하게 오염시킨다. 최근 전 세계적으로 플라스틱 사용을 줄이려는 적극적인 움직임이 나타나기도 했지만, 플라스틱은 여전히 우리 생활에서 많은 부분을 차지하고 있다. 우리는 플라스틱을 쓰지 말아야 할까?

찬성

플라스틱을 쓰지 말아야 한다.

플라스틱 쓰레기로 인한 환경 오염이 심각하다. 바다에서는 플라스틱 쓰레기가 모여 섬처럼 떠다니고 있는데 북태평양에는 크기가 한반도 면적의 7배나 되는 쓰레기 섬이 있고, 이들을 모두 합치면 바다 전체 면적의 40%에 달한다고 한다. 이 때문에 바다 생물들이 플라스틱 쓰레기에 걸려 다치거나 작은 플라스틱 조각을 먹고 죽는 일도 셀 수 없이 많이 일어나고 있다.

또한 플라스틱은 인간의 건강을 위협한다. 소각되는 과정에서 유해 물질이 나오며, 땅속이나 바다로 들어가면 우리가 먹는 음식에도 스며들게 되기 때문이다. 문제는, 플라스틱 속 환경 호르몬에 자주 노출되면 인체에 중대한 이상이 생기는 것으로 밝혀졌다는 사실이다.

이렇듯 플라스틱은 생태계 전체에 악영향을 준다. 따라서 우리는 일회용 플라스틱 사용을 전면 중단하는 것에서 시작하여, 결국에는 대체품이 있는 플라스틱은 모두 퇴출하는 수준에까지 나아가야 할 것이다.

반대

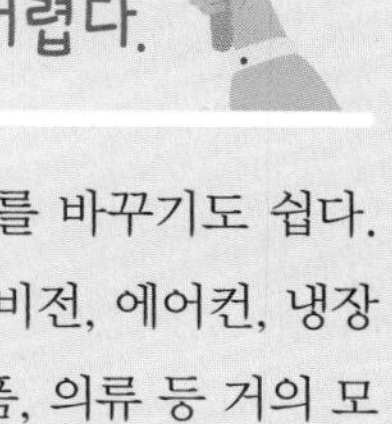

플라스틱을 쓰지 않기는 어렵다.

플라스틱은 가볍고 단단하며 형태를 바꾸기도 쉽다. 이러한 장점 때문에 플라스틱은 텔레비전, 에어컨, 냉장고와 같은 가전제품 및 학용품, 화장품, 의류 등 거의 모든 생활용품에 활용된다. 또한 플라스틱 포장재는 우리 삶에 전에 없던 편리함을 가져다주었으며, 최근에는 배달 음식 시장이 성장하는 데 기여하기도 했다.

수많은 화학 물질 중에서 플라스틱 정도의 안정성과 편의성을 제공하는 물질은 찾아보기 힘들다. 따라서 플라스틱을 모두 다른 재료로 대체하기는 어려우며, 대체하더라도 그 과정에서 불필요한 시간과 비용이 많이 소모될 것이다. 플라스틱 빨대와 같이 꼭 필요하지 않은 물건은 줄이는 것이 바람직하지만, 과도한 규제는 더 큰 문제를 낳을 수도 있다. 현실적으로는 플라스틱 폐기물을 처리하는 방법과 폐기물 관리 감독 시스템을 정비하고, 보다 안정성 있는 플라스틱 제품을 개발하기 위해 노력하는 것이 더 나은 해결책이다.

나는 플라스틱을 쓰지 말아야 한다는 생각에 (찬성한다 , 반대한다).
왜냐하면 ______________________________

____

____

중학 DNA 깨우기 시리즈

문학 DNA 깨우기

(예비중~중3)

기본 개념/감상 원리/기출 유형

교과서 작품을 활용한 문학 독해서

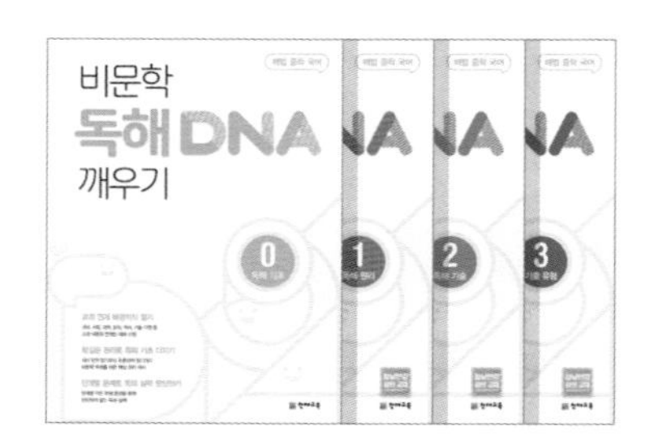

비문학 독해 DNA 깨우기

(예비중~중3)

독해 기초/독해 원리/독해 기술/기출 유형

기초부터 심화까지 단계별 독해 원리

문법 DNA 깨우기

(중1~중3)

중학 교과서 필수 문법 총정리

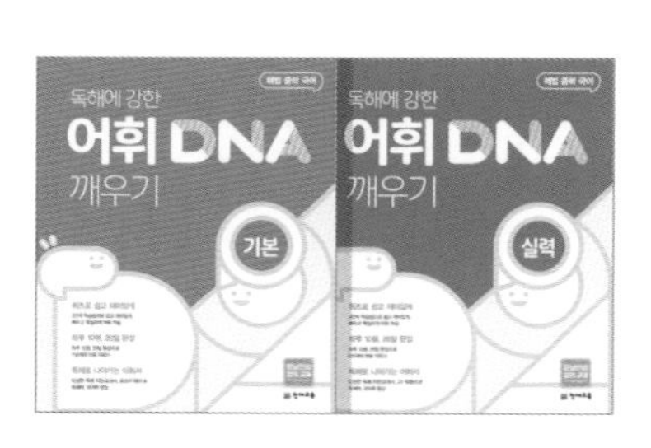

어휘 DNA 깨우기

(중1~중3)

기본/실력

퀴즈로 익히는 1,347개 중학 필수 어휘

CHUNJAE
EDUCATION

해법 중학 국어

비문학
독해 DNA
깨우기

정답과 해설

비문학 **독해 DNA** 깨우기

정답과 해설

와! 지문이 통째로! 상세한 설명!

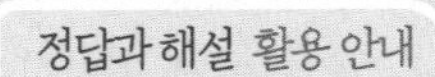

- 지문의 내용을 이해하기 쉽게 상세하게 풀이하였습니다.
- 정답과 오답의 이유를 분명하게 풀이하였습니다.
- 실전 지문의 중심 화제는 초록색 ▭로 표시하였습니다.
- 실전 지문의 내용 중 문제의 정답과 관련 있는 부분에는 노란색 음영을 넣어 표시하였습니다.

원리 01 내용 파악의 원리

바로 확인 본문 10~14쪽

1 ① **2** ② **3** • 중심 문장: 최근 전자 제품의 교체 주기가 ~ 문제가 되고 있다. • 화학 물질, 지구 환경 **4** ③
5 ③ **6** ③

1 이 문단의 첫 문장에서 전통 가옥의 '난간'을 화제로 제시하고 있는데, 첫 문단에서 제시한 화제는 주로 글의 중심 화제가 된다. 그리고 둘째, 셋째 문장에서도 역시 '난간'에 대해 서술하고 있는데, 이와 같이 반복적으로 서술되고 있는 것을 통해서도 '전통 가옥의 난간'이 이 글의 중심 화제임을 알 수 있다.

2 첫 문장에서 '경쟁, 운, 흉내, 일탈'을 놀이의 네 가지 속성으로 제시하고 있고, 다음 문장에서 '놀이의 네 가지 속성'에 대한 내용을 서술하고 있다. 이와 같이 문단에서 반복적으로 언급하는 말이 문단의 중심 화제가 된다.

3 첫 문장에서 전자 폐기물의 양이 크게 증가하여 문제가 되고 있다는 사실을 제시하고 있다. 이어서 이 사실을 뒷받침하는 구체적인 내용을 제시하고 있는데, 전자 폐기물에는 강과 바다, 땅과 공기를 오염하는 해로운 화학 물질이 많이 들어 있다는 것이다. 따라서 이 문단의 핵심 내용은 유해한 화학 물질이 많이 포함된 전자 폐기물의 급속한 증가가 지구 환경에 위협 요인이 된다는 것이다.

4 이 글은 동양화와 서양화를 대비하여 설명하고 있다. 동양화는 그림에 정신과 마음을 나타내려 해서 풍경을 그릴 때에도 자연 그대로의 모습보다는 대상을 보고 떠오르는 느낌을 표현하고자 했다고 제시되어 있다. 반면 서양화는 눈에 보이는 것을 그대로 그리기 위해 원근법과 다양한 색을 이용해 생생한 그림을 그리고자 했다고 하였다. 따라서 ③과 같이 이해하는 것은 적절하지 않다. 대상의 모습을 그대로 표현하기 위해 노력한 것은 서양화에만 해당하는 설명이기 때문이다.

오답 풀이 ① 동양화는 비단이나 화선지에 먹과 붓을 사용해서 그렸으며, 선과 여백을 중요시하였다고 설명하고 있다.
② 서양화는 서양의 전통적인 재료와 화법을 이용하여 그린 그림으로 장식이나 기록적인 면을 중요시한다고 설명하고 있다.

5 베두인족은 검은 천으로 된 헐렁한 옷을 입고 생활한다. 검은 옷을 입으면 흰옷을 입을 때보다 옷 안의 온도가 6°C 정도 더 높아지는데, 이렇게 데워진 공기는 상승하게 되고, 상승한 공기가 헐렁한 옷의 윗부분으로 빠져나가게 된다. 공기가 빠져나가면 옷 안의 기압이 옷 밖보다 낮아진다. 이때 옷 밖의 공기가 옷 안으로 들어오는 것은 공기가 기압이 높은 곳에서 낮은 곳으로 이동함을 나타낸다.

오답 풀이 ① 햇볕을 받으면 검은 옷이 흰옷보다 더 뜨거워진다는 내용과 검은 옷을 입으면 흰옷을 입을 때보다 옷 안의 온도가 높아진다는 내용을 통해 흰색보다 검은색이 햇볕의 열을 많이 흡수한다는 것을 알 수 있다.
② 마지막 문장에 물이 증발하면서 주위의 열을 빼앗는다는 내용이 나와 있다.

6 이 글에 따르면 ㉠(랑케)은 역사학이 독립적인 학문이 되기 위해서는 문학과 구분이 되어야 한다고 보았다. 그리고 역사를 연구하거나 쓸 때 특정 목적을 갖거나 자신의 생각을 집어넣어서는 안 된다고 보았다. 역사 연구는 과거에 일어난 일을 있는 그대로 밝히는 것이기 때문이다. 따라서 역사학에서 중요한 것이 역사학자의 관점에서 연구 목적을 분명히 하는 것이라고 설명한 ③은 ㉠의 입장과 거리가 멀다.

오답 풀이 ① 2문단 첫 번째 문장에서 확인할 수 있는 내용이다.
② 1문단 마지막 문장에서 확인할 수 있는 내용이다.

원리 적용 본문 15~16쪽

1 ⑤ **2** ① **3** ⑤ **4** ②

[1~2]

• **해제** 이 글은 냉장고가 없었음에도 한여름에 얼음을 보관할 수 있었던 석빙고의 비밀을 설명하고 있다. 석빙고는 '날개벽'을 만들어 내부를 냉각한 다음, '에어 포켓', '배수로' 등의 시설을 기반으로 저온 상태를 유지하여 한여름에도 얼음을 보관할 수 있었다.

• **문단 요약**

가	겨울에 석빙고의 내부가 냉각되는 원리
나	에어 포켓을 활용하여 석빙고의 내부 온도를 저온으로 유지하는 방법
다	배수로, 석회와 진흙, 잔디 등을 이용하여 석빙고의 저온 상태를 유지하는 방법

• **주제** 한여름에도 석빙고에 얼음을 보관할 수 있었던 방법

㉮ 냉장고가 없던 시절 옛사람들은 겨울에 채취한 얼음을 석빙고에 저장했다가 여름에 사용했다. 석빙고에서 얼음을 한여름까지 보관할 수 있었던 이유를 알아보자. 석빙고에 얼음을 저장하기 위해서는 석빙고 내부의 온도를 낮추어야 했다. 이를 위해 우리 조상들은 석빙고 출입문 옆에 세로로 튀어나온 '날개벽'을 만들어 석빙고 내부를 냉각했다. 겨울에 부는 찬바람이 날개벽에 부딪히면 소용돌이로 변하는데, 이 소용돌이는 추진력이 있어서 빠르고 힘차게 석빙고의 깊은 곳까지 밀고 들어가 내부의 온도를 낮춘다.

(냉장고가 없던 시절 얼음을 보관한 방법 / 중심 화제 / '날개벽'의 역할)

▶ 겨울에 석빙고의 내부가 냉각되는 원리

㉯ 석빙고에 얼음을 잘 보관하기 위해서는 내부를 저온 상태로 유지해야 한다. 석빙고의 천장은 1~2미터 간격을 두고 나란히 배치된 4~5개의 아치형 구조물로 이루어져 있다. 각각의 아치 사이에는 움푹 들어간 공간이 있는데, 이 공간을 '에어 포켓'이라고 한다. 에어 포켓은 석빙고 내부에서 더운 공기가 위쪽으로 뜨는 순간 그 공기를 가두어 놓는 역할을 한다. 에어 포켓에 갇힌 더운 공기는 에어 포켓 위쪽에 설치된 환기구를 통해 밖으로 빠져나가게 된다.

(: 한여름에도 석빙고에 얼음을 보관할 수 있었던 이유 / '에어 포켓'의 역할)

▶ 에어 포켓을 활용하여 석빙고의 내부 온도를 저온으로 유지하는 방법

㉰ 석빙고 안에는 배수로가 있는데, 이것은 얼음 보관에 치명적인 물을 빠르게 밖으로 빼는 역할을 한다. 또한 빗물이 석빙고 안으로 새어 들어가는 것을 막으려고 석빙고를 석회와 진흙으로 둘러쌌으며, 석빙고 외부에 잔디를 심어 햇빛을 흐트러뜨림으로써 열전달을 방해하는 효과를 거두었다. 이러한 기술은 모두 과학적 원리를 이용한 우리 조상들의 슬기를 보여 준다.

(잔디를 심은 이유)

▶ 배수로와 석회, 진흙, 잔디 등을 이용하여 석빙고의 저온 상태를 유지하는 방법

1 이 글에서는 겨울철에 석빙고 내부를 저온으로 만든 다음 한여름에도 저온 상태를 유지하여 얼음이 녹지 않게 저장했던 석빙고의 보관 원리에 대해 설명하고 있다. 즉, 석빙고에서 얼음을 한여름에도 보관할 수 있었던 이유를 설명하고 있는 것이다.

2 에어 포켓은 석빙고 내부에서 더운 공기가 위쪽으로 뜨는 순간 그 공기를 가두어 놓는 역할을 한다. 에어 포켓에 갇힌 더운 공기는 에어 포켓 위쪽에 설치된 환기구를 통해 밖으로 빠져나가게 된다. 그러나 ①에서와 같이 에어 포켓에 갇힌 공기가 석빙고 천장 부분의 온도를 낮추는 역할을 한다는 설명은 이 글에 나오지 않는다.

오답 풀이 ② ㉮의 마지막 문장에 겨울에 부는 찬바람이 날개벽에 부딪히면 소용돌이로 변한다고 나와 있다.

③ ㉰에 제시된 석빙고 내부의 배수로에 대한 설명에서 확인할 수 있는 내용이다.

④ ㉰에 빗물이 석빙고 안으로 새어 들어가는 것을 막으려고 석빙고를 석회와 진흙으로 둘러쌌다는 내용이 제시되어 있다.

⑤ ㉰에 석빙고 외부에 잔디를 심어 햇빛을 흐트러뜨림으로써 열전달을 방해하는 효과를 거두었다는 설명이 나와 있다.

[3~4]

• **해제** 이 글은 우리 민화의 특징에 대해 설명하고 있다. 민화에는 부귀, 화목, 장수 등을 빌었던 서민들의 마음이나 나쁜 기운을 물리치고자 하는 서민들의 바람이 담겨 있다. 그리고 괴롭고 고달픈 생활 속에서도 웃음을 잃지 않았던 한국인의 낙천성도 보여 준다. 이 글은 민화가 서민들의 소망과 미의식을 보여 준다는 점에 초점을 맞추어 내용을 전개하고 있다.

• **문단 요약**

㉮	민화의 창작 주체 및 소재와 표현상의 특징
㉯	민화에 담겨 있는 서민들의 소망
㉰	나쁜 기운을 물리치고자 하는 서민들의 바람이 담겨 있는 민화
㉱	일반 회화와 구별되는 민화만의 미적 특성
㉲	민화를 통해 엿볼 수 있는 서민들의 소망과 미의식

• **주제** 우리 민화의 특징

㉮ ㉠민화는 서민들 사이에서 유행한 그림으로, 전문 화가가 아니어도 누구나 그릴 수 있었고, 특정한 형식에 얽매이지 않았다. 민화에는 다양한 동식물이 소재로 사용되었는데, 서민들은 이러한 동식물을 청색, 백색, 적색, 흑색, 황색의 화려한 색으로 표현하였다.

(중심 화제 / 민화의 창작 주체 / 민화의 특징 / 민화의 소재 / 민화의 표현상의 특징)

▶ 민화의 창작 주체 및 소재와 표현상의 특징

㉯ 서민들은 민화에 소망을 담아 부귀, 화목, 장수를 빌었다. 예를 들어 부귀를 바랄 때에는 활짝 핀 맨드라미나 잉어를, 화목을 바랄 때에는 어미 새와 여러 마리의 새끼 새가 함께 있는 모습을, 장수를 바랄 때에는 바위나 거북 등을 그렸다.

(중심 문장 / 사례 ① / 사례 ② / 사례 ③)

▶ 민화에 담겨 있는 서민들의 소망

㉰ 민화에는 나쁜 기운을 물리치고자 하는 서민들의 바람도 담겨 있다. 나쁜 귀신을 쫓아내고 사악한 것을 물리치기 위해 해태, 닭, 개 등을 그렸다. 불이 나지 않기를 바라는 마음에서 전설의 동물 해태를 그려 부엌에 걸었다. 또 어둠을 밝히고 잡귀를 쫓아내기 위해 닭을 그려 문에 걸었다. 도둑이 들지 않기를 바라는 마음에서 개를 그려 곳간에 걸었다.

(중심 문장 / 사례 ① / 사례 ② / 사례 ③ / 사례 ④)

▶ 나쁜 기운을 물리치고자 하는 서민들의 바람이 담겨 있는 민화

㉱ 민화는 괴롭고 고달픈 생활 속에서도 웃음을 찾아낸 한국인의 낙천성을 보여 준다. 「슬픔과 아픔을 기쁨과 즐거움으로 승화하여 익살스럽고 신명 나는 작품으로 변모시킨 점은 일반 회화에서는 찾아볼 수 없는 민화만이 지니고 있는 미적 특성이라고 볼 수 있다.」

(중심 문장 / 「 」: 뒷받침 문장)

▶ 일반 회화와 구별되는 민화만의 미적 특성

마 민화에는 서민들의 소망과 미의식이 나타나 있다.(중심 문장) 현실에서 이루고 싶은 서민들의 소망이 솔직하고 소박하게 표현되어 있으며, 신비스러운 용을 할아버지처럼 그리거나 호랑이를 바보스럽게 표현하여 재미와 웃음을 찾고자 했던 서민들의 미의식이 잘 드러난다. ▶ 민화를 통해 엿볼 수 있는 서민들의 소망과 미의식

3 마에 제시된 민화의 특징은, 민화에 서민들의 소망과 미의식이 나타난다는 점이다. 민화가 대중화된 계기와 배경은 이 글에 드러나지 않는다.

4 민화는 전문 화가가 아니어도 누구나 그릴 수 있는 그림이며 특정한 형식에 얽매이지 않았다는 내용이 가에 제시되어 있다. 따라서 ②와 같이 전문 화원에 의해 주로 그려졌다고 이해하는 것은 적절하지 않다.

오답 풀이 ①은 가에, ③은 나에, ④는 다에, ⑤는 마에서 각각 확인할 수 있는 내용이다.

원리 02 내용 추론의 원리

바로 확인 본문 17~20쪽

1 ① **2** ③ **3** 작아질

1 밑줄 친 부분에서는 '샘플링이 오히려 힙합 발전의 발목을 잡을 수도 있다'고 하고 있다. 이 글에서는 이와 관련하여 우리나라의 일부 힙합 가수들이 샘플링을 쉽고 간단한 '복사하고 붙여 넣기' 방법 정도로 이해하고 있는 것을 문제 삼고, 이러한 샘플링은 표절 문제를 피하기 어렵다고 말하고 있다. 따라서 베끼기 수준의 샘플링은 표절 문제를 피하기 어렵다는 것을 근거로 하여 힙합 발전의 발목을 잡을 수 있다는 주장을 하는 것으로 볼 수 있다.

2 토기는 원시 시대에 쓰인 흙으로 만든 그릇이다. 이 글의 내용에 따르면 토기의 변화에 대해 연구한 결과, 후대로 갈수록 토기 두께가 상당히 얇아진다는 것이 밝혀졌다. 또한 토기에 남아 있던 곡물의 전분 함량이 점점 많아진다는 것도 발견됐다. 이를 통해 진화 고고학에서는 토기의 두께를 전분을 더 많이 포함한 곡물의 출현과 관련지어 설명한다. 토기의 두께가 얇으면 열이 잘 전달된다는 점과, 전분이 많은 곡물은 높은 온도에서 장시간 끓일 때 음식으로서의 가치가 높아진다는 점이 서로 연관이 있다고 본 것이다. 따라서 ㉡(진화 고고학)의 입장에서 ㉠(후대로 갈수록 토기의 두께가 얇아진 것)의 원인을 추론한다면, 전분이 많은 곡물의 출현에 적응하는 과정에서 토기가 얇아졌다고 보는 것이 가장 적절하다.

3 종이가 연소할 때, 산소와 반응하여 이산화 탄소와 수증기가 생성된다고 하였다. 기체인 이산화 탄소와 수증기는 공기 중으로 흩어지므로 연소 후 재의 질량이 연소 전 종이의 질량보다 작은 것이다. 〈보기〉에서도 발효시킨 밀가루 반죽을 구우면 다양한 화학 반응이 일어나면서 기체가 생성된다는 것을 알 수 있다. 이때 이산화 탄소, 수증기와 같은 기체는 공기 중으로 흩어지므로, 종이가 연소한 다음 남은 재의 질량이 종이보다 작아진 것처럼 빵을 만든 후의 질량도 만들기 전보다 작아질 것임을 추론할 수 있다.

원리 적용 본문 21~22쪽

1 ③ **2** ③ **3** 한정 **4** ② **5** ㉠: 큰, ㉡: 작은

[1~3]

- **해제** 이 글은 '자유재'와 '경제재'의 개념을 바탕으로 하여 자원의 희소성 문제를 제시하고, 자원의 희소성이 경제의 기본 문제를 발생시킨다는 사실을 설명하고 있다. 자유재와 경제재의 개념을 대비하여 설명하고 있으며, 구체적 사례를 들어 자유재가 경제재로 바뀌는 현상과 자원의 희소성으로 초래되는 경제의 세 가지 기본 문제를 제시하고 있다.
- **문단 요약**
  - 가 자유재와 경제재의 개념
  - 나 자원의 희소성 때문에 자유재가 경제재로 바뀌는 현상
  - 다 경제의 세 가지 기본 문제
- **주제** 자유재와 경제재의 개념 및 자원의 희소성으로 인해 초래되는 경제의 세 가지 기본 문제

가 햇빛이나 달빛, 더운 여름날의 시원한 바람과 같이 그 대가를 지불하지 않는 재화를 ㉠'자유재'라고 한다. 만약 모든 재화가 자유재라면 경제 문제는 발생하지 않을 것이다. 그러나 냉장고, 가방, 책 등 우리가 사용하는 대다수의 재화는 적절한 대가를 지불해야 하는 ㉡'경제재'이다. 경제재는 희소성(원인)을 갖기 때문에 경제 문제가 발생한다.(결과)
▶ 자유재와 경제재의 개념

나 자유재나 경제재가 언제나 절대적으로 구분되는 것은 아니다. 가령 예전에는 물이나 공기를 희소하지 않은 것으로 생각하고 공짜로 이용할 수 있는 자유재로 구분해 왔다. 그러나 이제는 깨끗한 물이나 맑은 공기는 더 이상 공짜로 가질 수 있는 재화가 아니다. 깨끗한 생수가 청량음료보다 비싼 경우도 많으며, 맑은 공기를 마시기 위하여 돈과 시간을 들여 휴양림을 찾아가는 것이 흔한 일이 되고 있다. 이는 깨끗한 물과 맑은 공기가(자유재나 경제재가 절대적으로 구분되지 않는 사례) 과거보다 희소해져서 나타난 현상이다.
▶ 자원의 희소성 때문에 자유재가 경제재로 바뀌는 현상

다 자원의 희소성 때문에(원인) 우리는 한정된 자원을 이용하여 어떻게 더 큰 만족과 행복을 얻을 것인가 하는 문제를(결과(경제 문제가 생김.)) 고민하지 않을 수 없다. 먼저 '무엇을 얼마나 생산할 것인가'(경제 문제 ①)의 문제가 있다. 이 결정이 이루어지면 '어떻게 생산할 것인가'(경제 문제 ②)를 선택해야 한다. 다음으로는 '누구를 위하여 생산할 것인가'(경제 문제 ③)를 선택해야 한다. 생산된 재화나 서비스를 사람들 간에 나누는 문제를 생각해야 하는 것이다. 이상의 세 가지 문제가 바로 ⓐ경제의 기본 문제이다.
▶ 경제의 세 가지 기본 문제

1 ㉠은 대가를 지불하지 않아도 되는 재화를 의미한다. 반면에 ㉡은 적절한 대가를 지불해야 하는 재화이다. 따라서 ㉠, ㉡은 차이점을 바탕으로 하여 서로 대비되는 대상임을 알 수 있다.

2 과거에 깨끗한 물이나 맑은 공기는 희소하지 않았기 때문에 자유재였다. 그러나 이제는 깨끗한 물이나 맑은 공기가 희소해 공짜로 가질 수 있는 재화가 아니다. 이러한 사실은 자유재로 구분되던 것이 희소성을 띠면 경제재로 구분될 수 있음을 나타낸다고 할 수 있다.

3 가의 마지막 문장을 통해 경제의 기본 문제가 발생하는 것은 자원의 희소성 때문임을 알 수 있다. 자원의 희소성은 자원이 한정되어 있어 모든 사람이 원하는 것을 다 가질 수 없음을 의미한다.

[4~5]

- **해제** 이 글은 팽이가 회전하는 원리를 제시한 후, 회전할 때 팽이가 쓰러지지 않는 이유를 과학적 원리를 바탕으로 하여 설명하고 있다. 팽이는 회전력이 약해지면 평형을 유지하려는 힘을 잃고 쓰러지게 된다. 반면에 회전력이 커지면 자이로의 원리에 의해 쓰러지지 않고 회전하게 된다. 팽이의 회전에는 마찰력이나 공기 저항도 영향을 주는데, 마찰력이나 공기 저항이 클수록 팽이의 회전 시간은 줄어들게 된다.
- **문단 요약**

가	오랜 시간 동안 놀이 기구로 이용되어 온 팽이
나	팽이채로 쳐서 팽이를 돌리는 원리
다	팽이가 회전할 때 쓰러지지 않는 원리
라	마찰력과 공기 저항이 팽이의 회전에 미치는 영향

- **주제** 팽이에서 알 수 있는 과학적 원리

가 땅이나 얼음판에서 하는 전통 놀이로 매우 인기가 높았던 것 중에 팽이치기(중심 화제)가 있다. 기록에 의하면 팽이는 삼국 시대에도 사용되었다고 한다.
▶ 오랜 시간 동안 놀이 기구로 이용되어 온 팽이

나 전통적인 팽이는 먼저 손으로 돌리고 재빨리 팽이채로 쳐서 돌게 한다.(팽이를 돌리는 방법) 마치 채찍질을 하는 것처럼 팽이채가 팽이의 몸을 순간적으로 감았다가 풀면서 팽이를 돌리게 된다. 팽이를 치면 회전력을 받은 팽이는 비스듬히 기울어져 돌아가지만 곧 똑바로 서게 되어 마찰로 인해 정지될 때까지 잘 돌게 된다. 돌던 팽이가 회전력이 약해져 쓰러지려 할 때, 다시 채로 쳐 회전력을 주면 구심력이 커진 팽이는 다시 서게 된다.
▶ 팽이채로 쳐서 팽이를 돌리는 원리

다 구심력이 큰 팽이가 쓰러지지 않고 회전하는 것은(결과) 빠르게 돌아가는 물체는 회전 관성 때문에 평형을 유지하려는 힘을 갖게 되기 때문이다.(원인) 그것은 마치 굴렁쇠를 천천히 굴리면 쓰러지지만 빨리 굴리면 똑바로 서는 것과 유사한 원리이다. 이처럼 회전하고 있는 물체가 회전축이 기울어지는 것에 저항하며 회전면의 위치를 유지하려고 하는 것을('자이로의 원리'의 개념) 자이로의 원리라고 한다.
▶ 팽이가 회전할 때 쓰러지지 않는 원리

라 회전하는 팽이는 바닥과의 마찰, 공기 저항에 의해(원인) 운동 에너지가 열에너지로 전환된다.(결과) 운동 에너지가 열에너지로 많이 전환될수록(원인) 팽이의 회전수가 감소하여 팽이는 결국 멈춰 쓰러지게 된다.(결과) 나무 팽이의 바닥에 쇠구슬을 박거나 얼음판 위에서 팽이를 돌리는 이유도 이 때문이다. 그렇다고 무조건 마찰력이 없는 것이 좋은 것은 아니다. 마찰력이 없다면 팽이의 선단부에서 바닥으로 아무런 힘을 작용하지 못하기 때문에(원인) / 팽이는 기울어질 것이고 그러면 계속 돌리기가 어려워 그대로 쓰러지고 말 것이다.(결과)
▶ 마찰력과 공기 저항이 팽이의 회전에 미치는 영향

4 굴렁쇠를 천천히 굴리면 이내 쓰러진다. 하지만 빠르게 굴리면 똑바로 서서 굴러가게 된다. 이것은 빠르게 회전하는 물체가 회전 관성 때문에 평형을 유지하려는 힘을 갖게 되기 때문이라고 설명하고 있다. 빠르게 회전하면 회전 관성이 강해 평형을 유지하려는 힘이 커지지만, 느리게 회전하면 회전 관성이 약해져 평형을 유지하려는 힘이 약해지는 것이다. 따라서 ②와 같이 굴렁쇠가 빠르게 굴러갈 때보다 천천히 굴러갈 때 회전 관성이 강하다고 추론하는 것은 적절하지 않다.

오답 풀이 ① 라 의 마지막 문장인 "마찰력이 없다면 팽이의 선단부에서 바닥으로 아무런 힘이 작용하지 못하기 때문에 팽이는 기울어질 것이고 그러면 계속 돌리기가 어려워 그대로 쓰러지고 말 것이다."에서 추론할 수 있다.

③ 다 의 마지막 문장인 "회전하고 있는 물체가 회전축이 기울어지는 것에 저항하며 회전면의 위치를 유지하려고 하는 것을 자이로의 원리라고 한다."에서 추론할 수 있다.

④ 나 의 마지막 문장인 "돌던 팽이가 회전력이 약해져 쓰러지려 할 때, 다시 채로 쳐 회전력을 주면 구심력이 커진 팽이는 다시 서게 된다."에서 추론할 수 있다.

⑤ 라 의 첫 문장인 "회전하는 팽이는 바닥과의 마찰, 공기 저항에 의해 운동 에너지가 열에너지로 전환된다."에서 추론할 수 있다.

5 이 글을 통해 회전하는 팽이는 바닥과의 마찰에 의해 운동 에너지가 열에너지로 전환된다는 것을 알 수 있다. 이때 마찰력이 더 커지면 팽이의 운동 에너지가 열에너지로 더 많이 전환될 것이다. 그렇게 되면 팽이가 멈춰 쓰러지기까지의 시간도 더 짧아진다. 따라서 팽이에 작용하는 마찰력이 큰 곳에서 팽이를 돌릴 때보다, 마찰력이 작은 곳에서 팽이를 돌릴 때 팽이가 도는 시간이 더 길다.

원리 03 내용 평가의 원리

바로 확인 본문 23~27쪽

1 ①　2 가: ㉡, 나: ㉠, 다: ㉣　3 ③
4 표현의 자유, 알 권리　5 ①

1 제시된 글은 읽기가 우리 생활에서 많은 부분을 차지하고 있음(현상)을 구체적인 사례를 들어 설명하고 있다.

오답 풀이 ② 글의 설명 방법 중 '분석'에 대한 설명이다. 제시된 글에는 분석의 설명 방법이 사용되지 않았다.

③ 제시된 글에는 읽기의 구체적 사례가 다양하게 나타나 있는 것이지, 이것들의 공통점과 그 이유에 대해서는 나와 있지 않다.

2 가에는 생강차를 끓이는 과정이 나타나 있다.
나는 서양과 동양에서 자연을 대하는 시각에 차이가 있음을 대비의 설명 방법을 사용하여 제시하고 있다.
다는 '소리를 내는 방법'이라는 일정한 기준에 따라 악기들을 관악기, 타악기, 현악기로 분류하고 있다.

3 제시된 글에서는 택시 기사와 버스 기사의 해마 크기를 연구한 결과를 근거로 하여, 경험이 해마의 크기에 영향을 미친다는 일반적 사실을 설명하고 있다.

오답 풀이 ① 경험이 해마의 크기에 영향을 미치는 과정은 나타나 있지 않다.

② 제시된 글에서는 경험의 차이에 따른 해마의 크기와 관련한 내용이 나타나 있을 뿐, 경험에 따라 해마의 크기가 달라지는 요인을 분석하는 내용은 나타나 있지 않다.

4 제시된 글에는 '잊힐 권리'에 대해 찬성하는 입장과 반대하는 입장의 주장이 나타나 있다. '잊힐 권리'가 법률로 정해지는 것에 대해 반대하는 입장에서는 표현의 자유가 침해될 수 있고, 국민의 알 권리가 침해될 수 있다는 것을 근거로 들고 있다.

5 톨스토이는 예술이 '감정을 전달하는 주요 수단'이라고 보았다. 그는 예술을 통해 전달되는 감정은 질이 좋아야 하며 한 사회를 좋은 방향으로 이끌어 나가야 한다고 하였는데, 이때 연대감이나 형제애가 질이 좋은 감정의 예라고 하였다. 반면 콜링우드는 예술이 '한 개인의 감정을 정리하는 수단'이라고 보았다. 예술의 목적이 감정의 전달에 있지 않고 감정을 정리하는 데에 있다고 본 것이다. 이와 같은 두 관점의 차이를 바탕으로 하면, ㉡의 입장에서 ㉠의 입장에 대해 예술의 목적이 연대감 형성에 있지 않고 감정의 정리에 있다는 말을 할 수 있음을 알 수 있다.

오답 풀이 ② 질 좋은 감정을 전달해야 한다고 한 것은 ㉠의 입장에 해당한다.

③ 예술과 감상자의 감정 형성과 관련한 내용은 제시된 글에는 나타나지 않는다.

원리 적용

본문 28~29쪽

1 인간의 삶, 위험한 상황, 도덕 **2** ② **3** ④ **4** ⑤

[1~2]

• **해제** 이 글에는 과학 기술 만능주의의 입장에 대한 비판적 입장이 나타나 있다. 과학 기술은 인류의 삶을 풍요롭고 편리하게 만드는 데 기여하였다. 이러한 과학 기술의 긍정적인 면에 주목하여 과학 기술이 인류의 모든 문제를 해결해 줄 것이라고 믿는 태도를 과학 기술 만능주의라고 한다. 글쓴이는 과학 기술이 인류를 위험한 상황에 빠트릴 수도 있음을 지적하며, 과학 기술이 해결해 줄 수 없는 문제도 많다고 말하고 있다. 특히 글쓴이는 과학 기술이 다룰 수 없는 삶의 가치, 의미, 목적과 관련하여 도덕의 역할에 관심을 가져야 한다고 주장하고 있다.

• **문단 요약**

(가) 과학 기술 만능주의의 입장

(나) 과학 기술이 인류를 위험에 빠트릴 수 있는 가능성 제시

(다) 삶에서 도덕의 역할에 대한 관심과 자신을 성찰하는 태도의 필요성 주장

• **주제** 과학 기술 만능주의의 입장에 대한 비판

(가) 오늘날 과학 기술의 발전에 힘입어 인간의 삶은 풍요롭고 편리해졌다. 이에 따라 과학 기술이 인간에게 유토피아, 즉 행복을 보장하는 이상 사회를 가져다줄 것으로 생각하는 사람들이 많아졌다. 이와 같이 생각하는 태도를 과학 기술 만능주의라고 한다. 과학 기술 만능주의의 태도는 과학 기술을 무비판적이고 맹목적으로 신뢰하게 하며, 과학 기술로 설명할 수 없는 것은 신뢰하지 않고 가치가 없다고 여기게 만든다.

(과학 기술 만능주의의 관점 / 과학 기술 만능주의의 관점 / 과학 기술 만능주의의 관점)

▶ 과학 기술 만능주의의 입장

(나) 그런데 과학 기술은 인류를 위험한 상황에 빠트릴 수 있다. ㉠유전자 변형 생물체는 병충해와 환경 변화에 강해 대량 생산을 할 수 있다는 장점이 있지만, 생태계의 질서를 어지럽힐 수 있다. 또 로봇 기술의 발전은 작업의 편의성을 높여 주지만 실업자를 대량으로 발생시킬 수 있다. 따라서 과학 기술의 긍정적인 면 외에 부정적인 면도 살펴야 한다.

(과학 기술의 부정적 측면)

▶ 과학 기술이 인류를 위험에 빠트릴 수 있는 가능성 제시

(다) 과학 기술이 없는 생활을 상상하기 어려울 정도로 과학 기술은 오늘날 우리의 삶과 밀접한 관계를 맺고 있지만, 우리 삶의 가치와 의미, 목적과 같이 과학 기술이 해결해 줄 수 없는 것들도 많다. 이러한 것들은 능동적이고 주체적인 삶의 태도를 지닐 때 얻을 수 있으므로 우리는 도덕의 역할에 관심을 기울이고, 자신을 성찰하는 태도를 지녀야 한다.

(과학 기술로 해결할 수 없는 것에 대한 해결책)

▶ 도덕의 역할에 대한 관심과 자신을 성찰하는 태도의 필요성 주장

1 글쓴이는 과학 기술이 우리의 삶을 풍요롭고 편리하게도 하지만, 인류를 위험한 상황에 빠트릴 수도 있다고 생각하고 있다. 또한 (다)에서는 삶의 가치, 의미, 목적과 같이 과학 기술이 해결해 줄 수 없는 것들도 많다고 말하고 있다. 따라서 과학 기술이 다룰 수 없는 문제를 해결하기 위해 우리가 도덕의 역할에 관심을 기울여야 한다고 강조하고 있다.

2 ㉠은 구체적인 사례들을 바탕으로 하여 결론을 제시하는 논증 방법인 귀납을 사용하고 있다. 제비, 참새의 구체적인 사례를 바탕으로 하여 '모든 새는 날개가 있다.'라는 결론을 이끌어 내는 것도 귀납에 해당한다.

오답 풀이 ①, ③, ④, ⑤는 모두 일반적 사실을 전제로 제시한 후, 그로부터 판단이나 결론을 제시하는 연역의 방법을 사용한 것들이다.

[3~4]

• **해제** 이 글은 윤리적 채식주의의 입장에서 육식의 윤리적 문제점을 개체론적 관점과 생태론적 관점으로 나누어 살피고 있다. 개체론적 관점에서는 동물이 인간처럼 존중받아야 할 독립적인 개체라는 점에 주목한다. 이러한 입장에서 독립적인 개체인 동물을 단순히 음식 재료로 여기는 인간 중심적인 시각에 문제를 제기하는 것이다. 그리고 생태론적 관점에서는 지구의 생명체들이 유기적으로 존재한다는 점에 주목한다. 이러한 관점에서 대량 사육이 지구 생명체를 위협하기 때문에 윤리적으로 문제가 있다고 보는 것이다.

• **문단 요약**

(가) 윤리적 채식주의의 기본 입장

(나) 개체론적 관점에서 바라본 육식의 윤리적 문제점

(다) 생태론적 관점에서 바라본 육식의 윤리적 문제점

• **주제** 윤리적 채식주의의 두 관점과 각각의 관점에서 바라본 육식의 윤리적 문제점

가 오랫동안 인류는 동물들의 희생이 따르는 육식을 당연하게 여겨 왔으며 이는 지금도 진행 중이다. 그런데 이에 대해 윤리적 문제를 제기하며 채식을 선택하는 경향이 생겨났다. 이를 취향이나 종교, 건강 등의 이유로 채식하는 입장과 구별하여 '윤리적 채식주의'라고 한다. 이러한 관점에서 볼 때, 육식의 윤리적 문제점은 무엇인가?

중심 화제

▶ 윤리적 채식주의의 기본 입장

나 육식의 윤리적 문제점은 크게 ㉠개체론적 관점과 ㉡생태론적 관점으로 나누어 살펴볼 수 있다. 개체론적 관점에서 볼 때, 동물은 인간처럼 존중받아야 할 독립적인 개체로 주체적인 생명을 꾸려 나갈 권리가 있는 존재이다. 또한 동물도 쾌락과 고통을 느끼는 개별 생명체이므로 그들에게 고통을 주어서도, 생명을 침해해서도 안 된다. 요컨대 독립적인 개체인 동물을 단순히 음식 재료로 여기는 인간 중심주의적인 시각은 윤리적으로 문제가 있다고 본다.

개체론적 관점에서 본 동물

개체론적 관점에서 본 육식의 윤리적 문제점

▶ 개체론적 관점에서 바라본 육식의 윤리적 문제점

다 한편 생태론적 관점에서 볼 때, 지구의 모든 생명체들은 개별적으로 존재하는 것이 아니라 서로 유기적으로 연결되어 존재한다. 따라서 각 개체로서의 생명체가 아니라 유기체로서의 지구 생명체가 인간에게 유익한지 여부가 인간 행위의 도덕성을 판단하는 기준이 되어야 한다고 본다. 가령 대량 사육을 바탕으로 한 공장제 축산업은 인간에게 풍부한 음식 재료를 제공하지만 토양, 수질, 대기 등의 환경을 오염시켜 지구 생명체를 위협하므로 윤리적으로 문제가 있다고 보는 것이다.

생태론적 관점에서 본 동물(생명체)

개체론적 관점과 생태론적 관점의 차이점이 나타나는 부분

생태론적 관점에서 본 윤리적 육식의 문제점

▶ 생태론적 관점에서 바라본 육식의 윤리적 문제점

3 이 글에서는 윤리적 채식주의의 기본 입장을 제시한 후, '육식의 윤리적 문제점'이라는 중심 화제를 소개하고 있다. 그리고 이러한 중심 화제에 대한 두 관점인 개체론적 관점과 생태론적 관점을 소개한 후, 각각의 입장에서 바라본 육식의 윤리적 문제점을 제시하고 있다.

오답 풀이 ① 가설과 현상에 대한 분석은 이 글에 나타나지 않는다.

② 이 글은 '육식의 윤리적 문제점'을 바라보는 두 관점을 소개하고 있을 뿐이다. 중심 화제에 관해 문제점을 지적하거나 해결 방안을 모색하는 내용은 제시되어 있지 않다.

③ 이 글은 설명하는 글이다. 논의의 필요성을 주장하거나 서로 다투는 중심이 되는 점인 쟁점은 나타나지 않는다.

⑤ 윤리적 채식주의에 대한 두 관점이 각각 제시되어 있을 뿐 이론의 발전 과정과 전망은 드러나지 않는다.

4 ㉠의 입장에서는 동물들이 독립적인 개체임에 주목하여 육식의 윤리적 문제점을 지적한다. 반면에 ㉡의 입장에서는 생명체들 간의 유기적 관계를 고려하여 육식의 윤리적 문제점을 제시한다. 이와 같은 차이점을 고려하면, ㉡의 입장에서 ㉠의 입장에 대해 동물들의 독립적인 개체성이 아니라 생명체들 간의 유기적 관계를 고려하여 육식의 윤리적 문제점을 판단해야 한다고 말할 수 있을 것임을 알 수 있다.

오답 풀이 ① ㉠과 ㉡ 모두 윤리적 채식주의의 입장에서 동물의 희생이 수반되는 육식을 거부하므로, 동물들의 희생을 가치 있는 것으로 여겨야 한다는 생각과는 거리가 멀다.

② 윤리적 채식주의에 대한 일반적인 설명이므로, 비판하는 내용이 아니다.

③ 동물이 쾌락과 고통을 느끼는 개별적인 생명체이므로, 동물의 권리를 존중해야 한다는 것은 ㉠의 입장이다.

④ ㉠과 ㉡ 모두 육식의 윤리적 문제점을 지적하는 내용이므로, 육식이 꼭 필요한 경우가 있다는 점을 유념해야 한다는 내용과는 거리가 있다.

원리 04 내용 적용의 원리

바로 확인 본문 30~31쪽

1 ① **2** ㉠: 압력, ㉡: 대기압, ㉢: 작아졌기 / 낮아졌기

1 이 글에서는 '준거점'의 개념을 제시한 후, 사람들이 준거점에 의존하여 이익과 손실의 가치를 판단한다는 것을 사례를 들어 설명하고 있다. 이를 선지에 제시된 사례에 적용하면, 원래 용돈인 만 원을 기준으로 100% 오른 이만 원을 받게 된 영희의 만족감이 가장 클 것이라고 할 수 있다.

오답 풀이 ② 영호는 용돈이 오만 원에서 육만 원으로 올랐으므로 20% 오른 것이라 볼 수 있다.

③ 인수는 매달 용돈이 이만 오천 원에서 삼만 오천 원으로 40% 인상되었다.

2 제시된 글에서는 액체나 기체가 압력이 높은 곳에서 낮은 곳으로 이동하는 원리를 바탕으로 하여 분무기의 작동 원리를 설명하고 있다. 이 내용을 〈보기〉에 적용하여 확인해 보면, 빨대 B에 공기를 불면 공기가 빠르게 빠져나가면서 빨대에서 공기가 빠져나온 영역인 [가] 영역의 압력이 낮아진다. 이때 [가] 영역의 압력이 용액을 누르는 대기압보다 작아지면 빨대 A의 아래쪽에서 위쪽으로 용액이 올라온다.

원리 적용 본문 32쪽

1 ③ 2 ①

[1~2]

• **해제** 이 글은 물이나 공기 같은 유체 속에서 물체가 낙하할 때 작용하는 중력과 부력의 개념과 원리에 대해 설명하고 있다. 중력은 지구가 물체를 끌어당기는 힘으로 물체가 낙하하는 동안 일정하다. 물체에 작용하는 중력의 크기를 '무게'라고 하는데, 무게는 물체의 고유한 양인 '질량'과 구별된다. 그리고 액체나 기체 속에 들어 있는 물체에 중력과 반대 방향으로 작용하는 힘이 부력이다. 물체에 작용하는 부력은 물에 잠긴 부분의 부피가 클수록 커진다.

• **문단 요약**

(가) 중력과 무게, 질량의 개념

(나) 부력의 개념과 원리

• **주제** 중력과 부력의 개념과 원리

(가) 어떤 물체가 물이나 공기와 같은 유체 속에서 낙하하면 물체에는 중력, 부력 등이 작용한다.(일반적 사실(원리)) 중력은 지구가 물체를 끌어당기는 힘으로,(중력의 개념) 물체가 낙하하는 동안 일정하다. 물체에 작용하는 중력의 크기를 '무게'라고 하며(무게의 개념) 단위는 힘의 단위와 같은 N(뉴턴)을 사용한다. 물체의 무게는 장소에 따라 달라질 수 있다.(중력의 크기(무게)는 장소에 따라 다름.) 예를 들어 중력의 크기가 지구의 1/6배인 달에서는 물체의 무게 또한 지구에서의 1/6이 된다. 그런데 무게와 달리 물체가 가지고 있는 고유한 양은 변하지 않는다. 장소가 달라져도 변하지 않는 물체의 고유한 양을 '질량'이라고 하며(질량의 개념) 단위는 주로 kg(킬로그램)을 사용한다. 물체의 질량에 물체가 운동할 때 중력의 작용으로 생기는 중력 가속도를 곱한 값이 물체의 무게가 된다. ▶ 중력과 무게, 질량의 개념

(나) 액체나 기체 속에 들어 있는 물체는 그 액체나 기체로부터 위로 밀어 올리는 힘을 받는데, 이 힘을 부력이라고 하며(부력의 개념) 부력은 중력과 반대 방향으로 작용한다. 크고 무거운 배가 물에 뜰 수 있는 것도 배에 부력이 작용하기 때문이다. 물체에 작용하는 부력은 물에 잠긴 부분의 부피가 클수록 커진다.(부력의 크기는 물에 잠긴 부분의 부피에 따라 다름.) 물에서 물체에 작용하는 부력이 중력보다 크면 물체가 물에 뜨고, 부력이 중력보다 작으면 가라앉는다. ▶ 부력의 개념과 원리

1 달은 중력의 크기가 지구의 1/6이다. 물체의 질량에 중력 가속도를 곱한 것이 물체의 무게가 된다. 질량은 장소가 달라져도 변하지 않는다. 이를 종합해 보면 달에서의 중력의 크기(무게)는 지구에서보다 작으므로 달에서 질량이 1kg인 물체에 작용하는 중력 가속도는 지구에서 질량이 1kg인 물체에 작용하는 중력 가속도보다 작다는 것을 알 수 있다.

오답 풀이 ① 이 글을 통해서는 알 수 없는 내용이다.

② 이 글을 통해서는 질량이 같고 부피만 다른 공의 경우 부력이 동일한지 그렇지 않은지 알 수 없다. 물에 잠긴 부분의 부피가 클수록 물체에 작용하는 부력이 커진다는 사실만 제시되어 있을 뿐이다.

④ 물체에 작용하는 중력의 크기는 무게이다. 물체의 무게는 장소에 따라 달라진다고 하였다.

⑤ 달에서 물체의 무게는 지구에서의 1/6이 된다고 하였다.

2 물체에 작용하는 부력은 물에 잠긴 부분의 부피가 클수록 크다고 하였다. A보다 B가 물속에 잠긴 나무토막의 부피가 더 크므로 B의 나무토막에 작용하는 부력이 A보다 더 크다고 할 수 있다.

오답 풀이 ② (나)를 통해서는 알 수 없는 내용이다.

③, ④ 물에서 물체에 작용하는 중력이 부력보다 크면 물체가 가라앉는다고 하였으므로, 잘못된 설명이다. A와 B는 모두 나무토막에 작용하는 부력이 중력보다 크기 때문에 물에 떠 있는 것이다.

⑤ (나)를 통해서는 A와 B의 나무토막에 부력이 작용한다는 사실만 알 수 있을 뿐, 부력의 크기가 시간에 따라 변화하는지는 알 수 없다.

인문 01 면에 담긴 세계사

본문 34~35쪽

1 ③ **2** ⑤ **3** 교류/접촉, 독특/다양

지문 이해 ① 기원 ② 전파 ④ 나라

어휘 확인하기 (1) 접촉 (2) 교류 (3) 적합하다

① 끊어질 듯 길게 이어지는 가느다란 모양과 '후루룩' 하며 입안으로 빨려 들어올 때의 소리, 그리고 탱글탱글한 식감. 흔히 국수라고도 부르는 면은 어떻게 우리의 식탁까지 오르게 된 것일까? 면이 언제 어디에서 처음 만들어졌는지 정확한 기록은 없지만, 고고학자들은 그 기원이 밀의 재배와 관련이 깊다고 본다. 『밀은 다른 곡물에 비해 반죽을 탄력 있게 만드는 글루텐이 풍부해서 국수를 만들기가 쉬웠을 것이기 때문이다.』 따라서 기원전 7000년 무렵부터 밀이 재배되기 시작한 메소포타미아에서 국수가 탄생했다고 추측하고 있다.

(중심 화제 / 『 』: 면의 기원이 밀의 재배와 관련이 깊은 이유 / 문제 1 - ① 관련)

▶ 면의 기원에 대한 추측

② 이후 국수를 만드는 기술은 밀과 함께 발칸 반도를 거쳐 유럽으로, 실크 로드를 거쳐 중국으로도 전해졌다. 전문가들은 이때 국수가 중국 특유의 탕이나 찜 요리 문화와 만나면서 끓는 물에 조리하기 적합한 지금의 형태로 발전했다고 말한다. 1,400여 년 전 위진남북조 시대에 쓰인 《제민요술》에는 국수를 '물에서 잡아 늘인 밀가루 음식'이라는 뜻의 '수인병'이라 부른 기록이 나타난다. 한편 중국 남부에서는 밀 대신 주요 경작물인 쌀을 이용해 국수를 만드는 법이 개발되었고, 이 쌀국수는 태국과 베트남 등 동남아시아 지역으로 전파되었다. 재미있는 점은 중국과 히말라야 산맥으로 가로막힌 ㉠인도에는 국수 문화가 없다는 것인데, 이를 통해 국수의 전파 경로는 문명의 접촉과 교역의 경로와 일치한다고 짐작해 볼 수 있다.

(문제 1 - ② 관련 / 쌀국수가 생겨난 배경 / 문제 1 - ③ 관련 / 문제 2 - ⑤ 관련)

▶ 면의 전파와 그 특징

③ 우리나라에 국수가 전파된 것은 고려 시대로 추정된다. '면'이라는 글자가 처음 등장한 것이 고려 시대이기 때문이다. 역사책인 《고려사》에는 "제례에 면을 쓰고 사원에서 국수를 만들어 팔았다."라는 기록이 있다. 이를 바탕으로 하여 『많은 학자들은 송나라를 오가던 고려의 승려들이 중국의 국수를 접하고 돌아와 이를 만들어 먹기 시작했을 것으로 보고 있다.』 당시에는 밀이 매우 귀해서 메밀이나 녹두를 국수의 주재료로 사용하였는데, 이후 메밀이 많이 생산되는 북쪽 지방에서는 메밀가루로 만든 국수나 냉면 요리가 발달하기도 했다.

(『 』: 문제 1 - ⑤ 관련, 중국에서 우리나라로 면이 전해진 과정 / 문제 1 - ④ 관련 / 경작물에 따라 면 요리가 다르게 발달함.)

▶ 우리나라에 전파된 면

④ 인류 최초의 문명과 함께 탄생한 면은 이렇게 문명과 문명 사이의 교류에 의해 전 세계로 퍼져 나갔고 각 나라의 입맛에 맞게 독특한 형태로 발전해 왔다. 이런 점에서 볼 때, 오늘날 우리가 즐기는 다양한 면 요리는 동서 문명의 합작품이라고도 말할 수 있을 것이다.

(문제 3 관련)

▶ 각 나라에 맞게 발전된 면

해제 | 이 글은 면(국수)이 탄생하고 전파된 과정을 제시하고 면 요리가 각 나라에 맞게 독특한 형태로 발전되어 왔음을 설명하고 있다.

주제 | 면(국수)의 기원과 전파

1 2문단에서 중국 남부에서는 밀 대신 주요 경작물인 쌀로 쌀국수를 만들었고, 이 쌀국수가 동남아시아 지역으로 전파되었다고 하였다.

오답 풀이 ① 1문단을 통해 기원전 7000년 무렵 메소포타미아에서 밀 재배가 시작되었음을 알 수 있다.
② 2문단에서 국수를 만드는 기술이 밀과 함께 유럽 및 중국으로 전파된 경로를 설명하였다.
④ 3문단에서 밀이 귀했던 고려 시대에는 밀보다는 메밀이나 녹두를 주재료로 하여 면을 만들었다고 하였다.
⑤ 3문단에서 학자들은 송나라를 오가던 고려의 승려들이 중국의 국수를 접하고 고려에 전파하는 역할을 했을 것으로 보고 있음을 알 수 있다.

2 이 글에서는 중국과 인도가 히말라야 산맥으로 가로막혀 있다는 점을 바탕으로 하여 국수의 전파 경로가 문명의 접촉이나 교역의 경로와 일치한다고 짐작하였다. 따라서 이 글에 따르면, 중국의 국수 문화가 인도에 전파되지 않은 것은 지형적으로 인도가 중국과 교류하기 어려운 위치에 있었기 때문이라고 할 수 있다. ①, ②, ③, ④는 이 글에서 알 수 없는 내용이다.

3 이 글은 면의 기원과 전파 과정을 다루고 있으며, 전파 과정에서 면이 각 나라에 맞게 발전해 왔음을 알 수 있다고 제시하였다. 이러한 중심 내용이 가장 잘 드러난 문장은 4문단에서 찾을 수 있다.

어휘 확인하기

(1) '전파'는 "전하여 널리 퍼뜨림."이라는 뜻이다.
(2) '경로'는 "지나는 길."이라는 뜻이다.
(3) '합작하다'는 "어떠한 것을 만들기 위하여 힘을 합하다."라는 뜻이다.

인문 02 토론은 말싸움이 아니다

본문 36~37쪽

1 ② **2** ④ **3** (가): 논제가 평서형 문장이 아닌 의문형 문장으로 되어 있다.
(나): 논제가 현재의 상황을 바꾸는 쪽으로 정의되지 않았다.

지문 이해 ① 토론 ② 종류/유형 ③ 원칙 ④ 자세

어휘 확인하기 (1) ① (2) ③ (3) ②

① 토론을 말싸움으로 생각하는 사람들이 종종 있다. 토론은 말로 싸우는 것이 아니라, 논리로 우열을 겨루는 것이다. 여기서 논리란 근거를 통해 주장의 타당성을 입증해야 한다는 의미이며, 우열을 겨룬다는 것은 어느 쪽의 논리가 더 나은 것인지를 판단한다는 의미이다. 『토론에서 논리적 우위를 차지하기 위해서는 토론의 논제에 대해 제대로 파악하고 다양한 자료를 검토하여 설득력 있게 자신의 주장을 펼치는 것이 중요하다.』

(중심 화제 / 토론에 대한 잘못된 생각 / 토론의 올바른 의미 / 토론에서 논리의 의미 / 문제 1 – ③ 관련, 논리로 우열을 겨룬다는 것의 의미 / 『 』: 토론에서 논리적 우위를 차지하는 방법)

▶ 토론의 올바른 의미

② 토론에서 논제는 의견을 나눌 거리로, 일반적으로 『㉠정책에 대한 것, ㉡가치에 대한 것, ㉢사실에 대한 것』으로 구분된다. 실제 토론의 논제는 정책에 대한 것이 가장 많은데, 구체적인 사안에 대해 문제점과 해결 방안을 중심으로 하여 논리의 우열을 따지기에 적합하기 때문이다. 무엇이 좋고 나쁜지, 무엇이 옳고 그른지 등의 관점을 다루는 가치 논제나 증거를 통해 참인지 거짓인지 사실 입증을 다루는 사실 논제도 토론의 논제로 사용되기도 한다.

(논제의 의미 / 『 』: 논제의 종류(유형) 3가지 / 정책 논제에서 다루는 내용 / 가치 논제에서 다루는 내용 / 문제 2 – ④ 관련, 사실 논제에서 다루는 내용)

▶ 논제의 개념과 종류(유형)

③ 논제는 찬성 측과 반대 측의 입장이 명확히 구분되도록 평서형 문장으로 하는 것이 원칙이다. 또한 논제는 '만 18세 청소년에게 선거권을 주어야 한다.'와 같이 현재의 상태를 바꾸는 쪽으로 정의되며 감정적 표현이 담기면 안 된다. 토론에서 타당성을 입증해야 하는 부담은 논제를 찬성하는 쪽에 있고, 논리적으로 반박해야 하는 부담은 반대쪽에 있다. 논제에 대한 자신의 입장을 정할 때는 이러한 부담을 고려해야 한다.

(문제 3 – (가) 관련, 논제 구성의 원칙 ① / 문제 3 – (나) 관련, 논제 구성의 원칙 ② / 문제 1 – ④ 관련, 찬성 측이 현재 상태에 대한 변화를 주장하므로 입증 책임이 있음.)

▶ 논제를 구성하는 원칙

④ 토론의 논제에 대해 찬성할지, 반대할지는 다양한 자료를 통해 마련한 논리적 근거를 바탕으로 하여 결정해야 한다. 이때 근거 자료는 자신의 입장을 뒷받침할 수 있는 것이면서, 보편적으로 인정할 수 있고 믿을 만한 것이어야 한다. 실제로 있었던 일이나 전문가의 의견, 과학적으로 증명된 사실 등이 그러한 자료의 대표적 예이다. 또한 토론에서 논리만큼 중요한 것은 토론에 임하는 자세이다. 토론이 논리로 우열을 가리는 것이기는 하지만, 상대방에 대한 존중 없이 자신의 입장만 내세우는 것은 토론이 아니라 말싸움이라는 것을 명심해야 한다.

(문제 1 – ⑤ 관련, 토론의 근거가 될 수 있는 자료 / 문제 1 – ⑤ 관련, 토론의 근거 자료 예시 / 문제 1 – ① 관련, 토론에 임하는 바람직한 자세)

▶ 토론을 위한 준비와 토론에 임하는 자세

해제 | 이 글은 토론의 올바른 의미를 밝히고 논제의 종류와 논제에 대한 자신의 입장을 정하는 방법 등에 대해 설명하고 있다.

주제 | 논리로 우열을 가리는 과정인 토론

1 토론에서 사회자가 담당하는 역할에 관한 내용은 이 글에 나타나지 않는다.

오답 풀이 ① 4문단에서 상대방을 존중하는 것이 토론에 임하는 바람직한 자세라고 하였다.
③ 1문단에서 토론에서 우열을 겨룬다는 것은 어느 쪽의 논리가 더 나은 것인지를 판단한다는 의미라고 하였다.
④ 3문단에서 타당성을 입증해야 하는 부담은 논제를 찬성하는 쪽에 있다고 하였다.
⑤ 4문단에서 토론에서 논리적 근거가 될 수 있는 자료의 예로 실제로 있었던 일, 전문가의 의견, 과학적으로 증명된 사실 등을 제시하였다.

2 '쓰레기통을 없애면 쓰레기 배출량이 줄어든다.'라는 논제로 토론을 한다면, 찬성 측은 쓰레기통을 없애면 실제로 쓰레기가 줄어든다고 주장할 것이며 반대 측은 논제의 내용이 거짓이라고 주장할 것이다. 따라서 이 사례는 참인지 거짓인지 사실을 입증하는 논제(㉢)에 해당한다. 무엇이 좋고 나쁜지, 또는 옳고 그른지 등의 관점을 중요시하는 문제(㉡)가 아니다.

오답 풀이 ① 사형 제도의 폐지는 구체적인 사안을 다루는 정책 논제에 해당한다.
② 동물원 허가제를 도입하는 일은 구체적인 사안에 해당하므로 정책 논제에 해당한다.
③ 환경 보전과 경제 발전 중 어느 것을 더 중요하게 바라보는지에 대해 다루므로 관점을 중시하는 가치 논제에 해당한다.
⑤ 외계 생명체가 존재하는 것이 사실인지 아닌지를 입증하는 것이므로 사실 논제에 해당한다.

3 3문단의 내용을 통해 (가)는 의문형 문장이라는 점에서, (나)는 논제가 현재의 상태를 바꾸는 쪽으로 정의되지 않았다는 점에서 적절하지 않다는 것을 알 수 있다.

어휘 확인하기

(1) '고려하다'는 '개인 일정을 고려하여 모임 날짜를 잡다.'와 같이 쓰인다.
(2) '겨루다'는 '육상 선수들이 승부를 겨루고 있다.'와 같이 쓰인다.
(3) '입증하다'는 '무죄를 입증하다.'와 같이 쓰인다.

사회 03 지속 가능한 관광을 위하여

본문 38~39쪽

1 ⑤ **2** ①

지문 이해 ① 관광, 자연환경 ② 개념, 요소 ③ 지속 가능성 ④ 사례, 가치

어휘 확인하기 (1) 훼 (2) 용 (3) 생

① 세계적으로 알려진 관광 자원인 알프스 산맥에는 연간 수천만 명의 관광객이 방문한다. 『이렇게 많은 관광객을 수용하기 위해 현지에서는 앞다퉈 리조트를 짓고 케이블카를 설치했는데, 이 과정에서 알프스의 수많은 나무들이 베이고 숲은 망가졌다. 관광 산업이 성장할수록 자연환경이 더 많이 훼손되어 가는 것이다.』 물론 자연환경의 훼손이 관광 산업에 영향을 미치는 경우도 있어 관광 산업과 자연환경은 서로 밀접한 관련이 있다고 할 수 있다. 이런 점에서 볼 때 세계 관광 인구가 빠른 속도로 증가하고 있는 현재의 상황에서 자연환경의 훼손을 막는 것은 인류 전체가 하루빨리 해결해야 할 과제라고 볼 수 있다.

(『 』: 관광 산업으로 자연환경이 훼손된 사례 / 문제 2 – ① 관련 / 사례를 통해 알 수 있는 관광 산업과 자연환경의 관계 / 문제 1 – ① 관련, 관광 산업과 관련된 현황 / 자연환경 훼손 문제 해결의 중요성)

▶ 관광 산업과 자연환경의 밀접한 관계

② 이러한 문제의식을 바탕으로 하여 최근에는 생태 관광이라는 새로운 관광 개념이 등장하였다. 에코투어리즘이라고도 불리는 생태 관광은 관광과 자연의 상생에 목표를 두고 미래 지향적 관광을 추구한다. 이는 생태 관광을 규정하는 세 가지 요소에 잘 드러난다. 첫째 자연에 바탕을 두어야 하며, 둘째 생태적 가치를 배울 수 있어야 하고, 셋째 지속 가능한 형태로 관리되고 운영되어야 한다. 이 세 요소 중 하나라도 충족되지 않으면 생태 관광이라고 불릴 수 없다.

(중심 화제 / 문제 1 – ② 관련, 생태 관광의 목표 / 생태 관광을 규정하는 3가지 요소)

▶ 생태 관광의 개념과 생태 관광을 규정하는 요소

③ 생태 관광의 세 가지 요소 가운데 가장 강조되는 것은 지속 가능성이다. 여기서 지속 가능하다는 것은 환경적으로, 경제적으로, 사회 문화적으로 지속성을 지닌다는 의미이다. 관광 산업이 자연환경을 훼손하지 않고 보전하며 이루어지는지, 관광지의 지역 경제를 활성화시키는지, 지역 문화와 지역 주민을 존중하고 배려하며 이루어지는지를 확인함으로써 관광 산업이 현재만이 아닌 미래를 위한 산업으로 변모하게 하는 것이다.

(문제 1 – ④ 관련 / 생태 관광에서 지속 가능성의 의미 / 환경적 지속 가능성의 의미 / 문제 1 – ③ 관련, 경제적 지속 가능성의 의미 / 문제 1 – ⑤ 관련, 사회 문화적 지속 가능성의 의미)

▶ 생태 관광에서 가장 강조되는 지속 가능성의 의미

④ 우리나라에서도 생태 관광이 점차적으로 확대되고 있다. 예를 들어 전라남도 신안군 증도는 문화와 자연이 잘 보존된 점을 세계적으로 인정받아 '슬로 시티'로 지정된 것을 내세우는 한편, 증도를 '차 없는 섬', '별 보는 섬'으로 조성하여 공해 없는 환경을 유지하고 지역의 전통을 결합한 다양한 관광 상품을 개발하여 주민들의 경제적 이익을 도모하고 있다. 이러한 노력들은 『현 세대의 관광 욕구를 충족시키는 동시에 미래 세대의 관광 기회를 보호하는 것으로서 그 가치를 인정받고 있다.』

(생태 관광의 사례 / 환경적 지속성 / 사회 문화적 지속성 / 경제적 지속성 / 『 』: 생태 관광의 가치)

▶ 생태 관광의 사례와 생태 관광의 가치

해제 | 이 글은 관광 산업의 성장 때문에 발생하는 환경 문제를 지적하고 이를 해결하기 위해 등장한 생태 관광에 대해 설명하고 있다.

주제 | 관광과 환경의 상생을 추구하는 생태 관광

1 3문단에서는 생태 관광의 중요한 요소인 지속 가능성을 설명하면서 생태 관광은 지역 문화와 지역 주민을 존중하고 배려하며 이루어진다고 하였다. 따라서 관광객의 욕구를 지역민의 상황보다 우선시한다고 볼 수 없다.

오답 풀이 ① 1문단에서 세계 관광 인구가 빠른 속도로 증가하고 있다고 제시하였다.
② 2문단에서 생태 관광은 관광과 자연의 상생에 목표를 두고 미래 지향적 관광을 추구한다고 하였다.
③ 3문단에서 생태 관광은 관광지의 지역 경제를 활성화시킬 수 있어야 한다고 하였다.
④ 3문단에서 생태 관광의 세 가지 요소 가운데 가장 강조되는 것은 지속 가능성이라고 하였다.

2 (가)는 대서양의 오염으로 핼리팩스의 관광 산업이 위축된 사례이다. 이는 1문단에서 언급한 '자연환경의 훼손이 관광 산업에 영향을 미치는 경우'에 해당하므로 (가)를 1문단에 활용하는 것은 적절하다.

오답 풀이 ② 훼손된 자연환경을 복구하는 것에 관한 내용은 (가)에서 찾을 수 없다.
③ (가)는 자연환경과 관광 산업이 상생하지 못한 사례이므로 적절하지 않다.
④ (나)의 제주 올레길이 지역의 경제적 수익을 극대화하는 관광 형태인지는 제시된 글만으로 알 수 없다. (나)는 자연환경을 훼손하지 않고 보전한 사례로, 환경적 지속성을 보여 준다.
⑤ (나)에서는 자연 그대로의 모습을 살려 조성한 관광지인 제주도의 올레길에 대해 설명하고 있다. 제주 올레길은 전통 문화와 관광 산업이 결합한 것이 아니라, 자연환경을 유지하는 방향으로 조성된 것이다.

어휘 확인하기

(1) '훼손'은 '문화유산의 훼손을 막아야 한다.'와 같이 쓰인다.
(2) '수용하다'는 '관객을 수용하다.'와 같이 쓰인다.
(3) '상생'은 '중소기업과 대기업이 상생하다.'와 같이 쓰인다.

사회 04 지도가 거짓말을 한다고?

본문 40~41쪽

1 ③ **2** ②

지문 이해 ① 지도 투영 방법/도법 ② 메르카토르 ③ 몰바이데

어휘 확인하기 ● ③

① 우리가 살고 있는 지구는 둥글다. 이처럼 「구의 형태인 3차원의 지구 표면을 2차원의 평면 지도로 그리기 위해 고안된 방법을 지도 투영 방법, 또는 도법이라고 한다.」(「」: 지도 투영 방법(도법)의 의미; 중심 화제) 지도를 그릴 때 지점 사이의 방향, 구역의 면적, 거리 중에서 어떤 것에 초점을 맞추어 표현하는가에 따라 도법의 종류가 달라진다. 방향, 면적, 거리 모두를 동시에 완벽하게 표현할 수 있는 도법은 아직까지 없으며, 따라서 어떤 도법을 선택하느냐에 따라 왜곡이 발생하는 양상도 다르게 나타난다.(문제 1 - ③ 관련)

▶ 지도 투영 방법(도법)의 의미와 지도를 그릴 때 왜곡이 생기는 이유

② 우리가 흔히 보는 세계 지도는 메르카토르 도법으로 그린 것이다. 메르카토르 도법은 두 지점 간의 정확한 각도 표현에 초점을 맞춘 것으로(문제 2 - ④ 관련, 각도 표현을 중시하는 메르카토르 도법) 출발지와 목적지를 직선으로 연결하면 직선 항로를 쉽게 찾을 수 있다.(문제 2 - ③ 관련, 메르카토르 도법으로 그린 지도의 장점) 따라서 이 도법은 대항해 시대에 항해사에게 매우 유용하였다. 그러나 각도를 정확하게 유지하면서 둥근 구를 직사각형 종이에 반듯하게 펼치다 보니 적도 부근은 거의 실제에 가깝지만 고위도로 갈수록 땅의 면적이 부풀려지고 형태도 왜곡된다.(문제 2 - ① 관련; 메르카토르 도법으로 그린 지도의 단점) 메르카토르 도법으로 그린 지도에서 북극 근처의 그린란드와 남극을 살펴보면 실제 크기와 많이 다르다는 것을 알 수 있다. 실제 아프리카 면적의 1/14에 지나지 않는 그린란드가 아프리카와 거의 비슷한 크기로 부풀려져 있고, 남극은 세계의 여러 대륙을 합한 것만큼 커 보인다.

▶ 메르카토르 도법의 특성

③ 한편 몰바이데 도법은 면적을 정확하게 표현하기 위해 고안된 것으로,(문제 2 - ② 관련, 면적 표현을 중시하는 몰바이데 도법) 경선은 타원의 곡선으로 그리고 위선은 직선으로 긋는다. 면적을 정확하게 표현하기 위해(몰바이데 도법으로 그린 지도의 장점) 위선 간의 간격을 계산하여 달리 그리기 때문에 고위도로 갈수록 위선 간의 간격은 좁아진다. 또한 경선은 중심에서 벗어날수록 휘어진 곡선으로 표현하다 보니 가장자리로 갈수록 형태가 일그러진다. 메르카토르 도법이 각도의 정확성에 치중한 나머지 고위도의 면적을 지나치게 확대한 반면,(문제 2 - ② 관련) 몰바이데 도법은 면적을 정확하게 나타내고자 형태와 각도를 훼손시켰다.(문제 2 - ④ 관련, 몰바이데 도법으로 그린 지도의 단점) 이처럼 우리가 보는 지도는 어쩔 수 없이 거짓말을 하고 있다. 즉, 지도 제작자는 지도를 이용하는 사람들이 찾고자 하는 것을 쉽게 찾을 수 있도록 다른 것들을 무시하거나 감춰 버리기도 한다.

▶ 몰바이데 도법의 특성

해제 | 이 글은 지도 투영 방법(도법)의 개념을 설명하고 어떤 도법으로 지도를 그리는지에 따라 왜곡이 달라진다는 것을 사례를 들어 설명하고 있다.

주제 | 지도 투영 방법의 의미와 특성

출전 | 전국지리교사연합회, 《살아 있는 지리 교과서 1》

1 이 글은 메르카토르 도법과 몰바이데 도법을 예로 들어 지도를 제작하는 과정에서 어쩔 수 없이 발생하는 왜곡의 양상을 설명하고 있다.

오답 풀이 ① 지도 제작 방식이 발전해 온 역사는 이 글에 나타나지 않는다.
② 지도를 제작하는 도법의 차이를 설명했을 뿐, 지도에 반영된 세계관은 다루지 않았다.
④ 지도를 이용하는 사람들의 잘못된 사고방식에 대한 내용은 글에서 찾을 수 없다.
⑤ 세계 지도를 바탕으로 하여 도법에 따라 다르게 나타나는 왜곡을 설명했을 뿐, 각 나라의 이해관계에 대한 내용은 제시하지 않았다.

2 이 글의 내용으로 미루어 보아 (가)는 두 지점 간의 정확한 각도 표현에 초점을 맞춘 메르카토르 도법의 지도이고, (나)는 면적을 정확하게 표현하고자 곡선인 경선과 직선인 위선을 활용한 몰바이데 도법의 지도이다. 3문단에서 몰바이데 도법은 면적을 중시한 반면, 메르카토르 도법은 각도의 정확성에 치중하여 고위도의 면적을 지나치게 확대했다고 하였다. 따라서 (가)가 (나)보다 지형의 면적을 더 왜곡시킨다고 본 ②가 적절하다.

오답 풀이 ① 메르카토르 도법은 적도 부근이 가장 실제에 가깝게 표현되고 고위도로 갈수록 면적과 형태가 심하게 왜곡된다고 하였다.
③ 메르카토르 도법은 두 지점 간의 직선 항로를 쉽게 찾을 수 있어 항해사에게 유용하다고 하였다.
④ 위선과 경선의 정확한 각도 표현에 초점을 맞춘 것은 메르카토르 도법이다.
⑤ 두 지도 모두 왜곡이 있어 실제 지구의 모습을 정확히 반영하지 못하고 있다.

어휘 확인하기

③의 '지향하다'는 "어떤 목표로 뜻이 쏠리어 향하다."라는 뜻이다. "더 높은 단계로 오르기 위하여 어떠한 것을 하지 아니하다."는 '지양하다'의 뜻에 해당한다.

과학 05 열기구가 하늘로 떠오르는 이유

본문 42~43쪽

1 ④ **2** ④ **3** 2배

지문 이해 ① 열기구 ② 샤를의 법칙 ③ 샤를의 법칙

어휘 확인하기 ● ②

① 비행기가 발명되기 전인 18세기에는 많은 과학자들이 기구를 사용한 비행에 대해 연구하였다. 몽골피에 형제는 1783년에 지름이 18m에 달하는 대형 열기구를 개발하였다. 이 열기구에 지푸라기와 양털을 태운 공기를 채워 최초로 사람을 태우고 비행을 한 것이다. 몽골피에 형제는 열기구가 하늘로 떠오르는 까닭을 알고 있었을까?

샤를의 법칙과 관련 있음.

▶ 열기구를 만들어 하늘을 비행한 몽골피에 형제

② 열기구가 하늘로 떠오르게 되는 것은 ㉠샤를의 법칙과 관련이 있다. 샤를의 법칙은 '압력이 일정할 때, 온도가 높아지면 기체의 부피가 일정하게 늘어난다'는 것이다.『열기구를 띄울 때에는 열기구 속에 뜨거운 공기를 채우는데, 온도가 높아지면 공기의 부피가 커지면서 공기의 일부가 열기구 밖으로 빠져나간다. 이때 열기구 속 공기의 양이 적어져 열기구 바깥의 공기보다 가벼워지므로 열기구가 떠오르게 되는 것이다.』

중심 화제 / 문제 1 - ③ 관련, 샤를의 법칙의 개념 / 『 』: 열기구가 떠오르는 과정 / 온도를 높이기 위해 / 문제 1 - ① 관련

▶ 열기구가 하늘로 떠오르는 이유를 설명해 주는 샤를의 법칙

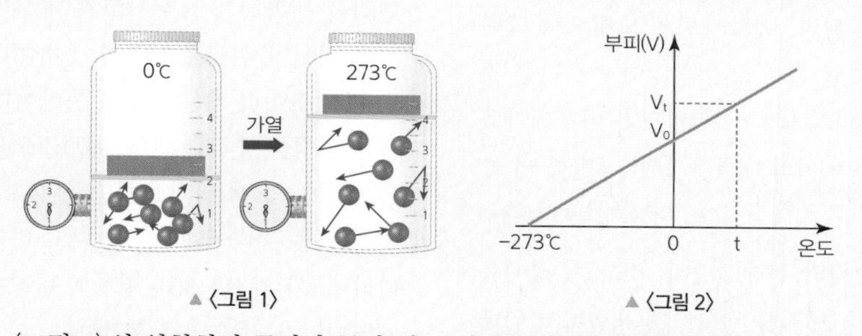

▲ 〈그림 1〉 ▲ 〈그림 2〉

③ 〈그림 1〉의 실험처럼 공기가 들어 있는 밀폐된 용기를 가열하면 〈그림 2〉처럼 기체의 부피가 일정하게 증가하는 것을 확인할 수 있다. 기체의 부피는 온도가 1°C 오를 때마다 0°C 때 부피의 약 1/273 만큼씩 늘어난다.『외부의 압력은 일정한 상태에서 온도가 변하면 기체 분자의 운동 속도가 변하게 된다. 온도가 올라가면 기체 분자의 운동 속도가 빨라지고, 온도가 내려가면 기체 분자의 운동 속도가 느려진다. 기체 분자의 운동 속도에 따라 기체 분자가 움직이는 범위가 달라지는데, 운동 속도가 빨라지면 움직이는 범위가 넓어져 기체 분자가 서로 부딪치거나 벽면에 부딪치는 힘도 커진다. 그래서 기체의 부피가 증가하게 되는 것이다.』그렇다면 부피가 일정할 때 온도와 압력은 어떤 관계를 가질까? 실험에 따르면 부피가 일정할 때 기체의 온도와 압력은 비례한다. 일정한 부피 안에서 온도가 증가하면 기체 분자의 운동이 빨라져서 압력도 증가하게 되기 때문이다.

문제 3 관련 / 문제 1 - ⑤ 관련 / 『 』: 압력이 일정할 때 기체의 온도가 높아지면 부피가 늘어나는 까닭 / 문제 1 - ④ 관련 / 문제 1 - ② 관련 / 부피가 일정할 때 기체 분자의 운동이 활발해지면 압력이 높아짐.

▶ 샤를의 법칙을 보여 주는 실험 결과

해제 | 이 글은 열기구가 하늘로 떠오르는 이유를 이와 관련 있는 과학 법칙인 샤를의 법칙을 통해 설명하고 있다.

주제 | 열기구가 떠오르는 이유를 설명해 주는 샤를의 법칙

1 3문단에서는 샤를의 법칙의 내용을 구체적으로 설명하고 있는데, 기체 분자의 운동 속도가 빨라지면 움직이는 범위가 넓어진다고 말하고 있다. 따라서 기체 분자의 운동 속도가 느려지면 분자가 움직이는 범위가 넓어진다는 설명은 적절하지 않다.

오답 풀이 ① 2문단에서 열기구 속 공기의 부피가 커지면서 공기의 일부가 밖으로 빠져나가면 열기구 속 공기가 바깥보다 가벼워져 열기구가 떠오른다고 하였다.

② 3문단에서 부피가 일정할 때 기체의 온도와 압력은 비례한다고 하였는데 이는 기체의 온도가 올라가면 압력이 증가한다는 의미이다.

③ 2문단에서 샤를의 법칙에 따라 압력이 일정할 때 기체는 온도가 높아지면 부피가 일정하게 늘어난다고 하였다.

⑤ 3문단에서 외부의 압력이 일정한 상태에서 온도가 변하면 기체 분자의 운동 속도가 변하게 된다고 하였다.

2 여름철보다 겨울철에 자전거 타이어가 덜 팽팽하다는 것은 날씨가 추워지면 타이어 속 공기의 부피가 줄어든다는 것이므로, 기체의 온도와 부피 사이의 관계에 관한 샤를의 법칙으로 설명할 수 있다.

오답 풀이 ① 바깥 공기의 압력과 귓속 공기의 압력이 달라지면서 나타나는 현상이다.

② 액체의 증발과 관련된 현상이다.

③ 액체의 끓는점과 관련된 현상이다.

⑤ 냄새 분자의 확산과 관련된 현상이다.

3 3문단에서 기체의 부피는 온도가 1℃ 오를 때마다 0℃ 때 부피의 1/273 만큼씩 늘어난다고 하였으므로, 온도가 0℃에서 273℃로 올라가면 (1/273)×273=1이 되어 0℃ 때 부피의 1배 만큼 더 증가한다. 즉, 처음 0℃ 때 부피의 2배가 된다.

어휘 확인하기

제시된 문장에서 '떠오르다'는 "솟아서 위로 오르다."의 뜻으로 쓰였다.

과학 06 파리의 위치를 표시하는 방법

본문 44~45쪽

1 ④ **2** ① **3** ㉠: 원점/기준점 ㉡: x축, y축

지문 이해 ① 데카르트 ② 위치 ③ 수학

어휘 확인하기 (1) 변혁 (2) 업적 (3) 정의

① 데카르트는 "나는 생각한다, 고로 존재한다."라는 명제로 우리에게 잘 알려져 있는 프랑스의 철학자이다.(문제 1 – ① 관련) 그는 근대 철학의 아버지라고 불릴 정도로 철학을 대표하는 학자이기도 하지만 근대 수학의 기초를 이룩한 수학자이기도 하다.(철학자이자 수학자였던 데카르트) 특히 수학 교과서에서 자주 볼 수 있는 좌표 평면(중심 화제)은 데카르트가 고안한 것으로, 그 과정을 담은 다음과 같은 일화가 유명하다.「데카르트는 젊은 시절, 군인으로 전쟁에 참전한 적이 있었다.(「 」: 문제 1 – ⑤ 관련) 어느 날 막사 침대에 누워 있던 그는 천장에서 윙윙거리는 파리를 보고 '파리의 위치를 확실하고 쉽게 표현할 수 있는 방법이 없을까?' 하는 고민을 하게 되었다. 그러다가 천장의 바둑판무늬를 이용하면 파리의 위치를 숫자로 정확하게 나타낼 수 있다는 것을 깨달았다. 데카르트는 이를 그림으로 나타내기 위해 종이 위에 ㉠하나의 점(기준점, 원점)을 찍고, 그 점을 중심으로 가로줄 하나, 세로줄 하나를 그어 위치를 표시하기 위한 ㉡기준선(x축, y축)을 만들었다. 이렇게 좌표 평면이 만들어진 것이다.」

▶ 좌표 평면을 고안한 데카르트의 일화

② 「종이 위에 찍은 하나의 점을 수학적 용어로 기준점 또는 원점이라고 하는데, 그 위치는 마음대로 정할 수 있다.」(「 」: 원점의 개념과 표시 방법 / 문제 3 관련) 기준점에서 교차하는 두 직선 중 가로로 뻗은 직선을 x축, 세로로 뻗은 직선을 y축이라고 부르며(문제 3 관련) 일반적으로 수학에서는 원점을 기준으로 x축에서 오른쪽, y축에서 위쪽이 양의 값이다.(문제 2 관련) 그렇다면 이렇게 설정된 좌표 평면에 파리와 같은 물체의 위치를 어떻게 표시하는 것일까?「바로 원점에서의 거리를 기준으로 표시한다. 예를 들면, 그림의 점 A는 원점을 기준으로 오른쪽으로 1, 위쪽으로 1만큼 떨어져 있으므로 (1, 1)이라고 표시한다.」(「 」: 좌표 평면에 물체의 위치를 표시하는 방법과 그 예)

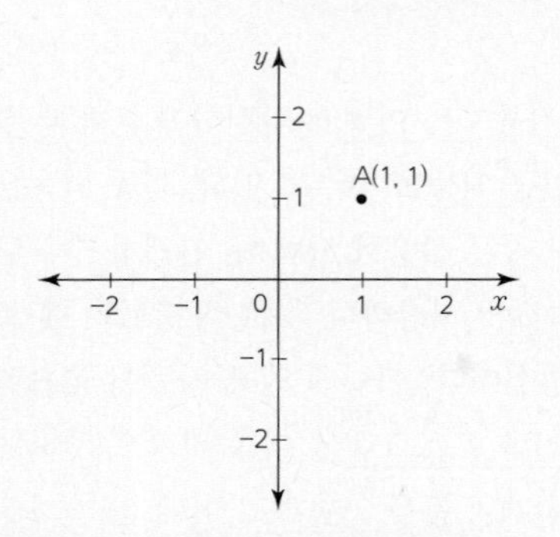

▶ 좌표 평면을 설정하고 위치를 표시하는 방법

③ 「좌표 평면의 탄생은 단순한 수학적 발견이 아닌, 수학에 일대 변혁을 가져온 사건이었다.(「 」: 문제 1 – ③ 관련) 데카르트의 좌표 평면이 만들어지면서 이전에는 많이 사용되지 않았던 0이나, −1, −2와 같은 음수의 정의가 확립되었다.(좌표 평면이 수학에 미친 영향 ①) 또한 좌표 평면 위의 임의의 점을 (x, y)로 표시함으로써 직선뿐만 아니라 원, 타원, 쌍곡선과 같은 기하학적 도형도 모두 식으로 나타낼 수 있게 되었다.」(좌표 평면이 수학에 미친 영향 ②)

▶ 데카르트의 좌표 평면이 수학에 미친 영향

해제 | 이 글은 데카르트가 좌표 평면을 고안한 계기에 관한 일화를 소개하고, 좌표 평면에 위치를 표시하는 방법과 좌표 평면의 의의를 설명하고 있다.

주제 | 데카르트가 고안한 좌표 평면의 설정 방법과 위치 표시 방법

1 1문단에서 데카르트가 철학자이자 수학자였다는 것을 알 수 있지만, 그가 철학과 수학을 연구한 이유는 이 글에 나타나지 않는다.

오답 풀이 ① 1문단에서 "나는 생각한다, 고로 존재한다."라는 데카르트의 철학적 명제를 언급하였다.

② 2문단에서 좌표 평면을 설정하는 방법에 대해 구체적으로 설명하고 있다.

③ 3문단에서 데카르트의 좌표 평면이 탄생하면서 0과 음수의 정의가 확립되고 기하학적 도형을 식으로 나타낼 수 있게 되는 등 수학에 매우 큰 변화가 일어났다고 하였다.

⑤ 1문단에 데카르트가 좌표 평면을 고안하게 된 계기에 관한 일화가 제시되어 있다.

2 2문단에서 원점을 기준으로 x축에서 오른쪽, y축에서 위쪽이 양의 값이라고 하였다. 이에 따라 파리의 위치가 (양의 값, 음의 값)으로 표시되려면 파리는 원점보다 오른쪽, 아래쪽에 있어야 하므로 원점의 위치로 적절한 것은 a이다.

3 2문단에서 종이 위에 찍은 하나의 점은 수학적 용어로 '기준점' 또는 '원점'이라고 하며, 가로세로로 뻗은 기준이 되는 선은 'x축'과 'y축'이라고 부른다고 하였다.

어휘 확인하기

(1) '변혁'은 '교육 정책의 변혁을 추구하다.'와 같이 쓰인다.

(2) '업적'은 '그는 연구 업적으로 노벨상을 받았다.'와 같이 쓰인다.

(3) '정의'는 '단어의 사전적 정의를 찾아보다.'와 같이 쓰인다.

어휘 더 쌓기

본문 46쪽

1 (1) 밀폐 (2) 전파 (3) 상생 (4) 판단 **2** (1) ② (2) ④ (3) ① (4) ③ **3** ② **4** ④

기술 07 우리 삶의 방식을 바꿀 무인 자동차

본문 48~49쪽

1 ⑤ **2** ① **3** ㉠, ㉡

지문 이해 ① 개념 ② 과정 ③ 안전하게 ④ 전망

어휘 확인하기 ● ③

① 무인 자동차(driverless car)는 운전자 없이 자동차가 알아서 달리는 인공 지능을 갖춘 자동차이다. 「무인 자동차는 스스로 움직인다는 점에서 자율 주행 자동차(self-driving car)와 비슷하지만, 운전자 없이 자동차가 알아서 주변 환경을 감지하고 도로를 주행한다는 점에서 직접 운전을 하지는 않지만 운전자가 탑승하는 자율 주행 자동차와 구별된다.」

중심 화제 / 무인 자동차의 개념 / 「 」: 문제 1 - ② 관련, 자율 주행 자동차와 구별되는 무인 자동차의 특징

▶ 무인 자동차의 개념과 특징

② 무인 자동차가 움직이는 과정은 센서의 작동 순서에 따라 '인지', '판단', '제어'의 세 단계로 나뉜다. '인지'는 도로 상황을 파악하는 단계이다. 이 단계에서는 레이더, 카메라, GPS 센서가 정보를 수집하여 지형과 고정된 시설물을 확인하며 자동차, 보행자 등의 움직이는 대상도 파악한다. 이와 같이 정보들이 수집되면 '판단'이 이루어진다. 판단은 수집한 정보를 분석해 어떻게 운전할지를 계획하는 단계이다. 이때 '어떤 도로를 이용할까?', '어느 정도의 속도로 달려야 할까?' 등 운전에 필요한 많은 내용을 결정한다. 그다음 판단에 따라 속도를 조절하고 방향을 바꾸는 '제어'가 이루어진다.

인지의 개념 / 문제 1 - ③ 관련 / 판단의 개념 / 문제 1 - ① 관련, 제어의 개념

▶ 무인 자동차가 움직이는 과정

③ 시시각각 변하는 교통 상황 속에서 무인 자동차는 어떻게 안전하게 운행할 수 있을까? 무인 자동차는 스스로 학습하는 ㉠인공 지능을 갖추고 있다. 인공 지능은 차 앞에 횡단보도가 있는지, 사람이 있는지와 같은 물음에 답하며, 안전하거나 위험한 상황을 담은 동영상 정보를 스스로 학습해서 저장한다. 중요한 정보와 덜 중요한 정보를 구별해 다음 운전에 반영하는 방식이다. 이렇게 인공 지능이 학습한 정보들은 자동차 주행에 활용된다. ㉡주행 전략 프로그램은 이를 바탕으로 하여 '어떤 길로 가야 할까?', '가야 할까, 멈춰야 할까?' 등을 판단하고 이에 따라 자동차가 움직이도록 명령을 내린다. 한편 무인 자동차는 다른 차들이나 교통 시스템과 연결되어 있어 안전 운전을 위한 다양한 정보를 수집할 수 있다. 예를 들어 교차로에 접근했을 때 눈에 보이지 않는 곳에서 접근해 오는 다른 차와 미리 정보를 주고받아 안전하게 운행할 수 있다.

문단의 화제 / 문제 1 - ⑤ 관련, 인공 지능이 학습한 정보를 주행에 활용하는 방식 / 주행 전략 프로그램의 기능 / 문제 2 - ① 관련, 안전 운행을 위한 무인 자동차의 연계 시스템

▶ 무인 자동차가 안전하게 운행할 수 있는 이유

④ 무인 자동차는 자동차를 공유하는 시대를 열 전망이다. 무인 자동차들이 네트워크로 연결되어 있어서 한 번의 호출로 원하는 시간에 원하는 곳으로 차를 불러 이용할 수 있다면, 차를 소유하고 있지 않아도 신속하고 편리하게 원하는 곳으로 이동할 수 있게 될 것이다.

무인 자동차가 가져올 변화

▶ 무인 자동차가 가져올 변화에 대한 전망

해제 | 이 글은 무인 자동차가 어떻게 안전하게 운행할 수 있는지, 앞으로 어떤 방향으로 발전할 것인지에 대해 소개하고 있다.

주제 | 무인 자동차의 운행 원리와 발전에 대한 전망

1 3문단에서 무인 자동차는 스스로 학습하는 인공 지능을 갖추고 있으며 학습한 정보는 자동차 주행에 활용된다고 하였다. 따라서 동일한 경로를 반복해서 운행할 경우, 그 경로에 관해서는 기존에 저장되어 있는 정보가 활용될 것이다.

오답 풀이 ① 2문단에서 '판단'에 따라 속도를 조절하고 방향을 바꾸는 '제어'가 이루어진다고 하였다.

② 1문단에서 자율 주행 자동차는 운전자가 탑승하지만 무인 자동차는 그렇지 않다고 하였다.

③ 2문단에서 무인 자동차는 센서의 작동 순서 중 가장 먼저인 '인지' 단계에서 레이더, 카메라 등의 센서로 정보를 수집한다고 하였다.

④ 2문단에서 '판단'은 어떤 도로를 이용할까 결정하는 단계라고 하였다. 따라서 여러 갈래의 길 중 한 길을 선택하는 데 문제가 있다면 '판단' 단계가 제대로 안 이루어진 것일 수 있다.

2 3문단에서 무인 자동차가 안전하게 운행하기 위해서는 주행하는 다른 차와 정보 교환이 필요하며, 교통 시스템과 연결되어 다양한 정보를 수집할 수 있어야 한다는 것을 알 수 있다.

오답 풀이 ② 무인 자동차가 대중화되면 자동차를 운전하는 인력의 필요성이 줄어들 것이다.

③ 무인 자동차는 자동차를 공유하는 시대를 열 수 있다. 이렇게 되면 자동차를 소유하기 위한 목적으로 구매하는 사람이 줄 것이다.

④ 무인 자동차의 안전 운행에 인공 지능의 역할이 중요하기 때문에 이 기술이 발달할 것이다.

⑤ 무인 자동차는 운전자를 필요로 하지 않기 때문에 운전면허가 없는 사람들도 무인 자동차를 이용하여 안전하게 이동할 수 있을 것이다.

3 인공 지능(㉠)은 주행 환경과 상황에 대한 정보를 스스로 학습해서 저장하는데, 이는 주행 전략 프로그램(㉡)에 활용되어 운행에 필요한 판단과 명령이 이루어지도록 한다.

어휘 확인하기

"서로 주기도 하고 받기도 하다."라는 의미의 '주고받다'와 바꿔 쓰기에 가장 적절한 것은 '교환하다'이다.

기술 08 생체 모방 기술

본문 50~51쪽

1 ② 2 ① 3 미세한 돌기/나노 돌기, 최소화

지문 이해 ① 연잎 효과 ② 뜻/의미 ③ 리블렛 ④ 벨크로

어휘 확인하기 ● ④

① 비가 내린 후 연잎을 자세히 살펴보면 물방울이 퍼지지 않고 동그랗게 맺혀 있다가 잎을 적시지 않고 주르르 흘러내리는 모습을 볼 수 있다.(흥미를 유발하는 사례 제시) 사람 눈에는 매끄럽게만 보이는 연잎을 현미경으로 관찰하면 표면에 아주 미세한 돌기들을 볼 수 있는데, 이를 나노 돌기라고 한다. 이 나노 돌기가 물방울이 잎의 표면에 닿는 부분을 최소화시켜 연잎이 물에 젖지 않는 성질을 띠게 하는 것이다.(문제 3 관련, 연잎 효과가 나타나는 원리) 이를 '연잎 효과'(자연 현상)라고 한다. 이 효과를 이용해 방수가 되는 옷, 세차가 필요 없는 자동차, 물과 오물이 흡수되지 않는 페인트 등을 개발할 수 있다.(문제 2 – ⑤ 관련, 자연 현상을 적용하여 인간의 문제를 해결하는 방안)
▶ 연잎 효과와 이의 다양한 활용

② 이처럼 자연을 모방하는 기술을 생체 모방 기술(중심 화제)이라고 한다. 「생체 모방(biomimetic)은 생명을 의미하는 'bios'와 모방을 의미하는 'mimesis'라는 그리스어에서 나온 말로,」(「」: 생체 모방이라는 말의 어원) 자연이나 생명체가 가지는 특성이나 형태를 적용하여 인간의 문제를 해결하는 것을 의미한다.(문제 1 – ㄱ / 문제 2 – ④ 관련, 생체 모방 기술의 의미) 생체 모방 기술은 제조, 건축, 의료 등 다양한 분야에서 활용되고 있다.(문제 2 – ② 관련)
▶ 생체 모방 기술의 뜻(의미)

③ 생체 모방 기술이 적용된 예로 전신 수영복이 있다.(문제 1 – ㄷ 관련, 생체 모방 기술의 사례 ①) 전신 수영복에는 아주 작은 돌기가 나 있는데, 이것은 상어 비늘의 미세한 돌기인 리블렛을 활용한 것이다. 리블렛은 표면에서 물이 쉽게 흐를 수 있게 하여 표면 저항을 줄여 주는 역할을 한다.(리블렛의 기능) 따라서 리블렛을 모방한 전신 수영복을 입고 수영을 하면 리블렛이 물의 소용돌이를 밀어내는 역할을 하여 표면 저항을 줄임으로써 더 빠르게 헤엄칠 수 있게 된다.(문제 2 – ③ 관련, 수영복에 리블렛을 활용한 효과) 이러한 장점 때문에 많은 수영 선수가 전신 수영복을 착용하게 되었다.
▶ 생체 모방 기술의 사례 – 리블렛을 활용한 수영복

④ 우리가 찍찍이 테이프로 많이 알고 있는 벨크로도 생체 모방 기술이 활용된 경우이다.(문제 1 – ㄷ 관련, 생체 모방 기술의 사례 ②) 스위스의 엔지니어 조르주 드 메스트랄(George De Mestral)은 어느 날 사냥을 마치고 돌아왔을 때 옷과 개의 털에 도꼬마리 열매의 가시가 달라붙어 있는 것을 발견하였다. 그는 도꼬마리 열매에 나 있는 특이한 모양의 가시가 옷이나 동물의 털에 잘 달라붙는다는 사실에 착안하여 쉽게 붙였다 떼었다 할 수 있는 벨크로를 발명하였다.(문제 2 – ① 관련, 도꼬마리 열매의 가시를 모방한 벨크로의 발명) 이 벨크로는 지금까지도 의류, 신발, 가방에서부터 우주선에까지 폭넓게 사용되고 있다.
▶ 생체 모방 기술의 사례 – 벨크로

해제 | 이 글은 생체 모방 기술의 의미를 밝히고 생체 모방 기술이 적용된 몇 가지 사례를 들면서 생체 모방 기술에 대해 설명하고 있다.

주제 | 생체 모방 기술의 뜻과 사례

1 2문단에서 자연을 모방하는 생체 모방 기술에 대해 언급하고 있다(ㄱ). 또한 생체 모방 기술의 구체적인 사례로 리블렛을 활용한 수영복과 벨크로를 제시하고 있다(ㄷ).

오답 풀이 ㄴ. 생체 모방 기술의 한계점에 관한 내용은 이 글에 나타나지 않는다.
ㄹ. 생체 모방 기술을 처음으로 생각해 낸 사람이 누구인지 제시되어 있지 않다. 4문단에 생체 모방 기술을 적용하여 벨크로를 발명한 사람이 언급되어 있으나, 그가 생체 모방 기술 자체를 처음 생각한 사람은 아니다.

2 4문단에서 도꼬마리 열매에 나 있는 특이한 모양의 가시가 옷, 동물의 털에 잘 달라붙는다는 사실에 착안해 벨크로를 만들었다고 하였다. 따라서 벨크로는 도꼬마리 열매 가시의 모양을 본떠 개발한 것임을 알 수 있다. 개털의 모양을 본떴다는 내용은 적절하지 않다.

오답 풀이 ② 2문단에서 생체 모방 기술이 다양한 분야에서 활용된다고 하였다.
③ 3문단에서 리블렛을 활용한 전신 수영복을 입고 수영하면 리블렛이 표면 저항을 줄여 더 빨리 헤엄칠 수 있게 된다고 하였다. 즉, 수영 선수들의 기록 향상에 도움을 준다고 볼 수 있다.
④ 연잎을 자세히 관찰하여 연잎 효과가 나타나는 이유를 알게 된 점, 도꼬마리 열매의 가시를 관찰하여 벨크로를 발명했다는 점 등에서 확인할 수 있다.
⑤ 1문단에서 연잎 효과를 이용해 방수가 되는 옷이나 물과 오물이 흡수되지 않는 페인트 등을 개발할 수 있다고 하였다.

3 1문단에서 연잎의 미세한 돌기, 다른 말로 나노 돌기가 물방울이 잎의 표면에 닿는 부분을 최소화시킨다고 하였다.

어휘 확인하기

'미세한'은 "아주 작다." 또는 "자세하고 꼼꼼하다."라는 의미이다. ④의 문맥을 볼 때 괄호 안에는 '작은'과 반대되는 의미인 '중대한' 등의 표현이 들어가는 것이 적절하다.

예술 09 삶을 녹여 낸 문화, 힙합

본문 52~53쪽

1 ④ **2** ② **3** 힙합이 기본적으로 즐거움을 추구하며, 자유로운 의사 표현을 긍정하는 문화이기 때문이다.

지문 이해 ② 탄생, 전파 ③ 오해

어휘 확인하기 (1) 표출 (2) 여가 (3) 반영

① 래퍼들이 경합을 벌이는 한 방송 프로그램을 향한 대중들의 반응이 뜨겁다. 방송 때마다 이 프로그램의 제목이나 출연하는 래퍼들의 이름이 실시간 검색어 1위를 차지하고, 프로그램에서 선보인 노래가 정식으로 발표되면 순식간에 음원 차트 상위권에 진입하기도 한다. 우리를 열광시키는 힙합(중심 화제)은 언제, 어떻게 시작되었으며 힙합 문화는 어떻게 세계 곳곳을 사로잡은 것일까?(문제 1 – ㄱ 관련, 화제 제시 및 호기심 유발)

▶ 힙합을 향한 대중들의 관심

② 「힙합의 밑그림은 흑인들이 많이 거주하던 1970년대 미국 브롱크스 지역의 디제잉 클럽에서 시작되었다.(「 」: 힙합이 탄생한 과정 / 문제 1 – ㄴ 관련) '힙합의 아버지'로 불리는 디제이 쿨 허크는 두 대의 턴테이블을 놓고 리듬감이 강한 브레이크 구간을 연달아서 트는 방식을 선보였는데, 사람들은 보통의 노래를 틀 때에 비해 이 구간에서 더 적극적인 반응을 보였고 춤 좀 춘다는 사람들은 현란한 기술을 시도하기도 했다. 당대 주류 문화에 비해 더욱 역동적이고 현란했던 이러한 춤과 음악은 '힙합'이라는 이름이 붙어 전 세계로 퍼져 나갔고,」 패션을 비롯한 다양한 분야에 영향을 미치면서 자유분방함을 추구하는 하나의 양식으로 자리 잡게 되었다.(문제 2 – ② 관련, 힙합의 전파)

▶ 힙합의 탄생과 전파

③ 힙합 문화가 대중들에게 사랑받을 수 있는 것은 힙합이 기본적으로 즐거움을 추구하며, 자유로운 의사 표현을 긍정하는 문화이기 때문이다.(문제 3 관련, 힙합이 대중들에게 사랑받는 이유) 어떤 사람은 힙합을 「억압당하며 살아온 흑인들이 분노와 저항 정신을 표출한 수단」(「 」: 힙합의 성격 ① – 분노와 저항 정신을 표출하는 수단)이라고 보기도 한다. 그러나 힙합이 곧 저항의 음악이라는 정의가 완전히 옳은 것은 아니다. 힙합은 여가를 즐기는 사람들 사이에서 탄생했기 때문이다.(힙합의 성격 ② – 여가를 즐기는 수단) 「다만 그 발생지가 미국의 흑인 사회였던 만큼, 힙합 음악에는 수백 년 동안 차별을 겪어 온 그들의 삶이 반영되어 있는 것이다.」(「 」: 문제 2 – ③ 관련) 힙합이 때로는 과격해지고, 때로는 건설적인 주장을 하게 된 이유가 바로 여기에 있다. 그런데 일부 예능 프로그램에서 공격적인 표현에 랩을 활용하는 등, 힙합이 남을 자극하고 해치는 음악으로 받아들여지는 것은 아쉬움을 준다.(문제 2 – ④ 관련, 힙합에 대한 오해)

▶ 힙합의 성격과 힙합에 대한 오해

④ 힙합은 삶을 녹여 낸 문화이기에 각양각색의 정서가 담겨 있다.(문제 2 – ① 관련) 때로는 세상이 돌아가는 형편을 다루기도 하고, 생활에 밀접한 정치 문제를 논하기도 하며, 불합리한 제도에 거세게 맞서기도 한다.(문제 1 – ㄷ 관련) 이러한 힙합의 성격을 충분히 이해하고 올바른 시각으로 바라볼 때 우리는 비로소 힙합 문화의 진정한 즐거움을 누릴 수 있다.(문제 2 – ⑤ 관련, 글쓴이가 궁극적으로 말하고자 하는 바)

▶ 힙합을 올바로 이해하는 것의 의미

해제 | 이 글은 힙합에 대한 대중들의 관심을 언급하고 힙합의 탄생 과정과 성격을 설명한 후 힙합의 성격을 올바로 이해해야 그 진정한 즐거움을 누릴 수 있음을 말하고 있다.

주제 | 힙합이 사랑받는 이유와 힙합에 대한 올바른 이해

1 1문단에서 대중들을 열광시키는 힙합의 인기에 대해 언급하고 있으며(ㄱ), 2문단에서는 힙합이 어떻게 시작되었는지를 설명하고 있다(ㄴ). 4문단에서는 힙합에 담긴 내용에 대해 알 수 있다(ㄷ).

오답 풀이 ㄹ. 이 글은 힙합의 탄생과 성격, 특징 등 힙합 문화 전반에 관한 내용을 다루고 있다. 하지만 힙합을 이루는 요소에 어떤 것들이 있는지는 이 글에서 알 수 없다.

2 2문단에서 힙합은 패션을 비롯한 다양한 분야에 영향을 미치면서 자유분방함을 추구하는 하나의 양식으로 자리 잡게 되었다고 하였다. 자유분방함을 추구하는 힙합의 특징이 다른 분야에서도 나타나는 것이므로 ②는 적절하지 않은 반응이다.

오답 풀이 ① 4문단에서 힙합은 삶을 녹여 낸 문화이기에 각양각색의 정서가 담겨 있다고 하였다.

③ 3문단에서 힙합의 발생지가 미국의 흑인 사회였던 만큼 힙합에는 차별받으며 살아온 미국 흑인들의 삶이 반영되어 있다고 하였다.

④ 3문단에서 힙합이 때로는 과격해지기도 하지만, 남을 자극하고 해치는 음악으로 받아들여지는 것이 아쉬움을 준다고 하였으므로 힙합이 곧 남을 공격하는 음악인 것은 아님을 알 수 있다.

⑤ 4문단에서 힙합의 성격을 충분히 이해하고 올바른 시각으로 바라볼 때 비로소 힙합 문화의 진정한 즐거움을 누릴 수 있다고 하였다.

3 힙합 문화가 대중들에게 사랑받을 수 있었던 것은 힙합이 기본적으로 즐거움을 추구하며, 자유로운 의사 표현을 긍정하는 문화이기 때문이라는 내용이 3문단에 제시되어 있다.

어휘 확인하기

(1) "겉으로 나타냄."이라는 뜻의 '표출'이 들어가는 것이 적절하다.

(2) "일이 없어 남는 시간."이라는 뜻의 '여가'가 들어가는 것이 적절하다.

(3) "다른 것에 영향을 받아 어떤 현상이 나타남."이라는 뜻의 '반영'이 들어가는 것이 적절하다.

예술 10 아름답게 묘사된 글자, 캘리그래피

본문 54~55쪽

1 ② **2** ①

지문 이해 ① 캘리그래피 ② 추상 형태 ③ 레이아웃 ④ 색채

어휘 확인하기 ● ①

① 우리의 생활 속에서 문자는 정보를 전달하는 기호 체계로서 문화의 핵심 요소로 작용해 왔다. 최근에는 문자가 의사소통의 수단을 넘어 인간의 감정을 미적으로 표현하는 수단으로도 활용되고 있는데, 그 대표적 예가 바로 캘리그래피이다. (미적 수단이 되고 있는 문자 / 중심 화제) 캘리그래피는 어원적으로 '아름답게 쓰다'라는 뜻이지만, 지금은 펜이나 붓 등을 사용하여 즉흥적으로 글자를 쓰는 일이나 아름답게 묘사된 글자 자체를 가리키는 말로 두루 쓰인다. (캘리그래피의 어원적 뜻 / 문제 1 – ② 관련, 캘리그래피의 개념 / 문제 2 – ③ 관련) 이러한 캘리그래피는 하나의 시각 예술로 기능하며, 추상 형태와 레이아웃, 색채와 같은 조형 요소가 나타난다. (문제 1 – ② 관련, 캘리그래피의 조형 요소)

▶ 문자 예술인 캘리그래피의 개념

② 추상 형태란 자유롭게 창조된 형상을 말한다. (조형 요소 ①) 캘리그래피는 글자를 쓰는 사람의 붓놀림에 따라 자유롭게 서체가 만들어지므로 추상 형태에 해당하며, 일정한 형식이나 규칙을 따르지 않고 작가의 개성에 의존하므로 개인주의적인 경향을 띤다. (문제 2 – ③ 관련) 또한 반복적으로 재현할 수 없다는 특징이 있다. (문제 2 – ④ 관련)

▶ 캘리그래피의 추상 형태

③ 캘리그래피에서 또 하나 중요한 요소는 바로 레이아웃이다. (조형 요소 ②) 레이아웃은 일반적으로 소재를 효과적으로 배열하는 것을 말한다. 『캘리그래피에서의 레이아웃은 글자의 배치에 따라 정해지며 크게 글자를 좌우 대칭으로 배치하는 대칭형과 불균형하게 배치하는 비대칭형으로 나눌 수 있다.』 (『 』: 레이아웃의 유형) 이때 레이아웃에 따라 결정되는 여백은 문자의 특징을 시각적으로 강화하는 역할을 한다. (문제 2 – ① 관련 / 레이아웃에 따라 결정되는 여백의 기능)

▶ 캘리그래피의 레이아웃

④ 캘리그래피에는 무채색을 가장 많이 사용하지만, 메시지를 효과적으로 전달하고 미적 효과를 더하기 위해 다양한 색채를 사용하는 경우도 있다. 『색채가 주는 느낌에 따라 메시지 전달 효과가 달라지기 때문에 색채를 선택할 때에는 세심한 주의가 필요하다. (조형 요소 ③ / 『 』: 문제 2 – ⑤ 관련, 메시지 전달에서 색채의 중요성) 미적 기능만을 고려하여 적합하지 않은 색채를 사용하면 전달하고자 하는 메시지가 약화될 수 있기 때문이다.』

▶ 캘리그래피의 색채

⑤ 캘리그래피는 문자의 언어적 기능에 미적 기능을 더한 것으로 지면 광고와 상품 패키지, 영화 타이틀 등에 두루 활용되고 있다. (문제 2 – ② 관련) 『지면 광고에서는 주목을 끌면서도 조화로운 느낌을 주는 캘리그래피가 많이 사용되고, 상품 패키지에는 다른 제품과의 차별성을 강조하는 캘리그래피가 쓰인다. 영화 타이틀에서 캘리그래피는 영화의 내용과 이미지를 강렬하게 전달할 수 있게 구성된다.』 (『 』: 활용 분야에 맞게 구성되는 캘리그래피)

▶ 다양한 분야에서 활용되는 캘리그래피

해제 | 이 글은 캘리그래피의 개념을 밝히고 캘리그래피의 조형 요소인 추상 형태, 레이아웃, 색채에 대해 설명하고 있다.

주제 | 캘리그래피의 개념과 조형 요소

1 이 글에서는 캘리그래피의 개념을 제시하고 캘리그래피의 조형 요소인 추상 형태, 레이아웃, 색채에 대해 설명하고 있다.

오답 풀이 ① 문자가 미적 기능을 담당하게 되었다고는 말했지만 그 과정을 밝히고 있지는 않다.

③ 캘리그래피가 다양하게 활용된다고는 하였지만, 활용도가 높아지고 있다는 내용이나 그 요인을 분석하는 내용은 찾을 수 없다.

④ 동양과 서양의 캘리그래피의 특징을 대조하는 내용은 나타나지 않는다.

⑤ 캘리그래피의 가치에 대해 서술한 것은 맞지만 캘리그래피에 대한 서로 다른 평가를 제시하지는 않았다.

2 3문단에서 캘리그래피의 레이아웃에는 크게 대칭형과 비대칭형이 있다고 하면서 레이아웃에 따라 여백이 결정된다고 하였다. 따라서 여백에 따라 레이아웃이 결정되었다고 한 ①은 적절하지 않다.

오답 풀이 ② 5문단에서 캘리그래피는 문자의 언어적 기능에 미적 기능을 더한 것이라고 하였다.

③ 1문단에서 캘리그래피는 즉흥적으로 글자를 쓰는 일을 가리킨다고 하였으며, 2문단에서 캘리그래피는 글자를 쓰는 사람의 붓놀림에 따라 자유롭게 서체가 만들어진다고 하였다.

④ 2문단에서 캘리그래피의 추상 형태는 자유롭게 창조된 형상이며 반복적으로 재현할 수 없는 특징이 있다고 하였다.

⑤ 4문단에서 캘리그래피는 색채에 따라 메시지 전달 효과가 달라진다고 하였다.

어휘 확인하기

㉠에는 "사물의 가장 중심이 되는 부분."이라는 뜻의 '핵심'이 들어가는 것이 적절하다. ㉡에는 "그 자리에서 일어나는 감흥이나 기분에 따라 하는 것."이라는 뜻의 '즉흥적'이 들어가는 것이 적절하다.

통합 11 부럼의 과학

본문 56~57쪽

1 ①   2 ③   3 ④

① 부럼이란 대보름날 아침에 까먹는 잣, 밤, 호두, 은행, 땅콩 따위의 견과류를 의미하는 말이다. 부럼을 깨물면 한 해 동안 부스럼에 시달리지 않는다고 하여 특히 아이들에게 반드시 깨물게 했는데, 부럼이라는 말도 부스럼에서 유래한 것이다. 보통은 나이에 따라 개수를 정하고 껍질째 깨물어 소리를 크게 내야 효과가 있다고 믿었다. 그런데 도대체 부스럼이 무엇이기에 이를 피하기 위한 세시 풍속이 생겨난 것일까?

(부럼의 예 / 중심 화제 / 문제 1 – ① 관련, '부럼'이라는 말의 뜻 / 문제 2 – ④ 관련, 대보름날 부럼을 깨무는 이유 / 부럼이라는 말의 유래)

▶ 부럼이라는 말의 뜻과 유래

② 부스럼이란 피부에 생기는 급성 화농성 염증을 말하는 것으로 다른 말로 '종기(腫氣)'라고도 불렸다. 어떤 이유에서든 피부에 난 상처가 화농성 세균에 감염되면 이 부위가 붓고 곪게 되는데 이를 통틀어 모두 부스럼이라고 불렀다. 소독약과 항생제가 발달한 요즘 시대에 부스럼 혹은 종기는 어쩌다가 생기는 귀찮은 증상에 불과하지만 소독약과 항생제가 없던 시절의 부스럼은 때로 패혈증 등의 합병증을 유발해 목숨을 앗아 가기도 하는 무서운 질환이었다.

(부스럼의 뜻 / 옛날에는 무서운 질환이었던 부스럼(종기))

▶ 부스럼의 뜻과 위험성

③ 부스럼은 지위 고하를 막론하고 사람들을 괴롭혔는데 천하의 지존이라고 하는 왕도 예외는 아니었다. 세조를 비롯해 문종, 예종, 성종, 정조 등 여러 왕이 부스럼을 앓다가 합병증인 패혈증 등으로 숨졌다는 기록이 《조선왕조실록》에 남아 있다. 왕실조차 부스럼에 떨었을 정도이니 백성의 공포는 훨씬 더 클 수밖에 없었다. 정월 대보름 아침에 부럼을 깨무는 풍습도 그래서 생겨난 것이다.

(문제 2 – ③ 관련)

▶ 부럼을 깨무는 풍습이 생겨난 이유

④ 『흥미로운 사실은 부럼을 깨무는 것이 실제로 부스럼 예방에 그리 나쁘지 않은 대안이었다는 것이다. 부럼으로 깨물어 먹는 견과류에는 건조한 피부에 기름기를 더해 줄 수 있는 불포화 지방산이 많이 들어 있기 때문이다. 또한 피부 건강에 좋은 티아민, 토코페롤 등의 비타민과 철분, 마그네슘, 셀레늄 등의 무기질도 많이 들어 있다.』

(『 』: 문제 2 – ⑤ 관련 / 문제 3 관련)

▶ 과학적으로 밝혀진 부럼의 효과

⑤ 『식품 저장 기술이 좋지 못하던 시절, 기나긴 겨울 내내 신선한 채소와 과일을 거의 접하지 못했던 사람들은 대보름 즈음이면 대부분 비타민과 무기질 부족에 시달리기 마련이었다. 여기에 추위까지 더해져 사람들의 피부는 매우 거칠고 약해져 있었고, 그만큼 부스럼 발생 위험도 높았다.』 정월 대보름에 먹는 부럼은 겨우내 지친 피부에 영양분을 공급해 주는 선조들의 지혜가 담긴 풍습이었던 것이다.

(『 』: 문제 2 – ① 관련 / 문제 1 – ① 관련, 부럼 깨물기에 담긴 의의 / 문제 2 – ② 관련)

▶ 부럼을 깨무는 풍습에 담긴 선조들의 지혜

해제 | 이 글은 대보름날 부럼을 깨무는 것이 실제로 피부를 보호하고 부스럼을 예방할 수 있는 과학적인 방법이었음을 설명하며 부럼 깨물기에 담긴 선조들의 지혜를 말하고 있다.

주제 | 부럼의 효과와 부럼을 깨무는 풍습에 담긴 선조들의 지혜

출전 | 이은희, 《하리하라의 음식 과학》

지문 이해

① 부럼이라는 말의 뜻과 유래 → ② 부스럼의 뜻과 위험성 / ③ 부럼을 깨무는 풍습이 생겨난 이유 → ④ 과학적으로 밝혀진 부럼의 효과 → ⑤ 부럼을 깨무는 풍습에 담긴 선조들의 지혜

1 이 글은 부럼의 뜻과 부럼을 깨무는 풍습에 담긴 의의, 부럼의 과학적 효과 등을 설명하고 있으므로, 이 글의 전개 방식에 대한 설명으로 가장 적절한 것은 ①이다. ②는 과정, ③은 분류, ④는 대비, ⑤는 분석에 대한 설명이다.

2 3문단에서 부스럼에 대한 백성들의 공포가 왕실보다 훨씬 더 컸다고 말하고 있으므로 ③은 이 글의 내용과 일치하지 않음을 알 수 있다.

오답 풀이 ① 5문단을 통해 겨울철에는 신선한 채소와 과일을 잘 접하지 못하고 날씨도 춥기 때문에 피부가 거칠고 약해져 부스럼이 생기기 쉬워진다는 것을 알 수 있다.
② 5문단에서 정월 대보름에 부럼을 먹는 풍습에 피부에 영양분을 공급해 주는 조상들의 지혜가 담겨 있다고 하였다.
④ 1문단을 통해 조상들이 부럼을 깨물면 한 해 동안 부스럼에 시달리지 않는다고 믿었기 때문에 대보름에 부럼을 먹었다는 것을 알 수 있다.
⑤ 4문단에서 부럼에 들어 있는 불포화 지방산과 비타민, 무기질 등이 실제로 피부 건강에 좋은 성분이라는 내용을 확인할 수 있다.

3 〈보기〉에서는 티아민, 토코페롤 등의 비타민과 철분, 마그네슘, 셀레늄 등의 무기질이 피부 건강에 어떤 역할을 하는지 구체적으로 설명하고 있다. 따라서 이들 비타민 및 무기질이 언급된 4문단의 내용을 보완하기에 적절한 자료이다.

더 쌓기 본문 58쪽

1 (1) ① (2) ④ (3) ③ (4) ② **2** (1) ② (2) ③ (3) ① **3** (1) 유발 (2) 공급 (3) 유래 **4** (1) ③ (2) ②

인문 01 스트룹 효과

본문 62~63쪽

1 ① **2** ④

지문 이해 ① 스트룹 ② 실험 ③ 이유

어휘 확인하기 (1) 고 (2) 의식 (3) 극

① 우리는 매 순간 수많은 정보와 자극을 받아들인다. 이때 우리의 처리 능력에는 한계가 있기 때문에 필요한 것을 선택적으로 받아들이며, 각각의 정보를 처리하는 과정이 서로 충돌하기도 한다. 이와 관련된 심리 현상으로 ㉠스트룹 효과(중심 화제)(Stroop effect)라는 것이 있다.

▶ 정보 처리 과정과 관련된 심리 현상인 스트룹 효과

② 1935년 미국의 심리학자 존 리들리 스트룹은 다음과 같은 실험을 고안해 냈다.(문제 1 - ① 관련, 스트룹 효과에 관한 사례) 우선 〈그림 1〉과 같이 『색상의 이름을 뜻하는 단어들을 실험 참가자에게 보여 주고 소리 내어 읽게 했다.』(『 』: 단어를 읽는 과정만 나타남.) 이때 참가자는 시간 지체 없이 글자를 읽었다. 그다음 〈그림 2〉와 같이 단어의 뜻과 상관없는 색을 입힌 후, 이번에는 단어에 입힌 색을 말하게 했다.(단어를 읽는 과정이 단어에 입힌 색을 맞히는 과정을 방해함.) 그랬더니 참가자들이 답을 하는 데는 앞의 실험보다 훨씬 더 많은 시간이 걸렸다.(스트룹 실험의 결과 - 반응 시간이 경우에 따라 달라짐.) 왜 이런 결과가 나타난 것일까?

검정	노랑	파랑
빨강	초록	검정
노랑	파랑	초록

▲ 〈그림 1〉

검정	노랑	파랑
빨강	초록	검정
노랑	파랑	초록

▲ 〈그림 2〉

▶ 스트룹의 실험 내용

③ 스트룹 효과가 나타나는 이유는 자동적 처리 때문이다. 자동적 처리란, 자주 반복해서 주의를 기울이지 않고도 매우 쉽게 처리할 수 있게 된 과정을 말한다.(문제 1 - ① 관련, 자동적 처리의 개념) 일반적으로 우리가 평소에 자주 반복하는 일인 글자나 부호, 표지 등의 기호를 읽는 것은 의식하지 않는 사이에 자동적으로 일어나므로 자동적 처리에 해당한다.(문제 2 - ④ 관련, 자동적 처리) 위 실험에서 〈그림 2〉를 보고 단어에 입힌 색을 말하는 상황을 살펴보자. 초록색으로 적힌 '노랑'이라는 단어를 보면 '초록'이라고 답해야 한다. 그러나 '노랑'이라는 글자를 읽는 과정이 자동적으로 일어나면서 색을 맞히는 과정이 방해를 받으므로 답을 하는 데 더 오랜 시간이 걸리는 것이다.

▶ 스트룹 효과가 나타나는 이유

④ 이를 응용한 실험에는 여러 가지가 있다. 예를 들어 『송아지 그림 위에 '돼지'라고 적은 다음 실험 참가자에게 보여 주면서 그림 속 동물의 이름을 말하게 하면,』(문제 1 - ① 관련, 스트룹 효과에 관한 사례)(『 』: '돼지'라는 글자를 읽는 자동적 처리가 그림 속 동물을 맞히는 과정을 방해함.) 그림만 보고 말할 때보다 반응 속도가 느려질 수 있다. 또 횡단보도의 보행 신호등에서 초록색 신호는 걷는 모습의 기호로, 빨간색 신호는 서 있는 모습의 기호로 그려져 있는데 만약 두 신호를 모두 걷는 모습의 기호로 나타낸다면 보행자가 신호를 알아채는 데 더 오랜 시간이 걸릴 수 있다.(걷는 모습의 기호를 읽는 자동적 처리가 신호의 색을 알아보는 과정을 방해함.)

▶ 스트룹 효과의 응용

해제 | 이 글은 정보 처리 과정과 관련된 스트룹 실험의 내용을 소개하며 스트룹 효과가 나타나는 이유와 이를 응용한 여러 실험을 설명하고 있다.

주제 | 스트룹의 실험과 스트룹 효과가 나타나는 이유

1 3문단에서 자동적 처리의 개념을 풀이하여 설명하고 있다(가). 또한 2문단에서 스트룹의 실험 내용을 구체적으로 제시하고, 4문단에서 스트룹 효과가 응용된 다른 실험의 예를 드는 등 구체적인 사례를 들어 스트룹 효과에 대해 설명하고 있다(나).

오답 풀이 다. 어떤 대상이 단계적으로 변화하는 과정을 설명하는 내용은 나타나지 않는다.
라. 이 글에서 대상을 이루는 구성 요소에 대해 설명하는 분석의 방법은 사용되지 않았다.

2 〈보기〉에서 스트룹 효과가 나타날 수 있는 것은 좌회전과 관련된 신호이다. 3문단에서 글자나 부호, 표지 등의 기호를 읽는 것은 자동적 처리에 해당한다고 하였다. 따라서 '빨간색 화살표'를 보면 화살표 기호의 의미(좌회전)를 이해하는 자동적 처리가 화살표 색상의 의미(정지)를 알아채고 반응하는 과정을 방해할 수 있다. 즉, 운전자가 신호의 의미를 알아채는 데 더 오랜 시간이 걸릴 수 있다.

오답 풀이 ① '초록색'과 '화살표' 모두 좌회전을 금지한다는 의미와 거리가 멀기 때문에 적절하지 않다.
② 이 글에서 기호보다 색깔을 먼저 인식하는 것과 관련된 내용은 나타나지 않는다.
③ 운전자들이 좌회전 신호와 직진 신호를 분리하는 것을 비효율적으로 본다거나 필요하다고 생각한다는 것은 이 글에서 알 수 없다.
⑤ 화살표 모양의 기호는 좌회전을 의미하므로, 이를 직진 신호로 이해할 것이라는 내용은 적절하지 않다.

어휘 확인하기

(1) '고안하다'는 '회사에서 신제품을 고안해 냈다.'와 같이 쓰인다.
(2) '의식하다'는 '그는 최면에 걸려 자기 행동을 의식하지 못했다.'와 같이 쓰인다.
(3) '자극'은 '열심히 공부하는 친구에게 자극을 받아 나도 열심히 공부하게 되었다.'와 같이 쓰인다.

인문 02 인류학자는 무엇을 할까

본문 64~65쪽

1 ② **2** ④ **3** 낮은

지문 이해 ① 인류학자 ② 현지 조사 ③ 민족지 ④ 태도

어휘 확인하기 (1) ② (2) ① (3) ③

① 아프리카의 소수 민족은 결혼식을 12일 동안 한다. 이슬람교의 여성들은 외출할 때 머리와 목을 가리기 위해 '히잡'이라는 스카프를 쓴다. (문제 1 - ② 관련, 인류학과 인류학자에 대한 이해를 돕는 구체적 사례 ①) 스페인의 한 해변에서는 옷을 입지 않고 해수욕을 즐길 수 있다. 이처럼 인류는 다양한 문화를 향유하며 살아가고 있다. 인류의 다양한 문화에 대해 연구하는 학문을 인류학, 이를 연구하는 사람을 인류학자(중심 화제)라고 한다. (문제 1 - ② 관련, 인류학과 인류학자의 개념)

▶ 인류의 다양한 문화를 연구하는 사람인 인류학자

② 인류학자는 문화를 깊이 있게 이해하기 위해(현지 조사의 목적) 현지 조사를 한다. 현지 조사란 일상생활 속에서 살아 움직이는 문화를 이해하고자 현지에 직접 찾아가 조사하는 것(현지 조사의 개념)이다. ㉠현지에 사는 사람들의 관점에서 보면, 인류학자는 어린이나 배우는 학생과 같다. 어린이가 자라면서 자신이 속한 사회의 문화를 배워 가듯이, 인류학자는 현지인들을 선생님으로 모시고 현지의 문화를 배우고 연구한다. (문제 3 관련, 잘 모르는 현지 문화를 연구할 때 인류학자가 보이는 태도) 현지 조사에서 사용되는 방법은 크게 두 가지이다. 첫 번째는 참여 관찰로(참여 관찰, 비공식적 인터뷰), 현지 생활을 직접 경험하면서 그곳의 문화를 관찰하며 기록하는 것이다. (문제 2 - ① 관련, 참여 관찰에 대한 설명) 두 번째는 비공식적 인터뷰로, 인터뷰의 응답자가 자신이 인터뷰의 대상이라고 의식하지 못하는 상태에서 질문에 대한 응답을 하도록 하는 것이다. (문제 2 - ④ 관련, 비공식적 인터뷰에서는 응답자가 인터뷰의 목적과 의도를 모름.)

▶ 인류학자의 조사 방법 - 현지 조사

③ 인류학자는 현지 조사를 통해 현지인들과 적극적으로 상호작용하면서 문화에 대한 연구 자료를 만든다. 이 연구 자료를 '민족지'라고 한다. (문제 2 - ② 관련, 민족지의 개념) 인류학자는 민족지를 작성할 때 문화의 여러 측면이 어떻게 연결되어 있는지를 중점적으로 파악한다. (문제 2 - ⑤ 관련) 예를 들어, 어떤 민족의 결혼식에 대해 쓴다면 결혼식의 절차만 서술하는 것이 아니라 결혼식과 관련이 있는 친족 관계, 돈과 권력의 문제 등을 다양하게 연구하여 서술하는 것이다. (문제 1 - ② 관련, 인류학과 인류학자에 대한 이해를 돕는 구체적 사례 ②)

▶ 인류학자의 연구 자료 - 민족지

④ 그렇기 때문에 인류학자는 단순히 문화를 연구하는 사람이라기보다는 어떤 문화를 현지인의 시각으로, 총체적인 관점에서 이해하는 사람이라고 할 수 있다. 따라서 인류학자는 현지인들과 가깝게 지내면서 그들의 문화를 깊이 있게 이해할 수 있는 개방적이고 포용력 있는 태도를 가져야 한다. 또한 다른 문화를 있는 그대로 존중해야 하며 신중한 태도로 접근해야 한다. 현지 조사를 빌미로 현지인들의 사생활을 침범하는 잘못을 저지를 수도 있기 때문이다. (문제 2 - ③ 관련)

▶ 인류학자에게 필요한 태도

해제 | 이 글은 인류의 다양한 문화를 연구하는 학문인 인류학과 인류학자에 대해 설명하고 있으며, 현지 문화를 연구할 때 인류학자가 보여야 할 바람직한 태도를 강조하고 있다.

주제 | 인류학과 인류학자의 개념 및 인류학자에게 필요한 태도

1 이 글에서는 인류학과 인류학자의 개념 및 인류학자의 연구 방법을 사례를 들어 설명하고, 인류학자가 지녀야 할 바람직한 태도를 강조하고 있다. 따라서 ②가 이 글에 대한 설명으로 가장 적절하다.

2 인류학의 현지 조사에서 사용되는 두 가지 방법 중 하나는 비공식적 인터뷰이다. 이는 인터뷰의 응답자가 자신이 인터뷰의 대상이라고 의식하지 못하는 상태에서 질문에 응답하는 것이다.

오답 풀이 ① 2문단에서 인류학자의 현지 조사 방법 중 참여 관찰은 현지 생활을 직접 경험하면서 그곳의 문화를 관찰하며 기록하는 것이라고 하였다.

② 3문단에서 민족지란 인류학자가 현지 조사를 통해 문화에 대해 연구한 내용이 담긴 자료를 말한다고 하였다.

③ 4문단에서 인류학자는 현지인들의 사생활을 침범하는 잘못을 저지를 수 있기 때문에 신중한 태도로 접근해야 한다고 하였다.

⑤ 3문단에서 인류학자는 민족지를 작성할 때 문화의 여러 측면이 어떻게 연결되어 있는지를 중점적으로 파악한다고 하였다.

3 현지인들이 보기에는 인류학자가 현지 문화에 대한 지식과 이해의 정도가 낮은 상태이며 배워 가는 입장이라는 것을 "인류학자는 어린이나 배우는 학생과 같다."라고 비유적으로 표현하였다.

어휘 확인하기

(1) '빌미'는 '내 실수가 빌미가 되어 친구와 사이가 나빠졌다.'와 같이 쓰인다.

(2) '현지'는 '그는 커피 농장이 있는 현지로 출장을 갔다.'와 같이 쓰인다.

(3) '총체적'은 '사람을 평가하려면 어느 한 면만이 아니라 총체적인 모습을 보아야 한다.'와 같이 쓰인다.

사회 03 착한 축구공과 착한 초콜릿

본문 66~67쪽

1 ② 2 ⑤ 3 ③

지문 이해 ① 축구공, 초콜릿 ② 원인 ③ 공정 무역, 소비하는

어휘 확인하기 (1) 고용되는 (2) 책정하기

① 전 세계 축구공의 약 70%는 파키스탄의 어린이들이 만든 것이다. 32개의 가죽 조각을 이어 축구공을 만들려면 1,600회가 넘는 바느질이 필요해서 인건비가 저렴한 파키스탄의 어린이들이 고용되는 것이다. 이 어린이들은 꼬박 2박 3일 동안 바느질하여 우리나라 돈으로 1,200원을 받는다. 우리가 흔히 먹는 초콜릿을 만드는 데도 어린이들의 노동력이 들어간다. 초콜릿의 재료인 카카오는 아프리카 열대 지방에서 주로 생산되는데, 매일 25만 명이 넘는 어린이들이 하루 종일 카카오 열매를 딴다. 이 어린이들은 카카오 농장에서 일하면서도 정작 초콜릿을 먹어 볼 수가 없다. 그래서 ㉠초콜릿에는 '어린이의 눈물'이라는 별칭이 붙어 있기도 하다.

(어린이들의 노동력으로 생산되는 물건 ① / 어린이들의 노동력으로 생산되는 물건 ② / 문제 3 – ③ 관련, 어린이들이 일하는 카카오 농장의 열악한 노동 환경)

▶ 어린이들의 노동력으로 만들어지는 축구공과 초콜릿

② 이러한 상황이 벌어지는 원인은 무역 구조에 있다. 생산물을 통해 발생하는 이익이 생산자에게 돌아가지 않고 「개발 도상국의 무역 중개인이나 선진국의 무역 회사, 가공업자, 소매업자」에게 돌아가는 것이다. 더욱이 개발 도상국에서는 생산물의 가격이 하락하면 그 책임을 모두 생산자가 지게 되어 있다. 개발 도상국은 복지나 생활 보호 등의 사회 안전망이 부족하기 때문에, 가격 변동으로 인한 위험 부담은 직접적으로 생산자의 생활을 위협하고 때로는 생명까지 빼앗아 가기도 한다.

(불공정한 무역 구조에서 생산자가 겪는 피해 ① / 문제 2 – ⑤ 관련, 무역 중개인은 불공정한 무역 구조에서 이익을 얻음. / 「 」: 생산자 외에 생산물의 이익을 가져가는 사람들 / 문제 2 – ① 관련, 불공정한 무역 구조에서 생산자가 겪는 피해 ②)

▶ 개발 도상국의 어린이들이 노동력을 착취당하는 원인

③ 이러한 문제를 해결하기 위한 방법으로 사회적 호응을 얻고 있는 것이 바로 공정 무역이다. 공정 무역이란 생산자의 노동에 정당한 대가를 지불하는 윤리적인 무역을 말한다. 투명하고 공정한 방식의 무역을 통해 개발 도상국의 소규모 생산자들에게 이익이 돌아갈 수 있게 하는 것이다. 소규모 생산자들이 조합을 조직하도록 돕는 것, 제품 가격을 생산자가 생산 비용과 생활비를 감당할 수 있을 정도로 책정하는 것, 생산 계획을 세울 수 있도록 장기 거래를 보증하는 것 등은 공정 무역을 실현하는 구체적인 방식들이다. 또한 공정 무역으로 발생하는 판매 이익의 일부는 개발 도상국의 학교와 진료소, 수도 시설 등을 건설하는 데 쓰이기도 한다. 그렇기 때문에 공정 무역을 통해 생산된 축구공이나 초콜릿을 소비하는 것은 윤리적 소비라는 측면에서 가치 있는 일이라고 할 수 있다.

(중심 화제 / 무역 구조를 개선하는 방법인 공정 무역의 개념 / 문제 2 – ③ 관련 / 문제 2 – ⑤ 관련, 공정 무역은 소규모 생산자들이 정당한 이익을 얻을 수 있게 도움. / 문제 2 – ② 관련 / 문제 2 – ④ 관련 / 문제 1 – ② 관련)

▶ 공정 무역의 개념과 공정 무역 제품을 소비하는 것의 가치

해제 | 이 글은 축구공과 초콜릿이 개발 도상국 어린이들의 노동력을 착취하여 만들어지는 것에 문제를 제기하고, 그러한 일이 벌어지는 원인이 무역 구조에 있음을 밝히고 있다. 그리고 불공정한 무역 구조를 개선할 수 있는 방안으로 '공정 무역'을 제시하고 그 의미와 가치에 대해 설명하고 있다.

주제 | 공정 무역이 필요한 이유와 공정 무역 제품을 소비하는 일의 가치

1 이 글은 개발 도상국 어린이들이 과도한 노동을 하는 상황이 벌어지는 이유가 불공정한 무역 구조에 있음을 지적하고, 이를 해결하기 위한 방안으로서 공정 무역의 가치를 설명하고 있다. 즉, 공정 무역 제품을 소비하는 행위에 담긴 윤리적 가치가 무엇인지 설명하는 글이다.

오답 풀이 ① 어린이들이 노동력을 착취당한다는 내용은 불공정한 무역 구조를 이야기하기 위해 제시한 것이다. 이 글은 소규모 생산자들을 보호하는 방법인 공정 무역이 주된 내용이다.
③ 무역 구조의 문제점을 말하는 데 그치지 않고 해결책으로 공정 무역을 제시하고 있다.
④ 인권 단체의 다양한 활동에 관한 내용은 나타나지 않는다.
⑤ 이 글에서 문제 상황으로 제시한 것은 나라와 나라 사이의 불평등이 아니라, 소규모 생산자들이 겪는 어려움이다.

2 3문단에서 공정 무역을 실현하는 방법으로 소규모 생산자들이 조합을 조직하도록 돕는 것을 제시하였다. 무역 중개인들이 조합을 조직하도록 돕는 것이 아니다.

오답 풀이 ① 2문단에서 확인할 수 있다.
② 3문단에서 확인할 수 있다.
③ 2, 3문단에서 공정 무역이 무역 구조를 개선하여 생산자가 정당한 대가를 받도록 하는 방법이라는 것을 알 수 있다.
④ 3문단에서 확인할 수 있다.

3 글의 내용으로 볼 때, 초콜릿을 '어린이의 눈물'이라고 표현한 것은 초콜릿이 어린이들의 노동력을 착취하여 만들어지기 때문이라고 보는 것이 적절하다.

어휘 확인하기

(1) "삯을 받고 남의 일을 하게 되다."라는 뜻의 '고용되다'를 활용하는 것이 적절하다.
(2) "계획이나 방책을 세워 결정하다."라는 뜻의 '책정하다'를 활용하는 것이 적절하다.

사회 04 선거구는 어떻게 정할까

본문 68~69쪽

1 ② **2** ⑤ **3** 권력을 가진 사람들이 자기편에 유리한 방향으로 선거구를 획정하도록 압력을 행사하는 것을 막기 위해서이다. / 게리맨더링의 폐해를 방지하기 위해서이다. / 선거구를 어떻게 나누느냐에 따라 선거의 결과가 달라질 수 있기 때문이다.

지문 이해 ① 선거구, 획정 ③ 선거구 법정주의

어휘 확인하기 ● ④

① 한 반을 대표하는 사람인 반장을 반에서 뽑듯이 대표자를 선출하기 위해서는 어떤 단위로 뽑을지에 대한 약속이 있어야 한다. 이와 같이 대표자를 선출하는 단위 구역을 선거구라고 한다. 선거구를 정하는 것을 선거구 획정이라고 하는데, 선거에서 선거구 획정은 매우 중요하며 이 과정에서 많은 갈등이 일어나기도 한다. 한 지역이라도 선거구를 어떻게 나누느냐에 따라 선거의 결과가 달라질 수 있기 때문이다.

문제 1 - ① 관련, 선거구의 뜻 / 선거구 획정의 뜻 / 중심 화제 / 문제 1 - ③ 관련, 선거구 획정이 중요한 이유

▶ 선거구의 뜻과 선거구 획정의 중요성

② 오른쪽 그림은 선거구를 나누는 세 가지 방법을 생각해 본 것이다. 15개 구역이 있고 각 구역이 지지하는 정당은 모양과 색으로 구분되어 있다. (가)와 같이 나누면 네모 정당이 3개의 의석을 가져가고, (나)와 같이 나누면 네모 정당이 2석, 세모 정당이 1석을, 그리고 (다)와 같이 나누면 네모 정당이 1석, 세모 정당이 2석을 가져간다. 당연히 네모 정당은 (가)와 같이, 세모 정당은 (다)와 같이 선거구를 획정하자고 주장할 것이다.

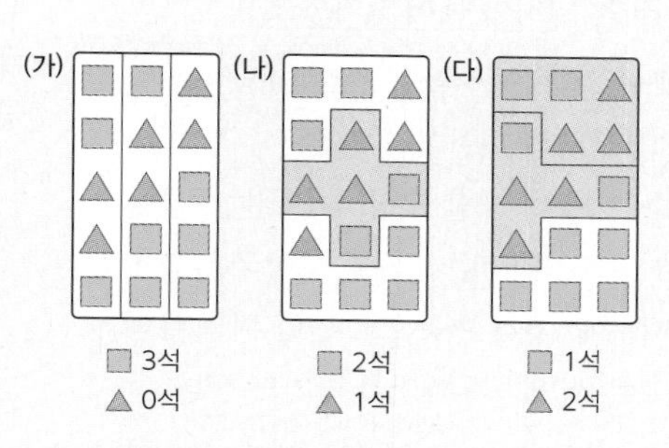

선거구 획정 과정에서 갈등이 일어나기도 하는 이유

▶ 선거구에 따라 선거의 결과가 달라지는 사례

③ 이런 점 때문에 역사적으로 권력을 가진 사람들은 자기편에 유리한 방향으로 선거구를 획정하도록 압력을 행사해 왔는데, 이를 게리맨더링(Gerrymandering)이라고 한다. 많은 나라에서는 게리맨더링의 폐해를 방지하기 위해 선거구를 법률로 정하는 선거구 법정주의를 채택하고 있다.

게리맨더링의 뜻 / 문제 1 - ⑤ / 문제 3 관련 / 선거구 법정주의의 뜻

▶ 게리맨더링의 폐해와 그것을 방지하는 선거구 법정주의

④ 선거구는 행정 구역, 인구 균형, 지리적 여건 등을 고려하여 획정된다. 특히 선거인 수와 의석수의 비율이 균형을 이루어야 한다. 만약 『인구가 100명인 A 선거구와 1,000명인 B 선거구에서 국회 의원이 1명씩 선출된다면, A 선거구의 1표의 가치가 B 선거구의 10표에 해당하므로』 유권자가 행사한 1표가 모두 동등한 가치를 지녀야 하는 표의 등가성 원리에 위배된다. 우리나라는 인구의 상한선을 28만 명, 하한선을 14만 명으로 하여 28만 명이 넘는 곳은 선거구를 갑, 을 등으로 나누고 14만 명이 안 되는 곳은 인접한 지역과 합쳐서 한 선거구로 정하고 있다.

문제 1 - ④ 관련, 선거구를 정할 때 고려할 사항 / 선거구 획정에서 중요한 요인 / 『 』: 표의 등가성 원리가 지켜지지 않은 사례 / 표의 등가성 원리의 뜻 / 문제 2 - ⑤ 관련, 우리나라에서 표의 등가성 원리를 고려하여 선거구를 정하는 기준

▶ 선거구를 정할 때 고려할 점

해제 | 이 글은 선거구의 의미와 선거구 획정의 중요성을 구체적인 예시를 들어 설명하는 글이다. 게리맨더링을 방지하기 위해 선거구 법정주의가 필요함을 언급하고 선거구를 정할 때 고려할 점들을 제시하고 있다.

주제 | 선거구 획정의 중요성 및 선거구 법정주의의 필요성

출전 | 승지홍, 《10대를 위한 선거 수업》

1 이 글에서 우리나라의 선거구가 모두 몇 개인지는 다루고 있지 않다.

오답 풀이 ① 1문단에서 선거구란 대표자를 선출하는 단위 구역이라고 하였다.
③ 1문단에서 선거구를 어떻게 나누느냐에 따라 선거의 결과가 달라질 수 있기 때문에 선거구 획정이 매우 중요하다고 하였다.
④ 4문단에서 선거구를 획정하는 데 영향을 미치는 요인을 설명하였다.
⑤ 3문단에서 게리맨더링의 폐해를 방지하기 위해 많은 나라에서 선거구를 법률로 정하는 선거구 법정주의를 채택한다고 하였다.

2 '표의 등가성의 원리'는 한 사람이 행사하는 표의 가치가 동등해야 한다는 것이다. 4문단의 내용을 참고하여 선거구를 정한다면, 인구가 28만 명이 넘는 a 지역은 선거구를 갑, 을로 나누고 14만 명이 안 되는 c 지역과 d 지역은 합쳐서 한 선거구로 정해야 한다. 한편 b 지역은 인구의 상한선이나 하한선을 넘지 않으므로 하나의 선거구가 된다. 따라서 a 갑 / a 을 / b / c+d로 선거구를 획정하는 것이 적절하다.

3 〈보기〉에는 게리맨더링의 폐해를 방지하기 위해 우리나라의 공직 선거법에서 정한 내용이 제시되어 있다. 3문단에서 선거구를 법률로 정하는 이유는 권력을 가진 사람들이 자기편에 유리한 방향으로 선거구를 획정하도록 압력을 행사하는 것을 막기 위해서라고 하였다.

어휘 확인하기

④에서 '지지하다'는 "어떤 사람이나 단체의 주의·의견 등에 찬성하여 이를 위하여 힘을 쓰다."라는 뜻으로 쓰였다. "꼭 집어서 가리키다."는 '지적하다'의 뜻에 해당한다.

과학 05 삶은 달걀을 찾는 방법

본문 70~71쪽

1 ④ **2** ③ **3** 원심력, 유동적

지문 이해 ① 날달걀 ② 돌지 ③ 넘어지는

어휘 확인하기 ● ③

① 식탁 위에 달걀 바구니 두 개가 놓여 있다. 하나는 삶은 달걀이 들어 있는 것이고, 다른 하나는 날달걀이 들어 있는 것이다. 어떻게 하면 삶은 달걀이 들어 있는 바구니를 골라 낼 수 있을까? 사실 삶은 달걀과 날달걀은 겉으로 보기에는 거의 똑같아서 깨 보지 않고는 구별하기가 힘들다. 이때 쉽게 구별하는 방법으로 달걀을 세워서 돌려 보는 것이 있다(삶은 달걀을 골라 내는 방법). 달걀을 세워서 돌리면 삶은 달걀은 팽이처럼 잘 돌지(문제 1 – ① 관련)만, 날달걀은 삶은 달걀보다 잘 돌지 못한다.

▶ 삶은 달걀과 날달걀을 구별하는 방법

② 이런 현상이 나타나는 이유는 무엇일까?(중심 화제) 그것은 삶은 달걀과 날달걀 속의 상태가 서로 다르기 때문이다. 삶은 달걀은 겉과 속 전체가 하나의 고체 덩어리라서 껍데기와 내용물이 함께 움직이는 반면(문제 1 – ⑤ 관련, 겉과 속의 상태가 균일하면 회전력이 잘 전달됨), 날달걀의 속은 액체 상태이므로 고체인 껍데기와 점성이 있는 액체인 내부가 서로 독립적으로 운동한다(겉과 속의 상태가 서로 다른 날달걀의 특성). 이것은 ㉠뉴턴 운동 제1법칙인 관성 법칙과 관련이 있다. 관성이란 정지해 있는 물체는 계속 정지해 있으려 하고 움직이는 물체는 계속 움직이려는 성질을 말한다(문제 2 – ③ 관련). 즉, 『물체는 외부에서 힘이 작용하지 않거나 힘이 작용하더라도 그 힘의 합이 0이면 기존의 운동 상태를 유지하려는 성질이 있다.』(『』: 문제 1 – ③ 관련) 이에 따라 날달걀을 돌리면 힘이 작용한 겉 부분은 바로 회전하지만, 삶은 달걀과 달리 겉에 고정되어 있지 않은 날달걀의 내용물은 관성 때문에 잠시 정지 상태를 유지하는 것이다(문제 1 – ④ 관련, 회전력이 날달걀에 고르게 퍼지지 못하는 이유 ①). 날달걀은 회전력(달걀을 회전시킬 때 달걀에 작용하는 힘 ①)이 껍데기에서 흰자위로, 그리고 노른자위로 점진적인 과정을 거쳐 전해지는 셈이다. 또한 회전력이 날달걀 속의 여러 층끼리 서로 마찰하면서 내부 에너지로 소비되므로(회전력이 날달걀에 고르게 퍼지지 못하는 이유 ②), 흰자위와 노른자위에는 미약하게 전달된다. 그 결과 외부의 힘이 달걀 내부에 고르게 퍼지지 못하여 잘 돌지 못하는 것이다(문제 1 – ② 관련).

▶ 날달걀이 잘 돌지 못하는 이유

③ 한편 날달걀을 세워서 돌렸을 때 계속 서 있지 못하고 금방 넘어지는 이유는 무엇일까? 물체가 회전을 시작하면 그 회전하는 원의 중심에서 반대 방향으로 원심력(달걀을 회전시킬 때 달걀에 작용하는 힘 ②)이 작용한다. 그런데 삶은 달걀과 같은 고체는 원심력이 일정하게 작용하는 반면, 날달걀과 같이 유동적인 액체는 더 넓은 회전 반경을 갖는 방향으로 원심력이 쏠린다(문제 3 관련, 날달걀을 세워서 돌리면 삶은 달걀보다 잘 넘어지는 이유). 이렇게 어느 한쪽으로 힘이 쏠리면 균형을 잃게 되고, 결국 달걀이 넘어지는 것이다.

▶ 날달걀을 세워서 돌리면 금방 넘어지는 이유

해제 | 이 글은 물질의 상태와 관성 법칙을 활용하여 삶은 달걀과 날달걀을 구별하는 방법을 과학적으로 설명하고 있다.

주제 | 달걀을 통해 알 수 있는 물질의 상태와 관성 법칙

1 2문단에서 날달걀 속의 액체는 외부의 힘이 미약하게 전달되므로 관성의 영향을 더 크게 받아 잠시 정지 상태를 유지한다고 하였다. 즉, 외부에서 회전시키려는 힘을 방해하는 힘으로 관성이 작용하는 것이다. 따라서 액체가 관성의 영향을 적게 받으며 외부의 힘에 쉽게 반응한다고 한 ④는 이 글에서 알 수 있는 사실과 거리가 멀다.

오답 풀이 ①, ⑤ 2문단에 따르면 삶은 달걀은 겉과 속이 모두 고체인 균일한 상태의 물질이라서 외부의 힘이 고르게 전달되므로, 겉은 고체이고 속은 액체인 날달걀보다 잘 회전한다.
② 2문단에서 날달걀은 겉이 고체이고 속은 액체이며 내용물이 겉에 고정되어 있지 않아서 회전하려는 힘을 고르게 받지 못한다고 하였다.
③ 2문단에서 물체는 외부에서 힘이 작용하지 않을 때 기존의 운동 상태를 유지하려는 성질이 있다고 하였다.

2 ㉠에 따르면 움직이는 물체는 계속 움직이려는 성질을 가진다. 달리는 자동차가 갑자기 정지하면, 차에 타고 있던 사람들은 앞으로 나아가는 상태를 유지하려는 관성에 의해 몸이 앞쪽으로 쏠리게 될 것이다.

3 3문단에서 고체인 삶은 달걀은 원심력이 일정하게 작용하지만, 날달걀은 속이 유동적인 액체로 이루어져 있기 때문에 원심력이 한쪽으로 쏠린다고 하였다.

어휘 확인하기

'독립적'은 "남에게 의존하거나 속하지 않은 것."을 의미하므로, 이 말을 넣었을 때 어색한 것은 ③이다. 문맥상 아이가 남에게 기대는 성질이 있는 사람으로 자라기 쉽다는 내용이 어울리므로 ③의 괄호 안에는 '의존적'이 들어가는 것이 적절하다.

과학 **06** ## 사람의 심장과 개구리의 심장

본문 72~73쪽

1 ③ **2** ④ **3** 환경, 독자적

지문 이해 ① 심장 구조 ② 혈액 ④ 환경/양서 생활

어휘 확인하기 (1) 진화하다 (2) 거듭하다 (3) 수축하다

① 사람을 포함한 포유류의 심장은 2심방 2심실 구조이다. 어류의 심장은 1심방 1심실, 양서류는 2심방 1심실, 파충류는 2심방 1심실 혹은 2심방 2심실도 있다. 척추동물이 어류에서 양서류, 파충류를 거쳐서 포유류로 진화했다는 점을 생각한다면, 진화를 거듭할수록 심장의 구조도 복잡해졌으므로 2심방 2심실의 심장이 가장 뛰어나다고 추측하기 쉽다. 정말 그럴까?

(문제 1 - ① 관련. 척추동물의 종류에 따른 심장 구조 / 척추동물의 진화 단계 / 문제 1 - ③ 관련. 포유류의 심장이 양서류의 심장보다 복잡함.)

▶ 척추동물의 심장 구조와 척추동물의 진화 단계

② 먼저 ㉠사람의 심장에서 혈액이 어떻게 흘러가는지 알아보자. 온몸을 돌고 온 혈액이 우심방으로 들어간다. 우심방에서 우심실로 내려간 혈액은 우심실의 펌프 작용으로 폐의 모세 혈관으로 이동한다. 여기서 혈액은 이산화 탄소를 내보내고 산소를 얻은 다음 좌심방으로 들어간다. 심장이 수축하면 좌심방의 혈액이 좌심실로 내려간 후 온몸의 모세 혈관으로 뻗어 나가 산소와 이산화 탄소를 교환한다. 다만 폐의 모세 혈관과 온몸의 모세 혈관을 지날 때는 혈압이 약해진다. 그래서 폐로 혈액을 보내는 펌프와 온몸으로 혈액을 보내는 펌프를 이중으로 탑재하여, 혈압이 약해지는 일 없이 효율적으로 산소와 이산화 탄소를 교환하도록 진화한 것이다.

(중심 화제 / 문제 1 - ④ 관련. 문단의 중심 내용 / 문제 2 - ① 관련. 우심실의 펌프 작용으로 혈액이 폐로 이동함. / 문제 2 - ① 관련. 좌심실의 펌프 작용으로 혈액이 온몸으로 이동함. / 문제 2 - ② 관련. 사람의 심장에서 심실이 2개인 이유)

▶ 사람의 심장에서 혈액이 순환하는 과정

③ 그렇다면 양서류인 ㉡개구리의 심장은 어떤 구조일까? 개구리의 심장은 2심방 1심실 구조이다.『온몸을 돌아온 혈액은 우심방으로, 폐에서 흘러나온 혈액은 좌심방으로 모여서 함께 하나의 심실로 흘러 들어간다. 이처럼 산소를 포함한 깨끗한 혈액과 그렇지 않은 혈액이 하나의 심실에서 섞이므로』개구리의 심장은 '순환 효율이 나쁜 심장'이라고 여겨져 왔다. 하지만 자세히 조사해 본 결과, 개구리의 심장은 효율이 나쁜 것이 아니라 특이한 기능을 지니고 있다는 사실이 밝혀졌다. 두 개의 심방에서 흘러나온 혈액이 심실에서 거의 섞이지 않은 채 순환하는 것이다.

(중심 화제 / 문제 1 - ⑤ 관련. 문단의 중심 내용 / 『 』: 문제 2 - ③ 관련. 폐에서 산소를 얻은 깨끗한 혈액이 좌심방으로 모임. / 문제 2 - ⑤ 관련)

▶ 개구리의 심장에서 혈액이 순환하는 과정

④ 또한 개구리는 양서 생활에 대응하는 특이한 심장 구조를 가졌다. 폐호흡을 할 수 없는 물속에서는 심실에서 폐로 보내는 혈액을 줄인다. 그러면 몸 전체로 보내는 혈류량을 높일 수 있다. 즉, 폐를 통과하지 않고 혈액을 순환시켜서 피부 호흡으로 산소를 공급하거나 혈액 안의 산소를 남김 없이 소비하는 것이다. 만약 사람처럼 2심방 2심실 구조인데 폐로 들어가는 혈액이 없어진다면, 온몸으로 공급되는 혈액의 흐름도 멈춰 버리고 말 것이다. 이를 통해 개구리와 같은 양서류의 심장은 처한 환경에 맞게 독자적으로 진화했다는 것을 알 수 있다.

(문제 1 - ② / 문제 2 - ④ 관련. 개구리의 특이한 심장 구조는 양서 생활을 위한 것임. / 문제 2 - ④ 관련. 폐로 보내는 혈액을 줄이는 이유 / 문제 3 관련)

▶ 환경에 맞게 진화한 개구리의 심장

해제 | 이 글은 사람 및 개구리의 심장 구조와 혈액의 순환 과정을 설명하면서, 양서류의 심장이 환경에 맞게 독자적으로 진화했음을 말하고 있다.

주제 | 처한 환경에 맞게 진화한 심장의 구조

출전 | 가네코 야스코·히비노 다쿠 지음, 고경옥 옮김, 《내가 사랑한 생물학 이야기》

1 1문단에서 포유류의 심장이 양서류의 심장보다 복잡한 구조라고 하였으므로 양서류의 심장이 포유류의 심장보다 복잡하다고 한 ③은 적절하지 않다.

오답 풀이 ① 1문단에서 척추동물의 진화 단계와 각각의 심장 구조를 제시하였다.
② 4문단에서 개구리는 양서 생활에 맞는 특이한 심장 구조를 가졌다고 하였다.
④ 2문단 전체에서 설명하고 있다.
⑤ 3문단 전체에서 설명하고 있다.

2 4문단에 따르면, 물속에 있을 때 개구리의 심장은 심실에서 폐로 보내는 혈액을 줄이고 몸을 순환하는 혈액을 늘려서 피부를 통해 호흡할 수 있도록 한다.

오답 풀이 ① 2문단에서 사람의 심장은 심실에서 펌프 작용이 일어난다고 하였다.
② 2문단에 따르면 사람의 2심실은 모세 혈관의 혈압이 약해지는 것을 막아 준다.
③ 3문단에서 폐에서 산소를 얻은 깨끗한 혈액이 좌심방으로, 온몸을 돌아온 혈액이 우심방으로 모인다고 하였다.
⑤ 3문단에서 혈액이 심실에서 거의 섞이지 않은 채 순환한다고 하였다.

3 이 글에 따르면 사람의 심장이 개구리의 심장보다 뛰어나다고 볼 수 없다. 심장 구조는 각자 처한 환경에 맞게 독자적으로 진화한 결과이기 때문이다.

어휘 확인하기

(1) '진전하다'는 "일이 진행되어 발전하다."라는 뜻이다.
(2) '겹치다'는 "여러 사물이나 내용이 서로 포개지다."라는 뜻이다.
(3) '팽창하다'는 "부풀어서 부피가 커지다."라는 뜻이다.

더 쌓기 본문 74쪽

1 (1) 중요하게 (2) 범하여 (3) 적용하여
2 (1) 변동 (2) 책정 (3) 총체적 (4) 자동적
3 ② **4** ④

기술 07 나를 지켜 주는 생체 인식 기술

본문 76~77쪽

1 ⑤ 2 ③

지문 이해 ① 생체 인식 기술 ② 보안성 ③ 지정맥

어휘 확인하기 ● ②

① 생체 인식 기술(중심 화제)이란 신체적, 행동적 생체 특성을 이용하여 개인을 식별하는 기술을 말한다.(문제 1 - ① 관련, 생체 인식 기술의 개념) 현재 사용되는 생체 인식 기술의 대표적인 예로는 지문 인식과 홍채 인식이 있다. 지문 인식은 지문에 빛을 쏴서 반사되는 신호를 통해 지문의 굴곡을 인식하고 판독하는 기술이다.(지문 인식의 방법) 지문의 갈라진 점, 이어진 점, 끝점을 스캔하여 각 지문의 특징을 좌표로 삼아 기존 데이터와 대조하여 신분을 확인한다. 홍채 인식은 눈을 스캔했을 때, 검정색의 동공을 중심으로 홍채와 흰자위의 영역을 나눈 후 홍채의 무늬를 인식하여 본인 여부를 확인하는 기술이다.(홍채 인식의 방법) ▶ 생체 인식 기술의 개념과 대표적인 예

② 지문 인식과 홍채 인식은 편리성과 데이터의 안정성 때문에 스마트폰이나 주요 공공시설의 출입 통제 시스템 등에 널리 사용되어 왔다.(문제 1 - ② 관련, 지문 인식과 홍채 인식의 편리성과 데이터의 안정성 / 문제 1 - ⑤ 관련, 지문 인식과 홍채 인식의 활용) 그러나 안전하다고 여겨졌던 지문 인식과 홍채 인식의 보안성이 위협받기 시작했다.(문제 2 - ③ 관련, 생체 인식 기술의 보안성이 완벽한 것은 아님.) 지문 인식 시스템은 보통 작은 센서로 지문의 일부를 캡처하여 분석하는 방식이다. 그런데 『미국의 한 컴퓨터과학과 교수팀이 8,000개가 넘는 지문을 분석해 공통점이 많은 부분을 추출하여 '마스터키' 지문을 만들었고, 꽤 높은 확률로 보안 시스템을 해제하는 데 성공했다.』(『 』: 지문을 위변조한 사례) 또 『독일의 한 해킹 단체는 사람의 홍채 사진을 출력해 콘택트렌즈와 결합하여 가짜 홍채를 만들어 냈고, 이를 통해 보안 시스템을 해제하기도 하였다.』(『 』: 문제 1 - ③ 관련, 홍채를 위변조한 사례) ▶ 위협받고 있는 지문 인식과 홍채 인식의 보안성

③ 이처럼 기존의 생체 인식 기술에서 문제점이 나타나자 이를 보완하기 위한 새로운 기술도 활발하게 개발되고 있다. 그중 지정맥 인식은 근적외선 센서를 통해 손가락 안에 있는 정맥의 패턴을 분석하여 일치 여부를 판단하는 기술이다.(지정맥 인식의 방법) 『지문과 달리 손가락 내부의 혈관 패턴을 인증하는 것이므로 위변조할 수 없으며,(문제 1 - ④ 관련, 지문 인식보다 뛰어난 지정맥 인식의 보안성) 이물질이나 습도 등 외부 환경의 영향을 받지 않는다. 또한 인식 장치의 크기를 매우 작게 만들 수도 있다.』(『 』: 지정맥 인식 기술의 장점) 이러한 장점 때문에 여러 나라에서 보안이 중요한 금융 서비스 분야에 핑페이(FingPay)라는 명칭으로 도입되고 있다. ▶ 기존 기술의 한계를 보완한 지정맥 인식 기술

④ 정보 보안의 중요성과 보안 문제의 심각성이 날로 높아지면서 생체 인식 기술에 대한 사람들의 관심도 함께 커지고 있다. 더 편리하고 안정성 있는 생체 인식 기술을 찾고 대중화하려는 노력이 계속된다면, 언젠가는 외부의 위협으로부터 우리의 정보를 안전하게 지키는 강력한 수단을 가질 수 있을 것이다.(문제 2 - ③ 관련, 생체 인식 기술의 전망에 대한 긍정적 시각이 나타남.) ▶ 생체 인식 기술의 전망

해제 | 이 글은 생체 인식 기술의 개념과 보안상의 한계 및 전망을 지문 인식과 홍채 인식, 지정맥 인식을 사례로 들어 설명하고 있다.

주제 | 다양한 생체 인식 기술의 개발과 발전 전망

1 2문단에서 생체 인식 기술이 편리성과 데이터의 안정성 때문에 스마트폰이나 주요 공공시설의 출입 통제 시스템 등에 널리 쓰이고 있다고 하였다.

오답 풀이 ① 1문단에 제시된 생체 인식 기술의 개념에서 알 수 있다.
② 2문단에서 확인할 수 있다.
③ 2문단에서 홍채 인식의 위변조에 성공한 사례를 다루고 있다.
④ 3문단에서 지정맥 인식은 지문 인식과 달리 위변조할 수 없다고 하였으므로 보안성이 더 뛰어나다고 볼 수 있다.

2 이 글에서는 생체 인식 기술을 소개하고 그 보안성을 위협하는 사례들을 소개한 후, 앞으로의 전망을 평가하고 있다. 한편 〈보기〉에서는 생체 인식 기술의 장점만을 제시하고 있다. 따라서 이 글의 글쓴이가 〈보기〉의 글쓴이에게 할 수 있는 말은, 생체 인식 기술의 전망을 긍정적으로 보면서도 보안성을 위협하는 요소가 있음을 지적하는 ③과 같은 내용이 적절하다.

오답 풀이 ① 2문단에서 생체 인식 기술의 보안성이 위협받고 있다고 하였다.
② 이 글에서 개인 식별 번호와 생체 인식 기술을 비교한 내용은 나타나지 않는다. 또한 2문단에서 생체 인식 기술이 편리하고 안정적이기 때문에 널리 사용되어 왔다고 하였다.
④ 4문단에서 생체 인식 기술에 대한 사람들의 관심이 커지고 있다고 하였다.
⑤ 2, 3문단에서 생체 인식 기술이 도입된 다양한 분야를 제시하였으며 4문단에서 앞으로의 전망을 긍정적으로 평가했다.

어휘 확인하기

'해제되다'는 "설치되었거나 장비된 것 따위가 풀려 없어지다."라는 뜻이다. 따라서 "부서지거나 찌그러져 못 쓰게 되다."라는 뜻의 '망가지다'와 바꿔 쓰기에 적절하지 않다.

기술 08 대만의 101 타워에는

본문 78~79쪽

1 ④ **2** ⑤ **3** 고층 건물은 높이가 높아 안정성이 떨어질 수 있고, 상주하는 사람들의 숫자가 많아서 지진이 일어나면 피해가 크기 때문이다.

지문 이해 ① 지진 ③ 내진 설계 ④ 제진 설계, 면진 설계

어휘 확인하기 (1) 표방해 (2) 상쇄하기 (3) 상주하는

① 지진의 공포가 전 세계로 확산되고 있다. 불의 고리로 불리는 환태평양 조산대 부근에서 끊이지 않고 강력한 지진이 발생하고 있는 것이다.(지진의 공포가 확산되고 있는 이유) 최근 우리나라에도 몇 차례 지진이 발생하면서 우리나라 역시 지진의 안전지대는 아니라는 연구가 나오고 있다.

▶ 전 세계로 확산되고 있는 지진의 공포

② 지진은 지층이 지구 내부에서 생기는 힘을 받아 끊어지면서 땅이 흔들리는 현상을 말한다.(지진의 개념) 지진은 규모(지진의 세기를 나타내는 표현)에 따라 0에서부터 9이상까지로 구분되는데, 규모가 2.0 차이 나면 파괴력은 약 1,000배 차이가 난다고 한다. 지진은 땅이 흔들리는 것이기 때문에 지진이 일어날 수 있는 곳에서는 건물을 안전하게 짓는 일이 매우 중요하다.(지진이 일어날 가능성이 높을수록 내진 설계의 중요성이 커짐.) 특히 고층 건물은 높이가 높아 안정성이 떨어질 수 있고 상주하는 사람들의 숫자가 많기 때문에 지진이 일어나면 그 피해가 엄청날 수밖에 없다.(문제 3 관련, 고층 건물에서 내진 설계가 중요한 이유) 따라서 지진의 진동을 잘 견딜 수 있게 하는 내진 설계(내진 설계의 의미, 중심 화제)가 중요하다.

▶ 지진 발생 시 내진 설계가 중요한 이유

③ 대만의 101 타워는 내진 설계로 유명한 초고층 건물이다.(내진 설계의 구체적 사례) 대만은 불의 고리 지역에 속한 데다가 판과 판의 경계에 위치하여 우리나라보다 지진이 잦다.(문제 2 – ⑤ 관련, 대만에서 지진이 많이 일어나는 이유) 이런 대만의 도심지에 높이가 508m에 이르는 101 타워가 세워질 수 있었던 것은, 이 건물이 지진에도 끄떡없는 건물을 표방하여 지어졌기 때문이다. 실제로 101 타워의 전망대에서는 지진을 대비하기 위한 시설인 '댐퍼'를 볼 수 있다.(문제 1 – ① 관련, 101 타워에 활용된 제진 설계) 댐퍼는 건물 내부에 매달린 거대한 추의 형태인데 무게가 건물 전체 중량의 1% 정도 되며 지진 발생 시 진동의 반대 방향으로 움직여서 진동을 상쇄하는 역할을 한다.(댐퍼가 지진의 진동으로부터 건물을 보호하는 원리)

▶ 내진 설계로 유명한 대만의 101 타워

④ 101 타워의 내진 설계 방식은 ㉠'제진 설계'에 해당한다. 여기서 제진이란 진동을 제거한다는 뜻이다. 땅으로부터 건물에 전달되는 진동을 감지하고 그 진동에 대응하는 힘을 반대 방향으로 작용시켜 건물의 흔들림을 막는 것이 제진 설계이다.(문제 1 – ③ 관련, 제진 설계의 원리) 이 밖에 ㉡'면진 설계' 방식도 내진 설계의 공법으로 자주 쓰인다. 「면진이란 진동을 피한다는 뜻으로, 건물과 땅 사이에 고무 스프링이나 댐퍼(문제 1 – ① 관련, 면진 설계 방식에서도 댐퍼가 활용됨.), 베어링 등을 설치하여 진동이 건물에 전해지는 것을 막는 방식이다.」(「」: 문제 1 – ⑤ 관련, 면진 설계의 원리) 면진 설계는 지진 대비에 효과적이지만, 건물 최하층에 설치되어서 높은 위치의 흔들림에는 반응하기 어려우므로(초고층 건물에 면진 설계가 적합하지 않은 이유) 초고층 건물을 지을 때는 주로 제진 설계가 활용된다.(문제 1 – ④ 관련)

▶ 내진 설계의 두 가지 방식 – 제진 설계와 면진 설계

해제 | 이 글은 지진의 공포가 확산되는 상황에서 지진에 안전한 건물을 짓는 내진 설계가 중요함을 강조하고, 내진 설계로 유명한 건물을 소개한 후 내진 설계 방식인 제진 설계와 면진 설계를 설명하고 있다.

주제 | 건물이 지진의 진동을 잘 견딜 수 있게 하는 내진 설계

1 4문단에서 면진 시설은 건물 최하층에 설치돼서 높은 위치의 흔들림에는 반응하기 어렵다고 하였다. 따라서 초고층 건물을 지을 때는 주로 제진 설계가 활용된다고 하였으므로 ④는 적절하지 않다.

오답 풀이 ① 대만의 101 타워의 제진 설계에서 진동을 상쇄하기 위해 댐퍼가 쓰였으며, 면진 설계에서도 진동이 건물에 전해지는 것을 막기 위해 댐퍼가 활용된다는 내용으로 볼 때 적절하다.

② 제진 설계와 면진 설계는 모두 건물이 지진을 잘 견디도록 하기 위한 내진 설계에 해당하며, 건물의 안정성을 높여 지진의 충격과 피해를 줄이는 데 목적이 있다.

③ 4문단에서 제진 설계는 진동에 대응하는 힘을 반대 방향으로 작용시켜 진동을 상쇄하는 방식이라고 하였다.

⑤ 4문단에서 면진 설계는 진동이 건물에 전해지는 것을 막는 방식이라고 하였다.

2 대만에서 지진이 많이 일어나는 이유는 글의 2문단에 제시되어 있다. 대만은 불의 고리 지역에 속하고 판과 판의 경계에 위치하고 있어 지진이 우리나라보다 잦다고 하였다. 따라서 ⑤는 심화 학습을 위한 질문으로 적절하지 않다.

3 2문단에 제시된 지진과 내진 설계에 관한 설명과 지진이 일어났을 때 건물이 입는 피해에 대한 내용에서 고층 건물을 지을 때 내진 설계가 중요한 이유를 알 수 있다.

어휘 확인하기

(1) "어떤 명목을 붙여 주의나 주장 또는 처지를 앞에 내세우다."라는 뜻의 '표방하다'가 문맥에 적절하다.

(2) "상반되는 것에 서로 영향을 주어 효과가 없어지게 만들다."라는 뜻의 '상쇄하다'가 문맥에 적절하다.

(3) "늘 일정하게 살다."라는 뜻의 '상주하다'가 문맥에 적절하다.

예술 09 동양의 바이올린, 해금

본문 80~81쪽

1 ② **2** ③ **3** 해금에는 국악기를 만드는 데 쓰이는 여덟 가지 재료가 모두 들어가기 때문이다.

지문 이해 ② 재료, 소리 ③ 구조 ④ 연주

어휘 확인하기 ● ③

① 우리나라 악기 중 가장 널리 사용되는 악기는 '깡깽이'라고도 불리는 해금이다. (중심 화제) 해금은 임금이 있는 대궐 안의 장엄한 의식에서부터 서민들의 흥겨운 마당놀이에 이르기까지 안 쓰이는 곳이 없다. (문제 1 - ① 관련, 임금부터 서민까지 다양한 계층이 사용한 해금) 해금은 원래 몽고 지방에 살던 해(奚)라는 종족이 즐기던 악기로 해금의 '해' 자는 여기서 유래했다. (문제 1 - ② 관련, '해'는 몽고 지방에 살던 종족을 가리킴. / 해금이라는 이름의 유래) 해금이 우리나라에서 사용되기 시작한 것은 고려 시대로, 고려 예종 9년 중국 송나라에서 들어온 이래 오랜 세월을 거치면서 완전히 토착화했다.

▶ 해금의 유래 및 해금이 우리나라에 들어온 시기

② 표주박만 한 통 위로 비죽 올라온 마디 많은 입죽(해금 줄을 얹는 손잡이)에 줄을 문질러 소리를 내는 활 하나, 얼핏 보아도 초라하기 짝이 없는 생김이지만 해금은 만드는 재료부터 범상치 않다. 해금에는 8음이라 해서 국악기를 만드는 데 쓰이는 여덟 가지 재료인 쇠(金), 돌(石), 명주실(絲), 대나무(竹), 나무(木), 가죽(革), 바가지(匏), 흙(土)이 모두 들어간다. (문제 3 관련, 해금에는 우리 악기를 만드는 데 쓰이는 재료가 모두 들어감.) 이렇게 ㉠하나의 악기에 우리 땅의 정기가 응축되어 있는 셈이니 해금의 소리 또한 범상치 않다. 거친 듯 쉰 듯, 그러면서도 구수하고 애련하고 신명 나는 해금 소리에는 인간사의 희로애락이 고스란히 녹아 있다. (문제 1 - ③ 관련)

▶ 해금을 만드는 재료와 해금이 내는 소리의 특징

③ 해금에는 줄이 두 개밖에 없다. (문제 1 - ④ 관련) 동그란 울림통은 큰 대나무의 밑뿌리다. 통에 해묵고 마디 많은 대를 입죽으로 꽂고 입죽 위쪽에 두 개의 주아를 붙인다. (문제 2 관련, 해금에서 통, 입죽, 주아의 위치) 주아란 줄을 걸고 음을 조절하는 손잡이다. 해금의 두 줄 중 안쪽 줄이 중현, 바깥쪽 줄이 유현이다. 말총에 송진을 발라 쓰는 활은 중현과 유현 사이에 넣고 울림통 위를 지나면서 줄을 마찰시켜 소리를 낸다. (문제 1 - ④ 관련)

▶ 해금의 구조

④ 『연주할 때는 바른 자세로 앉아 왼손바닥으로 입죽을 잡고 손가락 안쪽에 두 줄을 오게 한 다음, 손가락으로 두 줄을 움켜잡아 당겼다 늦추었다 하면서 오른손에 잡은 활로 줄을 문지른다.』(『 』: 해금을 연주하는 방법) 이때 왼손으로 줄을 올려 잡으면 낮은음이 나고 내려 잡으면 높은음이 난다. (문제 1 - ⑤ 관련) 또 음역이 넓어 낮은음에서 높은음까지 다양하게 낼 수 있는데, 자유로운 농현은 해금의 음색을 한결 돋보이게 한다. 『두 개밖에 없는 줄을 죄고 풀어 농현하며 온갖 소리를 쏟아내니 해금처럼 소리 하나하나를 손으로 빚는 악기는 다른 어느 나라에도 없을 것이다.』(『 』: 연주 방법에 있어서 해금의 특별한 점) 해금은 현악기면서도 관악 합주에 반드시 편성되며 관현 합주에서는 전체적인 균형을 유지시키면서 묘한 맛을 풍긴다. (관현 합주에서 해금의 가치)

▶ 해금을 연주하는 방법

해제 | 이 글은 해금의 유래와 특징, 구조를 소개하고 있으며 해금에 들어가는 재료와 독특한 연주 방법을 들어 해금의 특별한 가치를 설명하고 있다.

주제 | 해금의 특징과 가치

출전 | 이성재, 《재미있는 우리 국악 이야기》

1 1문단에서 해금은 원래 몽고 지방에 살던 '해'라는 종족이 즐기던 악기라고 하였다. '해'라는 악기는 제시되지 않았다.

오답 풀이 ① 1문단에서 해금이 임금이 있는 대궐 안의 의식에서부터 서민들의 마당놀이에 이르기까지 안 쓰이는 곳이 없다고 하였으므로 다양한 계층에서 사용되었다고 볼 수 있다.
③ 2문단에서 해금의 소리에는 인간사의 희로애락이 고스란히 녹아 있다고 하였다.
④ 3문단에서 해금에는 줄이 두 개 밖에 없으며 활을 중현과 유현 사이에 넣고 울림통 위를 지나면서 줄을 마찰시켜 소리를 낸다고 하였다.
⑤ 4문단에서 왼손으로 줄을 올려 잡거나 내려 잡으면서 음의 높낮이를 조절한다고 하였다.

2 3문단에서 해금의 구조를 알 수 있다. '통'은 대나무로 만든 동그란 울림통이고 '입죽'은 통에 꽂는 대이며, '주아'는 줄을 거는 손잡이로 두 개가 있다고 하였으므로 〈보기〉의 ⓐ는 입죽, ⓑ는 주아, ⓒ는 통이라는 것을 알 수 있다.

3 2문단에서 해금에는 우리 악기를 만드는 데 쓰이는 여덟 가지 재료가 모두 들어가므로 우리 땅의 정기가 응축되어 있는 악기라고 하였다.

어휘 확인하기

'범상하다'는 "중요하게 여길 만하지 아니하고 예사롭다."라는 뜻이다. 따라서 "흔히 있을 만하다."라는 뜻의 '예사롭다'로 바꿔 쓸 수 있다. '귀하다', '비범하다', '뛰어나다', '대수롭다'는 모두 훌륭하거나 뛰어난 것, 중요하게 여길 만한 것을 가리키므로 '범상하다'를 대신하기에 적절하지 않다.

예술 10 모나리자의 비밀

본문 82~83쪽

1 ③ **2** ① **3** ①

지문 이해 ② 스푸마토 ③ 대기 원근법 ④ 3/4 구도

어휘 확인하기 (1) 지각하다 (2) 원근 (3) 동원하다

① 레오나르도 다빈치의 〈모나리자〉는 세계에서 가장 유명한 그림이다. 〈모나리자〉는 여인의 옅은 미소가 다소곳한 포즈, 별다른 치장 없는 검소한 옷과 조화를 이루어 이상적인 아름다움이라는 주제를 예술적으로 담아낸 작품으로 평가받는다. 레오나르도는 〈모나리자〉를 4년이 넘는 기간 동안 그렸는데 한 사람의 초상에 그만한 시간을 들였다는 것은 이 그림이 단순한 초상화가 아니라는 것을 알려 준다. 그가 오랜 시간을 들여 완성한 이 그림을 통해, 우리는 ㉠레오나르도가 작품 창작에서 중시한 바가 무엇인지를 엿볼 수 있다.

중심 화제 / 문제 1 – ② 관련 / 문제 1 – ① 관련

▶ 세계적으로 유명한 작품인 레오나르도 다빈치의 〈모나리자〉

② 레오나르도는 이상적 아름다움을 지닌 여인의 '살아 있는 그림'을 그리기 위해 ㉡〈모나리자〉에 다양한 기법을 동원하였다. 스푸마토는 레오나르도가 창안했다고 알려진 기법으로, 사물의 윤곽선을 지우고 명암 대비를 통해 형태를 입체적으로 살려 내는 것을 말한다. 레오나르도는 우리가 대상을 지각하는 방식을 연구하여 이를 그림에 적용하고자 했는데, 실제 얼굴은 윤곽선을 갖지 않을뿐더러 윤곽선을 지웠을 때 인물은 평면의 화면에서 훨씬 입체적으로 보인다는 것을 발견하고 이를 그림에 적용하였다. 〈모나리자〉의 여인의 이목구비가 평면에서 돌출되어 입체적으로 보이는 것은 바로 이 스푸마토 기법을 썼기 때문이다.

레오나르도가 〈모나리자〉에 다양한 기법을 동원한 이유 / 문제 1 – ④ 관련 / 문제 3 – ④ 관련, 스푸마토 기법의 의미 / 문제 3 – ① 관련, 사물의 윤곽선을 지워서 이목구비에 입체감을 줌. / 문제 2 – ① 관련, 입체감을 표현하기 위해 스푸마토 기법을 사용함.

▶ 레오나르도가 창안하여 〈모나리자〉에 적용한 스푸마토 기법

③ 〈모나리자〉에는 대기 원근법도 사용되었다. 대기 원근법은 멀리 보이는 물체의 색이 대기에 의해 다르게 보이는 것을 이용하여 원근을 표현하는 기법이다. 『레오나르도는 과학적 연구를 통해 색채는 멀리서 볼수록 약하게 보인다고 생각하여 색을 조절함으로써 원근을 나타내었다.』 〈모나리자〉에서 여인의 뒤에 보이는 배경 중 근경의 풍경에는 붉은색을 사용하고 원경의 풍경에는 푸른색을 사용한 것은 신비로운 분위기와 입체감을 표현하기 위한 것이다.

『 』: 문제 1 – ⑤ 관련 / 문제 3 – ③ 관련 / 문제 2 – ① 관련, 색을 조절하여 원근을 나타냄으로써 입체감을 표현함.

▶ 〈모나리자〉에 사용된 대기 원근법

④ 〈모나리자〉는 초상화에서 권위적이고 딱딱한 느낌을 주는 측면 구도를 자연스럽고 편안한 느낌의 3/4 구도로 전환하게 한 작품으로도 알려져 있다. 신비로운 미소를 머금은 여인과 3/4 구도는 이상적인 아름다움이란 주제를 조화롭게 드러낸다. 더욱이 인물을 크게 그리고 앞쪽 경계를 두지 않음으로써 그림 속 여인과 관람자의 교감을 꾀했는데, 이를 통해 레오나르도가 '살아 있는 그림'을 추구했음을 다시 한번 느낄 수 있다.

문제 3 – ⑤ 관련 / 문제 3 – ② 관련 / 문제 2 – ① 관련, 레오나르도는 관람자에게 생생한 느낌을 주는 것을 중시했음.

▶ 〈모나리자〉에 나타난 3/4 구도

해제 | 이 글은 세계적인 명작이라고 일컬어지는 레오나르도 다빈치의 〈모나리자〉의 예술성과 작품에 동원된 여러 기법에 대해 소개하고 있다.

주제 | 레오나르도 다빈치가 〈모나리자〉에서 활용한 다양한 기법

1 4문단에서 〈모나리자〉에는 권위적이고 딱딱한 느낌을 주는 측면 구도 대신 자연스럽고 편안한 느낌의 3/4 구도가 활용되었다고 하였으므로 〈모나리자〉를 권위를 표현한 초상화라고 보는 것은 적절하지 않다.

오답 풀이 ① 1문단에서 레오나르도는 〈모나리자〉를 4년 이상 그렸다고 밝히고 있다.
② 1문단에서 〈모나리자〉는 이상적인 아름다움이라는 주제를 예술적으로 담아낸 작품으로 평가받는다고 하였다.
④ 2문단에서 스푸마토는 레오나르도가 창안했다고 알려진 기법이라고 설명하고 있다.
⑤ 3문단에서 레오나르도는 과학적 연구를 통해 그림에 사용하는 색을 조절했다고 하였다.

2 레오나르도는 '살아 있는 그림'을 그리고자 하였는데, 4문단에서 그림 속 여인과 관람자의 교감을 꾀한 것에서도 이를 알 수 있다고 하였다. 즉, 레오나르도는 관람자에게 입체적이고 생생한 느낌을 주는 것을 중요하게 여겼음을 알 수 있다.

3 2문단에 따르면, 〈모나리자〉에서 스푸마토 기법은 사물의 윤곽선을 지우고 명암 대비를 통해 여인의 이목구비가 돌출되어 입체적으로 보이게 하는 데 쓰였다. 윤곽선을 돌출되어 보이도록 그린 것이 아니다.

오답 풀이 ②, ⑤ 4문단에서 알 수 있다.
③ 3문단에서 알 수 있다.
④ 2문단에서 알 수 있다.

어휘 확인하기

(1) '지각하다'는 '그 사람은 공간을 지각하는 능력이 뛰어나서 건물의 설계도를 잘 그린다.'와 같이 쓰인다.
(2) '원근'은 '그를 만나기 위해 많은 사람이 원근에서 달려왔다.'와 같이 쓰인다.
(3) '동원하다'는 '마을 사람들을 동원해서 길가에 쌓인 눈을 전부 치웠다.'와 같이 쓰인다.

통합 11 석굴암에 감춰진 수학 이야기

본문 84~85쪽

1 ② **2** ④ **3** ④

① 석굴암은 신라 시대에 만들어진 우리나라의 대표적인 석굴 사원이다. 대개 암벽을 뚫어 내부 공간을 만드는 석굴과 달리 석굴암은 화강암을 쌓아 만든 인공 석굴로, 종교적인 의미를 뛰어넘어 건축, 예술, 수학, 천문학 등이 총체적으로 종합된 작품이다.
(중심 화제 / 일반적인 석굴과 석굴암의 차이점)
▶ 석굴암의 문화적 가치

② 석굴암은 사각형의 전실(前室)과 원형의 주실(主室)로 이루어져 있고, 전실과 주실은 복도 역할을 하는 통로로 연결되어 있다. 석굴의 입구에 해당하는 전실에는 팔부중상을 두고, 통로와 연결되는 전실의 좌우에는 금강역사상을 배치하였다. 그리고 주실 중앙에는 본존불상을 앉히고 그 주위 벽면에 십일면관음보살상과 제자상 등을 배치하였다. 불상을 통해 불교 세계의 이상을 표현하였는데, 뛰어난 조각 솜씨와 전체적인 조화의 미는 신라 미술의 극치를 보여 준다.
(문제 2 – ④ 관련, 주실의 본존불상 주위 벽면에 십일면관음보살상이 위치함. / 문제 3 – ⑤ 관련 / 문제 3 – ③ 관련)
▶ 석굴암의 구조에서 나타나는 조화의 미

③ 석굴암 본존불상의 얼굴 너비는 당시 사용한 단위로 2.2자, 가슴 폭은 4.4자, 어깨 폭은 6.6자, 양 무릎의 너비는 8.8자이다. '얼굴:가슴:어깨:무릎'의 비율이 1:2:3:4인 것이다. 이때 기준이 된 1.1자는 본존불상 전체 높이의 10분의 1이다. 10분의 1이라는 비율은 로마 시대의 건축가 비트루비우스가 말한 균제 비례와 맞아 떨어진다. 신라인들이 비트루비우스의 균제 비례를 알았을 리는 없지만, 『그들은 비트루비우스가 생각한 안정감과 아름다움의 비율을 자연스럽게 인식하고 있었고, 이를 석굴암에 적용한 것이다.』 게다가 석굴암 전체의 구조를 기하학적으로 분석하면 모든 공간이 '가로:세로' 또는 '세로:가로'가 '1:2'인 직사각형으로 이루어져 있다고 한다.
(문제 1 – ③ 관련, 석굴암에서 찾을 수 있는 수학적 비율 ① / 문제 1 – ① 관련, 본존불상의 전체 높이를 알 수 있음. / 문제 1 – ③ 관련, 석굴암에서 찾을 수 있는 수학적 비율 ② / 문제 3 – ④ 관련 / 『 』: 문제 3 – ③ 관련 / 문제 1 – ③ 관련, 석굴암에서 찾을 수 있는 수학적 비율 ③)
▶ 석굴암에 적용된 비례의 아름다움

④ 본존불상이 있는 주실의 천장은 돔형으로 만들어졌는데, 『천장 반지름은 12자로 지름 24자는 하루인 24시간을, 돔의 둘레 360도는 태음력의 1년을 나타내는 우주 공간의 축소 구조이다. 돔의 중심과 전실 중심으로 이어지는 직선의 방향(동남 30도)은 동짓날 해 뜨는 방향과 일치한다고 기록하고 있으니, 주실의 돔 천장은 당시 천문도가 응용된 흔적이라고 볼 수 있다.』
(『 』: 문제 1 – ④ / 문제 3 – ① 관련, 석굴암에는 신라의 수준 높은 천문학 지식이 응용됨.)
▶ 석굴암에 반영된 당시의 천문학 지식

⑤ 『이처럼 전체적인 설계와 공간 배치, 조각의 예술성, 수학적 비례 배분 등으로 예술적, 기술적 가치를 인정받은 석굴암은 1995년 12월 불국사와 함께 유네스코 세계 문화유산으로 등록되었다.』 그런데 『일제 강점기 때 잘못된 복원 공사로 온도 및 습기를 자연적으로 조절해 오던 석굴암에 누수 현상, 습기, 이끼 등이 생겨났고, 이 문제를 해결하기 위해 오늘날까지 노력하였으나 아직 완전하게 풀지 못하고 있다. 오늘날의 첨단 과학 기술이 1,200년 전 신라인들의 과학 기술을 따라가지 못한다는 사실이 안타까울 따름이다.』
(『 』: 문제 1 – ⑤ 관련, 석굴암이 유네스코 세계 문화유산으로 등록될 수 있었던 이유 / 『 』: 문제 3 – ② 관련, 잘못된 보수 공사 때문에 석굴암이 훼손된 것을 안타까워하는 시각이 드러남.)
▶ 세계적으로 인정받은 석굴암의 가치 및 훼손에 대한 안타까움

해제 | 이 글은 석굴암이 지닌 문화적, 예술적, 과학적 가치를 설명하고 있다.

주제 | 석굴암에 반영된 신라의 미의식과 과학 기술

지문 이해

① 우리나라의 대표적 석굴 사원 석굴암의 문화적 가치 … ② 석굴암의 구조에서 나타나는 조화의 미 + ③ 석굴암에 적용된 비례의 아름다움 + ④ 석굴암에 반영된 당시의 천문학 지식 … ⑤ 석굴암의 세계적인 가치 및 훼손에 대한 안타까움

1 이 글에는 복원 공사를 하기 전까지 석굴암에서 온도 및 습기가 자연적으로 조절되었다는 내용만 제시되어 있을 뿐, 그 원리가 무엇인지는 나타나지 않는다.

오답 풀이 ① 3문단에서 1.1자가 본존불상 전체 높이의 10분의 1이라고 하였으므로 본존불상의 전체 높이는 11자라는 것을 알 수 있다.
③ 3문단에서 확인할 수 있다.
④ 4문단에서 확인할 수 있다.
⑤ 5문단에서 확인할 수 있다.

2 ㉣은 주실 벽면에 배치되어 있으므로 십일면관음보살상에 해당한다.

오답 풀이 ㉠은 주실 중앙에 위치한 본존불상이고 ㉡은 원형의 주실이며, ㉢은 사각형의 전실이다. ㉤은 통로와 연결되는 전실 좌우에 배치된 금강역사상이다.

3 글쓴이는 3문단에서 신라인들이 로마의 건축가 비트루비우스의 균제 비례를 알았을 리가 없다고 하였다. 따라서 글쓴이가 신라와 로마의 교역을 짐작했다고 보는 것은 적절하지 않다.

오답 풀이 ① 주실의 천장이 우주 공간의 축소 구조라는 것과 수학적 비례 배분을 인정받았다는 내용 등에서 천문학과 수학에 대한 신라의 지식수준을 높이 평가하는 시각이 드러난다.
② 4문단에서 글쓴이가 석굴암이 훼손된 것을 안타까워하고 있음을 알 수 있다.
③ 3문단에서 신라인들이 안정감과 아름다움의 비율을 인식하고 있었다는 내용과 2문단에서 전체적인 조화의 미가 신라 미술의 극치를 보여 준다는 내용을 통해 알 수 있다.
⑤ 2문단에서 신라인들이 석굴암을 통해 불교 세계의 이상을 표현했다고 하였다.

어휘 더 쌓기 본문 86쪽

1 (1) 치장 (2) 생체 (3) 판독 (4) 극치 **2** (1) ② (2) ① (3) ③ **3** (1) 식별 (2) 창안 (3) 상쇄 **4** (1) 감지하였다 (2) 해제하였다

인문 01 백성을 사랑하는 데 돈이 필요하지 않다

본문 90~91쪽

1 ② **2** ④

지문 이해 ① 정약용 ② 목민심서 ③ 삶 ④ 제목

어휘 확인하기 (1) 자취 (2) 축조할 (3) 희박하다

① 정약용은 조선 후기의 실학자로, 거중기를 만들고 수원 화성을 축조한 인물로 (정약용의 실학자로서의 모습) 잘 알려져 있다. 하지만 정약용은 500여 권의 책을 저술하기도 한 조선의 대표적인 작가이다. (정약용의 작가로서의 모습) 《경세유표》, 《목민심서》, 《흠흠신서》, 《여유당전서》 (정약용의 저서) 등의 책은 현재까지도 고전(古典)으로 불린다.

▶ 조선의 실학자이자 작가인 정약용

② 정약용의 저서 가운데 그의 대표작으로 손꼽히는 《목민심서》(중심 화제)는 백성을 다스리는 지방 관리의 역할을 밝힌 책이다. (《목민심서》의 내용) 그러나 이 책은 단순히 관리들의 실무에 대해 알려 주는 것이 아니라, 진정 백성을 위하는 정치가 무엇인지, 백성을 가까이에서 돌보는 수령이 그 직분을 올바르게 수행하는 것이 얼마나 중요한 일인지에 대해 말하고 있다. (문제 1 - ② / 문제 2 - ③ 관련, 애민 정신을 담고 있음.) "오늘날 백성을 다스리는 자들은 오직 거두어들이는 데만 급급하고 백성을 기를 줄을 모른다.", (문제 2 - ① 관련) "몸을 깨끗이 하고 백성을 사랑하는 데 돈이 필요하지 않다."와 같은 구절은 이 책이 담고 있는 내용을 잘 보여 주고 있다.

▶ 정약용의 대표작 《목민심서》의 주요 내용

③ 《목민심서》는 정약용의 삶에 바탕을 둔 책이라고 평가받는다. (문제 1 - ② 관련, 《목민심서》에 대한 평가) 정약용은 유년 시절, 고을의 수령을 역임한 아버지를 따라 각 고을을 돌아다니며 견문을 넓혔다. 또한 그 자신이 33세 때 암행어사가 되어 지방 관리의 부정부패를 파헤치고 백성들의 어려움을 가까이서 지켜보기도 하였다. (정약용의 정치적 삶) 무엇보다 그는 18년이라는 긴 유배 기간 동안 학문에 전념하여 사서오경(四書五經)을 반복적으로 연구하였고, (정약용의 학문적 삶) 세도 정치하에서 백성들이 겪는 괴로움과 짓밟힘에 공감하며 이를 극복하기 위한 방법을 고민하였다. 이러한 그의 삶은 《목민심서》의 내용이 단순히 정치가의 공허한 가르침이 아니라는 것을 말해 준다. (《목민심서》는 정약용의 경험을 바탕으로 하고 있음.)

▶ 《목민심서》의 바탕이 된 정약용의 삶

④ 「정약용은 우리나라의 다양한 서적과 중국의 역사책 23종에서 옛날의 관리들이 백성을 다스린 자취를 골라 정리했고, (문제 2 - ② 관련) 여기에 자신의 견해를 덧붙여 48권 16책에 이르는 《목민심서》를 완성했다.」(「」: 《목민심서》 저술 과정) 그는 맹자가 '목(牧)'을 백성을 부양하고 기르는 일로 여긴 것을 받들어 백성을 다스리는 것을 '목민(牧民)'이라 칭하고, (문제 2 - ⑤ 관련, 《목민심서》의 제목 중 '목민'의 의미) 자신의 안위가 아니라 백성과 나라를 위하는 목민의 자세를 강조하였다. 하지만 당시의 정치 현실이 변화할 가능성은 희박했을 뿐만 아니라 유배당한 몸으로서 목민의 자세를 몸소 실천하기도 어려웠던 까닭에, (정약용이 처한 현실, 《목민심서》의 내용을 직접 실천하지 못함.) 정약용은 '심서(心書)'라는 말을 붙여 자신의 정치적 이상을 마음에 담아 둘 수밖에 없는 처지를 표현하기도 하였다. (《목민심서》의 제목 중 '심서'의 의미)

▶ 정약용의 정치적 이상을 보여 주는 《목민심서》의 제목

해제 | 이 글은 실학자로 알려진 정약용이 작가로서도 잘 알려져 있다고 말하며 정약용의 《목민심서》가 담고 있는 내용과 《목민심서》에 담긴 정약용의 정치적 이상에 대해 설명하고 있다.

주제 | 《목민심서》에 드러난 정약용의 삶과 정치적 이상

1 2문단에서 정약용의 저서인 《목민심서》가 백성을 다스리는 지방 관리의 역할을 담고 있다고 하였다. 3, 4문단에서는 《목민심서》의 내용이 정약용의 삶에 바탕을 두고 있으며, 정약용의 정치적 이상과도 관련이 있다고 하였다. 이러한 내용을 모두 담아낸 제목으로는 ②가 가장 적절하다.

오답 풀이 ① 중심 화제인 《목민심서》의 내용으로 볼 때, 실학자로서의 정약용이 아닌 작가이자 정치가로서의 정약용에 초점을 둔 글이다.
③ 정약용의 정치적 야망이 아니라 백성을 위하는 정약용의 마음을 중점적으로 다루고 있다.
④ 정약용의 실학 정신이 아닌 애민 정신에 대해 설명하고 있다.
⑤ 《목민심서》의 가치에 대해서는 말하고 있지만, 이 책이 조선 후기 정치인들의 교과서가 되었는지는 알 수 없다.

2 정약용은 유배 중에 백성들이 겪는 괴로움과 짓밟힘에 공감하며 이를 극복하기 위한 방법을 고민했다고 하였다. 그가 조정에 복귀하기 위한 방법을 마련해야 한다고 생각했다는 내용은 제시되어 있지 않다.

오답 풀이 ① 2문단에 제시된 《목민심서》의 내용에서 정약용이 백성을 다스리는 자들이 거두어들이는 데만 급급한 것을 비판적으로 보았음을 알 수 있다.
② 4문단에서 정약용이 《목민심서》를 쓸 때 중국의 역사책에서 내용을 골라 정리했다고 하였다.
③ 2문단에서 정약용은 《목민심서》에서 백성을 가까이에서 돌보는 수령이 그 직분을 올바르게 수행하는 것을 중요하게 보았다고 하였다.
⑤ 정약용은 맹자가 '목'을 백성을 부양하고 기르는 일로 여긴 것을 받들어 책의 제목에 '목민'이라는 말을 넣었다.

어휘 확인하기

(1) "어떤 것이 남긴 표시나 자리."라는 뜻의 '자취'가 들어가는 것이 적절하다.
(2) "쌓아서 만들다."라는 뜻의 '축조하다'가 들어가는 것이 적절하다.
(3) "어떤 일이 이루어질 가능성이 적다."라는 뜻의 '희박하다'가 들어가는 것이 적절하다.

인문 02 까마귀 날자 배는 왜 떨어졌을까

본문 92~93쪽

1 ③ 2 ④ 3 보이지 않는 원인

지문 이해 ① 인과 ② 원인 ③ 보이지 않는 ④ 거짓 원인의 오류

어휘 확인하기 (1) 혼동하다 (2) 인과

① 어떤 일이 생기면 우리는 우선 "왜 그런 일이 생겼을까?" 하고 따져 보거나, 어떻게 해서 그 일이 발생하게 되었는지 고민하게 된다.「사람들은 왜 항상 일의 원인을 찾으려고 할까? 그것은 우리의 마음속에 '어떤 일이 일어나게 된 데에는 반드시 이유가 있다.'라는 생각이 자리 잡고 있기 때문이다.」(「」: 문제 1 – ① 관련) 따라서 우리는「이미 알려진 원인이나 결과를 바탕으로 하여 아직 모르는 다른 원인이나 결과를 추리해 내곤 하는데, 바로 이런 추리를 '인과 추리'라고 부른다.」(「」: 문제 1 – ⑤ 관련, 인과 추리의 의미)

▶ 인과 추리의 의미

② 물론 인과 추리를 통해서 문제를 올바르게 추론할 수도 있지만, 때때로 전혀 관계가 없는 원인과 결과를 연결시켜 추론하거나 추리하는 오류를 범하기도 한다.(1 – ② 관련, 거짓 원인의 오류) ㉠"까마귀 날자 배 떨어진다."라는 속담이 이에 해당한다. 까마귀는 그저 '동네 한 바퀴 순찰할까?' 하고 날아 본 것인데, 그때 마침 배나무에서 배가 떨어진 것이다. 여기서 '까마귀가 난 것'과 '배가 떨어진 것'은 단지 동시에 발생한 두 개의 사건일 뿐, 그 이상도 그 이하도 아니다.(문제 2 – ④ 관련) 이처럼 어떤 사건의 원인이 아닌 것을 원인으로 생각하는 것을 '거짓 원인의 오류'(중심 화제)라고 한다.

▶ 원인과 결과를 잘못 연결시키는 거짓 원인의 오류

③ 거짓 원인의 오류와 관련해서 주의해야 할 것 중 하나는 바로 '보이지 않는 원인'(문제 3 관련)이다. 어떤 사건의 원인인 것 혹은 원인이 아닌 것이 분명하게 드러나는 경우도 있지만, 결과에 영향을 준 원인이 감추어져 있어서 쉽게 알 수 없을 때도 있다. 따라서 보이지 않는 원인을 잘 따져 보지 않으면 원인이 아닌 것을 원인으로 잘못 생각하는 오류가 생겨도 그냥 지나치기 쉽다.(문제 1 – ③ 관련)

▶ 보이지 않는 원인에 주의해야 하는 이유

④ 거짓 원인의 오류는 구체적으로 원인을 어떻게 잘못 생각했는지에 따라 보통 네 가지로 분류할 수 있다.(문제 1 – ④ 관련) 첫째, 선후 관계를 인과 관계로 혼동하는 오류(거짓 원인의 오류 ①)는 단지 시간적으로 앞뒤에 발생한 것을 인과 관계로 생각하여 오류가 된 것이다. 둘째, 상관관계를 인과 관계로 혼동하는 오류(문제 2 – ④ 관련, 거짓 원인의 오류 ②)는 두 사건이 우연히 동시에 발생한다는 이유만으로 인과 관계로 여기는 오류이다. 셋째, 공통 원인의 오류(거짓 원인의 오류 ③)는 두 사건이 제3의 원인 때문에 발생한 것인데 두 사건을 일으킨 공통 원인을 찾지 못하고 결과에 해당하는 두 사건을 인과 관계로 엮어 버리는 오류이다. 마지막으로 원인과 결과를 뒤바꿔 혼동하는 오류(거짓 원인의 오류 ④)는 어느 쪽이 원인이고 결과인지 구별하지 못하여 오류가 되는 것을 말한다.

▶ 거짓 원인의 오류가 생기는 네 가지 경우

해제 | 이 글은 인과 추리를 하는 과정에서 거짓 원인의 오류가 생기는 네 가지 경우에 대해 설명하고 있다.

주제 | 거짓 원인의 오류가 일어나는 이유와 그 종류

출전 | 정재환·신소혜, 《논리 속의 오류, 오류 속의 논리》

1 3문단에서 원인이 감추어져 있을 때 보이지 않는 원인을 잘 따져 보지 않으면 거짓 원인의 오류가 생겨도 그냥 지나치기 쉽다고 하였다. 거짓 원인의 오류를 범할 가능성이 더 커지는 것이다.

오답 풀이 ① 1문단에서 사람들은 어떤 일이 일어나게 된 데에는 반드시 이유가 있다고 생각하고 항상 그 원인을 찾으려 한다고 하였다.
② 2문단에서 인과 추리를 통해 문제를 올바르게 추론할 수도 있지만, 때때로 전혀 관계가 없는 원인과 결과를 연결시켜 추리하는 오류를 범하기도 한다고 하였다.
④ 4문단에서 거짓 원인의 오류는 구체적으로 원인을 어떻게 잘못 생각했는지에 따라 보통 네 가지로 분류할 수 있다고 하였다.
⑤ 1문단에서 우리는 일의 원인을 찾을 때 이미 알려진 원인이나 결과를 바탕으로 하여 아직 모르는 다른 원인이나 결과를 추리해 내곤 한다고 하였다.

2 이 글에서 ㉠은 '까마귀가 난 것'과 '배가 떨어진 것'이 단지 동시에 발생했다는 이유로 인과 관계로 엮였으므로 오류에 해당한다고 하였다. 〈보기〉 역시 '빨간 장갑을 낀 것'과 '홈런을 친 것'은 우연히 함께 일어난 사건일 뿐, 서로 인과 관계가 아니다. 따라서 ㉠과 〈보기〉에서 공통적으로 범한 오류는 상관관계를 인과 관계로 혼동하는 오류이다.

3 3문단에서 인과 추리를 할 때 범하기 쉬운 거짓 원인의 오류를 피하기 위해서는 '보이지 않는 원인'에 주의해야 한다고 설명하고 있다.

어휘 확인하기

(1) '혼동하다'는 '꿈과 현실을 혼동하다.'와 같이 쓰인다.
(2) '인과'는 '인과 관계를 밝혀 문제 해결 방법을 찾다.'와 같이 쓰인다.

사회 03 젓가락에 담긴 문화적 의미

본문 94~95쪽

1 ⑤　　**2** ④　　**3** 생활 양식

지문 이해　① 문화 지역　② 젓가락　③ 젓가락　④ 가치

어휘 확인하기　(1) 유　(2) 질　(3) 응

① 문화란 어떤 지역의 주민이나 집단의 의식주, 언어, 사고방식과 같은 특정한 생활 양식을 말하며 문화적 특징이 유사하게 나타나는 일정한 공간적 범위를 개념화한 것을 문화 지역이라고 한다. 달리 말하면 문화 지역은 특정 문화 요소를 공통적으로 보유한 사람들이 거주하는 공간이라고 할 수 있다. 하지만 어떤 문화 요소에 의해 설정된 문화 지역이라 하더라도, 그 안에서 해당 문화 요소가 완전히 균질적으로 분포되어 있는 경우는 드물다.

(문화의 개념 / 문화 지역의 개념 / 중심 화제 / 문화 지역의 특성)

▶ 문화 지역의 개념과 특성

② 세상에서 가장 간단한 운반 도구인 젓가락을 예로 들어 보자. 음식을 먹을 때 젓가락을 쓰는 문화는 주로 아시아에서 나타나며 그중 우리나라와 중국, 일본이 전 세계 젓가락 사용 인구의 약 80%를 차지한다. 이런 점에서 볼 때 이 세 나라는 이른바 ㉠젓가락 문화 지역으로 묶일 수 있을 것이다. 그렇지만 젓가락 사용 양상을 깊이 들여다보면 각 지역의 특성에 따라 그 모습이 다르게 나타나는 것을 발견할 수 있다.

(문제 1 – ⑤ 관련, 사례를 통해 문화 지역의 특성을 설명함. / 문제 2 – ① 관련 / 문제 2 – ④ 관련, 젓가락 문화 지역으로 묶이는 한국, 중국, 일본)

▶ 젓가락 문화 지역으로 묶이는 한국, 중국, 일본

③ 중국은 전통적으로 넓은 상에 함께 모여 식사를 하는 문화가 있어서 멀리 있는 음식을 집어 먹기 위해 젓가락의 길이가 길어졌다. 또 「기름지고 뜨거운 음식이 많은 편이라 열전도율이 낮은 나무로 젓가락을 만들었으며, 끝을 뭉툭하게 하여 음식이 미끄러지지 않게 했다.」 반면에 일본은 각자 자신의 그릇을 입 가까이에 대고 먹는 문화가 있어 짧은 길이의 젓가락을 사용하게 되었다. 또한 섬나라여서 오래전부터 생선을 즐겨 먹었기 때문에 가시를 발라내기 편리하도록 젓가락 끝이 뾰족한 것이 특징이다. 한편 우리나라에서는 젓가락을 숟가락과 함께 사용하는데, 이는 밥과 국이 주가 되는 식사 문화에서 비롯된 것이다. 나무로 된 젓가락이 아닌 쇠젓가락을 주로 사용한 것에 대해서는 절임 음식이 많은 특성상 위생적으로 관리하기 좋으며, 크기가 다양한 반찬들을 정확하게 집기 편해서라고 보는 시각이 있다.

(문제 2 – ② 관련 / 「 」: 문제 2 – ③ 관련 / 문제 2 – ② 관련 / 문제 2 – ③ 관련)

▶ 한중일 젓가락 사용 양상에 나타난 차이

④ 이처럼 젓가락은 서로 비슷해 보이면서도 다른 문화를 꽃피우며 오랫동안 아시아인들의 삶 깊숙이 자리해 왔다. 젓가락은 단순한 식사 도구를 넘어 그 지역의 생활 양식과 밀접한 관련이 있는 귀중한 문화 요소이다. 「즉, 문화 지역은 사람들이 활동하면서 만들어 내는 다양한 의미들이 응축된 사회적 구성물이라는 가치를 지닌다.」

(문제 3 관련 / 「 」: 문화 지역의 가치)

▶ 다양한 의미를 담은 사회적 구성물로서 문화 지역이 지닌 가치

해제 | 이 글은 문화 지역의 개념과 특성을 젓가락을 사용하는 한국, 중국, 일본 세 나라를 예로 들어 설명하고 있다.

주제 | 문화 지역의 특성과 양상

1 이 글은 문화 지역의 뜻을 풀이하고 지역의 특성에 따라 달라지는 문화 요소의 양상을 젓가락 문화 지역에 해당하는 한중일 삼국을 사례로 들어 설명하고 있다.

오답 풀이 ① 젓가락을 사용하는 다양한 양상을 설명했을 뿐, 젓가락과 유사한 특성이 있는 다른 도구를 제시하지는 않았다.
② 문화 지역 내의 갈등과 관련된 내용은 나타나지 않는다.
③ '젓가락 문화 지역'을 예로 들어 문화 지역 자체에 대해 설명하고 있다. 문화 지역을 구성 요소별로 나누어 분석하지는 않았다.
④ 시간의 흐름이 아니라 공간에 따라 젓가락 사용 양상이 어떻게 다른지 보여 주고 있다.

2 3문단에서 젓가락을 숟가락과 함께 사용하는 우리나라의 문화를 제시한 것은 한중일 삼국이 같은 젓가락 문화 지역으로 묶이더라도 사용 양상에 크고 작은 차이가 있음을 설명하기 위해서이다. 이에 대해 우리나라가 중국, 일본과 다른 문화 지역에 속한다고 이해한 것은 적절하지 않다.

오답 풀이 ① 2문단에서 우리나라, 중국, 일본이 전 세계 젓가락 사용 인구의 대부분을 차지한다고 하였다.
② 3문단에서 중국과 일본의 젓가락 길이가 달라진 이유를 식사 문화와 연관 지어 설명하였다.
③ 3문단에서 먹는 음식의 특징에 따라 젓가락 모양이 달라질 수 있음을 알 수 있다.
⑤ 3, 4문단에서 식사 문화나 생활 양식이 젓가락 사용 양상에 영향을 준다는 것을 알 수 있다.

3 4문단에서 젓가락이라는 문화 요소가 각 지역의 생활 양식과 관련되어 서로 다른 문화를 꽃피웠다고 하였다. 따라서 문화 요소는 생활 양식에 따라 다른 양상으로 변화한다는 것을 알 수 있다.

어휘 확인하기

(1) '보유하다'는 '주식을 보유하다.'와 같이 쓰인다.
(2) '균질적'은 '제품의 품질이 들쭉날쭉하지 않고 균질적이다.'와 같이 쓰인다.
(3) '응축되다'는 '이 글에는 작가의 고뇌가 응축되어 있다.'와 같이 쓰인다.

사회 04 집단 사고와 집단 지성

본문 96~97쪽

1 ⑤ **2** ③ **3** 불리한 정보를 차단하고, 반대 의견을 고려하지 않으며, 만장일치를 추구하는 경향이 나타나기 때문이다. / 비슷한 생각을 하는 사람들은 어떤 일에 대해 쉽게 합의하는 편이기 때문이다.

지문 이해 ② 집단 사고 ③ 집단 지성

어휘 확인하기 (1) ② (2) ① (3) ③

① 1961년 미국의 케네디 정부는 쿠바 카스트로 정권을 무너뜨리기 위해 독특한 계획을 세웠다.『쿠바를 탈출하여 미국에 온 1,400여 명의 사람들이 군사 훈련을 받도록 한 후, 이들을 쿠바에 기습적으로 침투시켜 쿠바를 정복한다는 계획이었다. 당시 미 정부의 고급 관료들은 미국으로 온 쿠바인들이 자국의 공산 정권을 몹시 싫어한다는 이유로 이 계획이 당연히 성공할 것이라고 확신했다.』그러나 실제 작전은 처참하게 실패했고 미국은 세계적으로 비난을 받았다.

『 』: 문제 1 – ① 관련, 집단 사고의 예

▶ 미국이 계획한 쿠바 정복 작전의 대실패

② 세계에서 가장 뛰어난 능력을 가진 사람들로 구성된 집단의 의사 결정에서 왜 이러한 문제가 발생했을까? 어빙 재니스라는 학자는 이를 '집단 사고'라는 표현으로 설명했다. 집단 사고란 말 그대로 유사성과 응집성이 높은 집단에서 의사 결정을 할 때 나타나는 사고이다. 그는 이 과정에서 불리한 정보를 차단하고, 반대 의견을 고려하지 않으며, 만장일치를 추구하는 경향이 나타난다고 보았다. 쉽게 말해서 비슷한 생각을 하는 사람들은 어떤 일에 대해 쉽게 합의하는 편이어서 그로 인한 문제점을 심사숙고하기가 어렵다는 것이다.

중심 화제 / 문제 1 – ② / 문제 2 – ② 관련, 집단 사고의 개념 / 문제 1 – ③ / 문제 3 관련, 집단 사고의 문제점이 발생하는 이유

▶ 집단 사고의 개념과 문제점

③ 이와 달리 '집단 지성'이라는 것이 있다. 곤충학자인 윌리엄 휠러 교수가 제시한 것으로, 다수의 개체들이 서로 협력을 통해 지적 능력의 결과물을 얻는 것을 말한다. 한 마리의 개미는 미약하지만 공동체를 이루고 협업하면 개미집과 같은 위대한 결과물을 만들 수 있다. 이처럼 인간 사회에서도 다양한 일반인들로 구성된 집단이 전문가 집단보다 더 값진 결과를 구성할 때가 있는데, 그는 이것이 바로 집단 지성 때문이라고 보았다.

중심 화제 / 문제 1 – ④ 관련 / 문제 1 – ② 관련, 집단 지성의 개념 / 문제 2 – ①, ⑤ 관련, 집단 지성의 효과

▶ 집단 지성의 개념과 특징

④『제도화된 사회일수록 전문가들의 의사 결정으로 정책을 집행하는 경우가 많다. 따라서 현대 사회는 과거에 비해 집단 지성보다는 집단 사고가 더 많이 이루어지고 있으며, 그렇기 때문에 집단 사고의 위험성 또한 높다.』집단 사고를 경계하고 집단 지성을 높이는 가장 좋은 방법은 다수의 구성원이 다양한 의견을 제시할 수 있는 민주적인 사회를 구성하는 것이다. 우리 사회에서 집단 지성이 더 많이 일어나도록 하는 것은 결국 정책 결정 과정을 개방하는 것과 더불어 많은 사람들이 그 과정에 적극적으로 참여하는 데 달려 있다.

『 』: 문제 2 – ①, ④ 관련, 현대 사회에서 더 커진 집단 사고의 위험성 / 문제 2 – ③ 관련, 우리 사회에서 집단 지성을 높이는 방법 ① / 우리 사회에서 집단 지성을 높이는 방법 ②

▶ 집단 지성을 높이는 방법

해제 | 이 글은 집단 사고와 집단 지성의 개념을 설명하고 집단 사고의 위험성을 경계하는 한편, 우리 사회에서 집단 지성이 더 많이 일어나도록 해야 함을 강조하고 있다.
주제 | 집단 사고와 집단 지성의 개념 및 특징
출전 | 구정화, 《청소년을 위한 사회학 에세이》

1 이 글은 집단 사고와 집단 지성의 개념과 사례를 각각 설명하고 있다. 또한 집단 사고의 문제점과 이를 보완할 수 있는 방법에는 무엇이 있는지 언급하고 있다. 집단 지성의 문제점을 보완할 수 있는 방법은 제시되어 있지 않다.

오답 풀이 ① 1문단에서 확인할 수 있다.
② 집단 사고의 개념은 2문단에서, 집단 지성의 개념은 3문단에서 각각 확인할 수 있다.
③ 2문단에 언급되어 있다.
④ 3문단에서 집단 지성의 개념을 제시한 학자가 윌리엄 휠러 교수임을 확인할 수 있다.

2 글쓴이는 우리 사회에서 집단 사고를 경계하고 집단 지성이 좀 더 많이 일어나야 하며, 그러기 위해서는 다수의 구성원이 다양한 의견을 제시할 수 있어야 한다고 말하고 있다.

오답 풀이 ① 4문단에서 전문가들의 의사 결정 과정에서는 집단 사고가 더 많이 이루어진다고 하였다. 집단 지성은 다양한 일반인들로 이루어진 집단에서 많이 일어난다.
② 2문단에서 유사성과 응집성이 높은 집단에서는 집단 사고가 일어나기 쉽다고 하였다.
④ 4문단에서 현대 사회에서는 주로 전문가들이 정책을 결정하는데 이는 집단 사고의 위험성을 높이므로 경계해야 한다고 하였다.
⑤ 3문단에서 다양한 일반인들로 구성된 집단이 전문가 집단보다 더 값진 결과를 구성할 때가 있다고 하였다.

3 2문단에서 유사성과 응집성이 높은 집단에서 의사 결정을 할 때, 문제점을 심사숙고하기 어려운 까닭을 알 수 있다.

어휘 확인하기

(1) '미약하다'는 '진동이 미약하다.'와 같이 쓰인다.
(2) '심사숙고하다'는 '심사숙고해서 내린 결정이다.'와 같이 쓰인다.
(3) '불리하다'는 '불리한 입장에 놓여 있다.'와 같이 쓰인다.

과학 05 따뜻한 이글루의 비밀

본문 98~99쪽

1 ②　　**2** ④　　**3** 기체, 액체, 고체

지문 이해　① 상태, 온도　② 흡수　③ 방출

어휘 확인하기　● ①

① 피부에 소독용 알코올을 바르면 알코올이 마르면서 소독된 부분이 차게 느껴질 때가 있다. 또 무더운 여름날 마당에 물을 뿌리면 잠시 후 물이 증발하면서 조금 시원해지는 것을 느낄 수 있다. 이러한 현상이 생기는 이유는 물질이 상태 변화를 일으킬 때 물질에 들어오거나 물질에서 빠져나가는 열 때문이다. 여기서 주목할 점은, 상태가 변화하는 물질의 온도가 아닌 물질을 둘러싼 주변의 온도가 변한다는 사실이다. 어떻게 물질의 상태 변화가 주변 온도까지 변화시키는 것일까?

열을 흡수하여 주변 온도가 내려간 사례 / 물질의 상태 변화와 열에너지의 이동 / 문제 1 – ② 관련, 중심 화제 제시 / 중심 화제

▶ 물질의 상태 변화로 인한 주변 온도의 변화

② 일반적으로 물질은 상태가 고체에서 액체로, 액체에서 기체로 변화하면 물질의 온도가 올라간다. 이때 물질이 필요로 하는 열을 주변에서 흡수하므로 물질 주변의 온도는 오히려 내려가게 된다. 예를 들어 알코올이 증발하여 액체 상태에서 기체 상태로 변하는 경우, 「알코올은 기화에 필요한 열을 주변에서 흡수하게 되고 그 결과 주변의 온도가 내려가면서 알코올을 바른 피부가 시원해진다. 여름철 마당에 물을 뿌렸을 때 시원하게 느껴지는 이유도 이와 마찬가지이다.」

문제 3 관련, 물질의 상태와 온도의 관계 / 문제 2 – ④ 관련, 물질의 상태 변화와 열의 흡수 / 「 」: 열을 흡수하여 주변 온도가 내려간 사례

▶ 열의 흡수로 인한 주변의 온도 변화

③ 이제 거꾸로 기체에서 액체로, 액체에서 고체로 상태가 변화하는 과정에 대해 알아보도록 하자. 이 경우에는 위와 반대로 물질이 열을 주변에 방출하게 된다. 즉, 물질 자신이 가지고 있던 열을 주변에 내놓게 되므로 주위의 온도가 오히려 올라가는 것이다. 이러한 원리를 활용하여 오렌지 농장에서는 갑작스럽게 기온이 영하로 떨어지는 일이 생기면 오렌지 열매가 얼지 않도록 물을 뿌려 준다. 나무에 뿌려진 물이 금세 얼면서 열을 방출하여 오렌지가 어는 것을 막아 주고, 껍질 바깥에 얼어붙은 얼음은 외부의 차가운 공기로부터 나무를 보호하는 역할까지 해 주기 때문이다. 또한 극지방에 살고 있는 에스키모들은 날씨가 추울 때 이글루의 얼음벽에 물을 뿌린다. 안 그래도 추운데 왜 얼음벽에 물을 뿌려서 더 얼릴까? 그 이유는 추운 날씨 때문에 물이 순식간에 얼면서 그 안에 있던 열을 주위로 방출하기 때문이다. 이때 방출되는 열로 인해 이글루 내부의 온도가 올라가게 되고, 에스키모들은 오히려 더 따뜻하게 지낼 수 있다.

물질의 상태 변화와 열의 방출 / 주위의 온도가 올라가는 이유 / 열의 방출 때문에 주변 온도가 상승한 사례 ① / 열의 방출 때문에 주변 온도가 상승한 사례 ②

▶ 열의 방출로 인한 주변의 온도 변화

해제 | 이 글은 물질의 상태가 변하면서 열이 흡수되거나 방출되는 현상을 구체적인 사례와 함께 설명하고 있다.

주제 | 물질의 상태 변화에 따른 주변 온도의 변화

출전 | 신학수 외, 《상위 5%로 가는 화학 교실 1》

1 이 글에서는 물질의 상태 변화에 따른 열 에너지의 흡수와 방출에 대해 설명하며 이에 따라 주변 온도가 어떻게 달라지는지를 구체적 사례와 함께 제시하고 있다.

오답 풀이 ① 상태 변화의 결과로 주변 온도가 변하는 현상을 설명하고 있다. 상태 변화가 왜 일어나는지에 관해서는 다루지 않았다.

③ 물질의 종류에 따른 상태 변화의 다양성은 이 글에서 알 수 없다.

④ 일반적인 물질이 상태 변화를 일으킬 때 주변의 온도가 어떻게 변하는지 보여 주었을 뿐, 우리 주변의 여러 물질의 종류를 제시하지는 않았다.

⑤ 상태 변화를 활용하여 새로 발명한 물건에 관한 내용은 나타나지 않는다.

2 2문단에서 물질의 상태가 변하면서 열을 흡수하고, 그 결과 주변의 온도가 내려가는 현상을 설명하고 있다. 〈보기〉의 드라이아이스는 고체에서 기체로 변화하므로 주변의 열을 흡수한다. 그 결과 아이스크림이 차갑게 유지되어 잘 녹지 않게 된다.

오답 풀이 ①, ② 드라이아이스는 기체로 변하면서 주변의 열을 흡수한다.

③ 드라이아이스가 기화하면서 열을 흡수하므로 주변의 온도는 내려가게 된다.

⑤ 드라이아이스는 얼지 않고 기체로 변한다. 이때 드라이아이스가 외부 공기로부터 아이스크림을 보호할 수 있는지는 이 글에서 알 수 없다.

3 2문단에서 일반적으로 물질은 상태가 고체에서 액체로, 액체에서 기체로 변화할 때 물질의 온도가 올라간다고 하였다. 따라서 물질의 상태를 온도가 높은 것부터 낮은 것의 순으로 쓴 것은 '기체, 액체, 고체'이다.

어휘 확인하기

㉠에는 "빨아서 거두어들이다."라는 뜻의 '흡수하다'가, ㉡에는 "모아 둔 것을 널리 공급하다."라는 뜻의 '방출하다'가 들어가는 것이 적절하다.

과학 06 다리를 무너뜨린 군대 행진

본문 100~101쪽

1 ④ **2** ⑤ **3** 수소 원자핵

지문 이해 ① 공명 ② 세탁기 ③ 행진 ④ 자기 공명 영상

어휘 확인하기 (1) 증폭되다 (2) 유익하다

① 공명이란 고유의 진동수를 지닌 물체가 그와 같은 진동수를 가진 힘을 주기적으로 받을 경우 진폭과 에너지가 크게 증가하는 현상을 가리킨다. 공명을 일으키는 진동에는 소리나 규칙적 움직임과 같은 역학적 진동과 전자기파와 같은 전기적 진동 등이 있으며, 한번 공명 현상이 일어나면 세기가 약했던 파동도 크게 증폭될 수 있다.

(중심 화제 / 문제 1 – ① 관련, 공명의 개념 / 문제 1 – ② / 문제 2 – ① 관련 / 공명 현상의 특징)

▶ 공명의 개념과 종류 및 특징

② 우리 생활 주변에서도 공명 현상을 자주 볼 수 있는데, 대표적인 예가 세탁기의 탈수 과정이다. 세탁물을 담은 통이 고속으로 회전하는 동안에는 세탁기가 크게 움직이지 않다가, 탈수 과정이 끝나고 통의 회전 속도가 점점 줄어들면 어느 순간 세탁기가 심하게 흔들릴 때가 있다. 이는 세탁 통이 돌아가는 속도에 따라 세탁기에 가하는 힘이 달라지기 때문이다. 통이 빠르게 회전할 때에는 세탁기에 전해지는 충격의 진동수가 세탁기의 고유 진동수와 달라서 별다른 영향을 주지 못하므로 흔들림이 별로 없다. 그러나 회전 속도가 줄어들면서 진동수가 세탁기의 고유 진동수와 일치하는 순간이 오면 공명이 일어나 세탁기가 크게 흔들리게 된다.

(세탁기에 가해지는 충격의 진동수와 세탁기의 고유 진동수가 일치하지 않기 때문에 / 문제 1 – ④ 관련 / 문제 1 – ⑤ 관련)

▶ 공명 현상의 사례 ① – 세탁기의 탈수 과정

③ 탈수 과정에서의 공명은 세탁기를 크게 흔드는 정도이지만, 공명 현상이 심해지면 다리가 무너지거나 건물이 흔들리는 경우도 있다. 1831년 영국 맨체스터에서는 군인들의 행진에 의해 다리가 붕괴되는 사고가 있었는데 그 원인으로 공명 현상이 지목되었다. 여러 사람이 발을 맞추어 걸어가면서 다리에 반복적으로 가한 힘의 진동수가 다리의 고유 진동수와 일치하면서 큰 힘으로 증폭되었다고 본 것이다. 만약 군인들이 일사불란하게 행진하지 않고 무질서하게 걸어갔다면 공명 현상이 발생하지 않아서 다리가 무너지지 않았을지도 모른다.

(문제 2 – ⑤ 관련, 다리 붕괴의 원인으로 공명이 지목됨. / 문제 2 – ② 관련)

▶ 공명 현상의 사례 ② – 군대의 행진 때문에 다리가 붕괴한 사고

④ 그런데 이러한 공명의 원리는 우리 생활 깊숙한 곳으로 들어와 유익하게 활용되기도 한다. 병원에서 질병을 검사할 때 쓰는 자기 공명 영상 장치(MRI)는 공명을 활용한 대표적인 사례이다. 우리 몸을 구성하는 물 안에는 수소 원자핵이 있다. MRI 촬영을 할 때 장치에서 나온 전자기파는 이 수소 원자핵을 공명시킨다. 이때 전자기파를 끄면 수소 원자핵이 진동을 멈추고 에너지를 방출한다. 원자의 분포나 결합 상태에 따라 방출되는 에너지의 양이 달라지기 때문에, 이를 컴퓨터로 분석하면 ㉠우리 몸속의 모습을 영상화할 수 있게 되는 것이다.

(문제 1 – ③ 관련 / 문제 3 관련)

▶ 공명 현상의 사례 ③ – 자기 공명 영상 장치(MRI)의 촬영 원리

해제 | 이 글은 공명의 개념을 밝히고 공명이 일어나는 원리를 과학적으로 설명한 후, 공명 현상과 관련이 있는 다양한 사례를 제시하고 있다.

주제 | 진폭과 에너지가 크게 증가하는 현상인 공명 현상

1 2문단에서 세탁 통이 돌아가는 속도에 따라 세탁기에 가하는 힘, 곧 세탁기에 전해지는 충격이 달라지며 그 진동수가 세탁기의 고유 진동수와 일치하는 순간 세탁기가 크게 흔들린다고 하였다.

오답 풀이 ① 1문단 첫 번째 문장을 통해 확인할 수 있다.
② 1문단 두 번째 문장에서 확인할 수 있다.
③ 4문단에서 생활에 유용한 도구를 만드는 데 공명이 활용된 예를 들고 있다.
⑤ 2문단 마지막 문장에서 확인할 수 있다.

2 이 글의 내용을 통해, 11층에서 에어로빅을 할 때 발생한 진동의 진동수가 건물의 고유 진동수와 일치하면서 공명에 의해 건물이 크게 흔들린 것임을 알 수 있다.

오답 풀이 ① 에어로빅 때문에 생긴 흔들림은 전기적 진동이 아니라 역학적 진동에 해당한다.
② 에어로빅에서 무질서한 동작을 했더라면 공명 현상이 발생하지 않았을 것이다.
③ 건물에 규칙적인 충격을 가할 때 그 충격의 진동수가 건물의 고유 진동수와 일치하면 공명이 일어나 건물이 흔들릴 수 있다.
④ 건물의 고유 진동수는 건물 자체가 가진 고유한 진동수이므로 에어로빅으로 인해 커지거나 작아질 수 있는 것이 아니다.

3 4문단에서 자기 공명 영상 장치의 전자기파가 수소 원자핵을 공명시키고, 전자기파가 꺼지면 진동하던 수소 원자핵이 에너지를 방출한다고 하였다.

어휘 확인하기

(1) '증축하다'는 "이미 지어진 건축물에 덧붙여 더 늘리어 짓다."라는 뜻이다.
(2) '유지하다'는 "어떤 상태나 상황을 그대로 이어 나가다."라는 뜻이다.

어휘 더 쌓기 본문 102쪽

1 (1) 협업 (2) 견문 (3) 안위 (4) 혼동 (5) 인과 (6) 양상 **2** ② **3** (1) 뭉툭하다 (2) 방출하다 **4** ②

기술 07 빠르고 편리한 청소 기구, 진공청소기 본문 104~105쪽

1 ⑤ **2** ② **3** 작아지기

지문 이해 ① 진공청소기 ② 압력차 ③ 구성하는 ④ 흡입력

어휘 확인하기 (1) 현격 (2) 휘

① 집안 곳곳에 부스러기나 머리카락 등이 흩어져 있어 청소할 때 흔히 사용하는 것이 진공청소기이다. 진공청소기는 먼지와 티끌을 순식간에 빨아들일 뿐만 아니라 빗자루로 해결하기 힘든 미세한 가루들도 말끔히 제거해 준다.(진공청소기의 역할) 진공청소기가 이렇게 먼지를 빨아들이는 데에는 어떤 원리가 숨어 있을까?(중심 화제)

▶ 매우 작은 먼지도 잘 빨아들이는 진공청소기

② 진공청소기는 공기의 압력차를 이용하는 도구이다. 공기는 압력이 높은 쪽에서 낮은 쪽으로 이동하는데,(진공청소기에 이용된 과학적 원리 – 압력차에 따른 유체의 이동) 진공청소기는 전기 에너지를 이용하여 청소기 안에 기압이 낮은 공간을 만들어 냄으로써 기압이 높은 곳에 있는 물질들을 빨아들인다.(진공청소기의 작동 원리) 사실 '진공청소기'에서 「'진공'은 엄밀한 의미로는 어떤 입자도 없이 텅 비어 있는 공간을 의미하지만, 여기서는 공기 입자 수가 보통의 기압 상태보다 현격하게 줄어든 공간을 의미한다.」(「 」: 진공의 개념과 '진공청소기'에서 '진공'의 의미)

▶ 공기의 압력차를 이용하는 진공청소기의 원리

③ 일상에서 많이 사용하는 진공청소기는 송풍 장치, 호스, 필터의 세 부분으로 구성되어 있다.(진공청소기의 구성 요소) 송풍 장치는 모터의 회전으로 진공 상태를 만드는 역할을 한다.(송풍 장치의 기능) 분당 만 번 이상 회전하는 강력한 모터가 청소기 안의 공기를 바깥으로 뽑아내면, 청소기 내부의 기압이 외부에 비해 현격히 낮아지면서 바깥의 공기가 호스를 통해 빨려 들어오는 것이다. 이때 공기와 함께 섞여 들어온 먼지와 오물은 청소기 필터에 걸러져 안쪽에 남고, 깨끗한 공기만 청소기 뒤로 빠져나가게 된다.(문제 2 – ① 관련)

▶ 진공청소기를 구성하는 부분들의 이름과 역할

④ 진공청소기는 먼지를 빨아들이는 힘인 흡입력이 좋을수록, 필터가 걸러 낼 수 있는 먼지의 크기가 작을수록 청소하기에 좋을 것이다.(진공청소기 기능의 우수성과 흡입력, 필터의 관계) 필터를 오래 사용하면 청소기의 흡입력이 줄어들기 때문에 필터를 자주 청소해 주어야 하며, ㉠청소기 내부의 공기가 외부로 나가는 통로가 막히면 청소기가 제 기능을 발휘할 수 없으므로 통로가 막히지 않도록 유의해야 한다. 한편 촘촘하고 빽빽한 필터를 사용하면 미세한 먼지는 잘 걸러 낼 수 있어도 그만큼 공기가 빠져나가는 것이 힘들어져 흡입력이 감소할 수 있다.(문제 2 – ② 관련, 진공청소기의 기능과 관련해 유의해야 할 점) 또한 더 많은 공기를 빨아들이기 위해 모터의 회전을 늘리면 흡입력은 좋아지는 대신 전력 소모가 커지는 문제점이 생긴다.(문제 2 – ④ 관련) 따라서 우수한 진공청소기란 흡입력, 필터가 조밀한 정도, 전력 소모 등이 조화를 잘 이룬 것이라고 볼 수 있다.(문제 2 – ③ 관련, 우수한 진공청소기의 특징)

(○: 진공청소기의 우수성에 영향을 주는 요소)

▶ 진공청소기의 우수성에 영향을 주는 요소들

해제 | 이 글은 우리가 일상에서 흔히 사용하는 진공청소기의 작동 원리에 대해 진공청소기를 구성하는 요소의 기능과 작동 과정을 중심으로 설명하고 있다.

주제 | 진공청소기의 작동 원리와 과정

1 이 글은 공기가 압력이 높은 쪽에서 낮은 쪽으로 이동한다는 과학적 사실을 바탕으로 하여 진공청소기가 어떻게 작동되는지를 설명하고 있다.

오답 풀이 ① 진공청소기에 대한 통념이나 통념의 오류에 관한 내용은 나타나지 않는다.
② 진공청소기 기술을 설명했지만, 해당 기술의 발전 과정은 제시하지 않았다.
③ 진공청소기가 작동하는 원리를 설명했을 뿐, 그것을 실험을 통해 검증하지는 않았다.
④ 진공청소기가 무엇인지 설명했으나, 이를 응용할 수 있는 분야를 소개하지는 않았다.

2 ⓐ는 호스, ⓑ는 필터, ⓒ는 송풍 장치의 모터이다. 4문단에서 필터가 촘촘해지면 그만큼 공기가 잘 안 통한다는 것을 알 수 있다. 이때 공기를 잘 통과시키려면 모터를 강하게 회전시켜야 하므로 더 많은 전력이 소모된다.

오답 풀이 ① ⓐ에는 먼지가 섞여 있으나 ⓒ를 지나가는 공기는 ⓑ에서 먼지가 걸러진 것이다.
③ 4문단에서 우수한 진공청소기는 흡입력, 필터의 조밀도 등이 조화를 이룬 것이라고 하였다.
④ 4문단에서 ⓒ의 회전을 늘리면 흡입력이 좋아진다고 하였다. 즉, 공기가 빨리 흡입되는 것이다.
⑤ 공기는 압력이 높은 쪽에서 낮은 쪽으로 이동하므로 ⓒ를 지난 공기의 압력이 더 낮다. 압력이 더 낮다는 것은 단위 면적당 공기 입자 수가 더 적음을 의미한다.

3 진공청소기는 청소기 안과 밖의 압력 차이를 이용하는 장치이다. 청소기 내부의 공기가 외부로 나가는 통로가 막히면 안과 밖의 압력 차이가 줄어들거나 없어질 수도 있는데, 그렇게 되면 진공청소기가 제 기능을 발휘하지 못하게 된다.

어휘 확인하기

(1) '현격하다'는 '도시가 현격하게 변했다.'와 같이 쓰인다.
(2) '발휘하다'는 '음식 솜씨를 발휘하다.'와 같이 쓰인다.

기술 08 크로마토그래피는 과학 수사대

본문 106~107쪽

1 ② **2** ⑤

지문 이해 ① 도핑 ② 크로마토그래피 ③ 분야

어휘 확인하기 ● ③

① 스포츠 단체들은 경기의 공평성을 해칠 뿐만 아니라 선수의 생명을 위협할 수도 있는 약물들을 금지하고 있으며, 도핑 테스트를 통해 선수들이 금지 약물을 복용했는지 검사하고 있다. 도핑 테스트는 경기를 마친 선수들에게서 혈액이나 소변을 채취한 다음 특정 약물이 포함되어 있는지 분석하는 것이다. 이때 크로마토그래피 기법(중심 화제)이 활용되는데, 이 방법으로는 아주 미세한 성분까지도 알아낼 수 있어 혈액이나 소변의 분석뿐만 아니라 유전자 검사, 의약품 성분의 분리 등 다양한 분야에서 유용하게 이용되고 있다.(문제 1 - ⑤ 관련)

▶ 도핑 테스트에 이용되는 크로마토그래피

② 1906년 러시아 식물학자 츠베트(문제 1 - ④ 관련)는 나뭇잎의 색소를 분리해 내기 위한 실험으로 잎의 색소 혼합물을 석유 에테르에 녹인 다음, 석회석 가루를 빽빽하게 채운 유리관 속에 그 용액을 통과시켰다.(크로마토그래피를 발견한 츠베트의 실험) 그 결과 유리관에는 빨강, 주황, 노랑, 녹색 등 몇 개로 분리된 색소의 띠가 나타났다. 석유 에테르 용매에 녹은 성분 물질들이 미세한 틈이 있는 고체 사이를 통과하면서 석회석 가루에 잘 붙들리는 색소는 더디게 이동하고, 석회석 가루에 잘 붙들리지 않는 색소는 더 빠르게 이동했기 때문이다.(문제 2 관련) 그는 이 기술을 색깔을 의미하는 그리스어 '크로마'와 기록한다는 뜻의 '그래프'를(문제 1 - ③ 관련, 크로마토그래피의 어원) 합쳐서 '크로마토그래피'라고 불렀다.

▶ 크로마토그래피의 기원과 원리

③ 각 성분이 용매를 따라 이동해 간 거리는 물질마다 일정한 값을 갖기 때문에, 크로마토그래피를 이용하면 혼합물에 포함된 물질을 구별할 수 있게 된다.(문제 1 - ① 관련, 크로마토그래피의 기본 원리) 이러한 특성 덕분에 츠베트가 발견한 크로마토그래피는 그 후 발전을 거듭하여 여러 분야에서 다양하게 활용되고 있다.「앞서 예로 든 도핑 테스트는 물론 식물이나 동물로부터 특정 성분을 얻어 낼 때, 물이나 공기 중의 오염 물질 농도를 측정할 때에도 크로마토그래피가 이용된다. 범죄 현장에서 핏자국을 분석해서 범인을 알아내는 데 사용되는 방법도 크로마토그래피이다.」(「」: 문제 1 - ⑤ 관련, 크로마토그래피의 다양한 활용) 피가 묻어 있는 부분에 용매를 써서 피를 녹인 용액을 크로마토그래피 장치에 넣으면 핏속의 효소와 단백질을 분리해 낼 수 있는데, 효소와 단백질의 결합 구조는 사람마다 제각각 다르게 나타나므로 범인을 잡는 데 중요한 단서로 활용되는 것이다.

▶ 여러 분야에서 다양하게 활용되는 크로마토그래피

해제 | 이 글은 다양한 분야에서 활용되고 있는 크로마토그래피의 원리에 대해 설명하고 있다.
주제 | 크로마토그래피의 원리와 응용 분야

1 이 글에서는 크로마토그래피의 발견과 어원 및 기본 원리, 활용되는 분야 등에 대해 설명하고 있다. 크로마토그래피의 문제점과 한계에 관한 내용은 제시되어 있지 않다.

오답 풀이 ① 3문단에서 용매를 따라 이동한 거리는 물질마다 일정한 값을 갖기 때문에 혼합물에 포함된 물질을 구별할 수 있다고 하였다.
③ 2문단을 통해 '색깔'과 '기록한다'는 뜻이 담겨 있음을 알 수 있다.
④ 2문단에서 러시아 식물학자 츠베트가 크로마토그래피를 처음 발견했음을 알 수 있다.
⑤ 1, 3문단에서 혈액이나 소변 검사, 유전자 검사, 공기 중의 오염 물질 측정 등에 크로마토그래피가 활용된다고 하였다.

2 2문단에 제시된 츠베트의 실험 내용을 바탕으로 하여 〈보기〉를 해석하면, 석유 에테르에 녹아든 색소 혼합물이 석회석 가루 사이를 통과하면서 각 색소의 특성에 따라 색소가 분리된 것임을 알 수 있다. 이때 가장 더디게 이동한 색소 C는 석회석 가루에 잘 붙들려서 가루 사이를 잘 통과하지 못한 물질이다.

오답 풀이 ① ㉠은 색소 혼합물이 녹아 있는 석유 에테르가 석회석 가루에 스며든 부분이다.
② ㉡은 아직 석유 에테르가 스며들지 않은 석회석 가루에 해당한다.
③ 색소 A는 가장 아래쪽에 위치한 것으로 보아 석회석 가루에 잘 붙들리지 않고 가장 빠르게 이동했음을 알 수 있다.
④ 색소 B는 중간에 위치한 것으로 보아 색소 C보다는 빠르게 이동했지만 색소 A보다는 느리게 이동했음을 알 수 있다.

어휘 확인하기

③의 '해치다'는 "어떤 상태에 손상을 입혀 망가지게 하다."라는 뜻이다.

예술 09 미는 아름다움이다

본문 108~109쪽

1 ③ **2** ⑤

지문 이해 ① 아름다움 ② 숭고미 ③ 인공미 ④ 주관적

어휘 확인하기 (1) 정제된 (2) 범주 (3) 내포한

① 오래전부터 사람들은 아름다움을 연구하기 위한 미학(美學)이라는 학문을 형성하여 아름다움을 분석하고 탐구해 왔다. 여러 학자들은 인류가 그동안 남긴 예술 작품들을 살펴보면서 미(美)를 숭고미와 우아미, 자연미와 인공미 등의 여러 범주로 구분했는데, 이러한 여러 유형의 미는 우리가 보는 회화 작품이나 조각품, 건축물 등에서 발견할 수 있다.

문제 1 - ③ 관련, 화제 제시 / 중심 화제

▶ 여러 학자들이 탐구해 온 아름다움의 범주들

② 「숭고미는 인간이 가진 보통의 이해력으로는 알 수 없는 경이로움과 위대함을 느끼게 하는 것을 이르며, 자연의 장대함이나 거대하고 엄숙한 건축물, 고도로 정제된 조각품과 같은 것에서 느낄 수 있다. 이집트의 피라미드나 성 베드로 성당, 우리나라의 석굴암 본존불상 등이 바로 숭고한 아름다움을 느끼게 하는 것들이다.」 「우아미는 개성이 강하면서도 조화로운 감성으로 표현된 다양한 예술 작품에서 발견할 수 있다. 보통 규격화되고 정제된 딱딱한 형태에서 벗어나, 자유롭고 유희적인 표현 속에서도 균형과 조화를 잃지 않는 섬세한 예술 작품에서 느낄 수 있다. 이러한 우아한 아름다움은 다양한 형태와 색채를 조화롭게 활용한 여러 회화 작품 속에 담겨 있다.」

「 」: 숭고미의 의미와 예시 / 「 」: 우아미의 의미와 예시

▶ 숭고미와 우아미

③ 「자연미는 산, 나무, 해와 달, 바람, 강 등 그 자체로 완성되어 있는 자연 그대로의 순수한 아름다움이다. 반면에 인공미는 사람이 인위적으로 만든 것에서 예술성을 느낄 수 있는 것을 말한다. 남해안과 남해의 섬을 율동적으로 연결하는 다리의 모양이나, 주변의 자연과 잘 어우러진 조선 시대 궁궐들에서 자연미와 인공미의 조화로움을 느낄 수 있다.」

「 」: 자연미와 인공미의 의미와 예시

▶ 자연미와 인공미

④ 이 밖에도 다양한 아름다움의 범주가 존재한다. 우리에게 웃음을 주는 풍속화나 탈춤에서는 해학적인 아름다움을 느낄 수 있으며, 보통 사람들은 예쁘다고 여기지 않는 추함에도, 슬픔을 표현한 비극적인 것에도 아름다움이 있다. 우리가 흔히 볼 수 있는 조그마한 꽃잎이나 구불구불 자라서 못생겼다고 하는 나무도 그 자체의 아름다움이 있으며, 보는 사람에 따라 그동안 발견하지 못하던 어떤 대상에서 아름다움의 감동을 느꼈다면 그 대상도 아름다움을 지니고 있는 것이다. 이렇게 예술은 주관적이고 다양한 범주의 아름다움을 내포하고 있으며, 우리는 지금도 계속 새로운 아름다움을 창출하고 있다.

해학미 / 아름다움의 범주가 다양함. / 문제 2 - ③ 관련, 주관적인 미의 기준 / 문제 1 - ③ / 문제 2 - ①, ⑤ 관련

▶ 주관적이고 다양한 아름다움의 범주

해제 | 이 글은 다양한 미적 범주의 종류와 그 특징을 예시와 함께 설명하고, 사람에 따라 아름다움의 기준이 달라질 수 있음을 밝히고 있다.

주제 | 주관적이고 다양한 미적 범주의 양상

출전 | 김종수, 《1318 미술 여행》

1 이 글은 건축, 조각, 회화 등의 예술이 내포한 다양한 범주의 아름다움을 구체적인 사례를 들어 설명하고 있다.

오답 풀이 ① 다양한 미적 범주를 설명했지만, 그것이 세월에 따라 변화한 양상을 설명한 것은 아니다.

② 인간이 창조한 예술 작품의 아름다움 외에 자연 그대로의 순수한 아름다움도 설명하고 있으므로 핵심 내용이 아니다.

④ 이 글에 제시된 다양한 예술 작품은 미적 범주를 설명하기 위해 든 사례이다. 작품의 가치와 존재 이유를 분석한 내용은 나타나지 않는다.

⑤ 이 글은 아름다운 일상의 풍경이 아니라, 아름다움 그 자체의 유형과 특성을 설명하는 글이다.

2 이 글의 글쓴이는 아름다움이 주관적이기 때문에 개인의 주관에 따라 계속 새로운 아름다움을 창출할 수 있다고 보고 있다. 반면 〈보기〉의 글쓴이는 아름다움의 기준이 사회의 윤리적인 규범과 제도를 벗어나서는 안 된다고 보고 있다.

오답 풀이 ① 4문단에서 이 글의 글쓴이는 예술이 주관적이고 다양한 범주의 아름다움을 내포하고 있다고 하였다.

② 〈보기〉의 글쓴이는 주관화된 아름다움이 사회 규범을 위협할 경우, 그러한 아름다움을 인정해서는 안 된다고 보고 있다.

③ 4문단에서 이 글의 글쓴이는 보는 사람에 따라 아름다움을 다르게 느낄 수 있다고 하였다.

④ 〈보기〉의 글쓴이는 어디까지를 아름다움으로 인정할 것인지 고민해야 한다고 하였다. 이는 사회적으로 합의된 아름다움의 기준을 마련할 필요가 있다고 본 것이다.

어휘 확인하기

(1) "정성이 들어가 정밀하게 잘 만들어지다."라는 뜻의 '정제되다'를 활용하는 것이 적절하다.

(2) "같은 성질을 가진 부류나 범위."라는 뜻의 '범주'가 들어가는 것이 적절하다.

(3) "어떤 성질이나 뜻 따위를 속에 품다."라는 뜻의 '내포하다'를 활용하는 것이 적절하다.

예술 10 우리 조상들이 사랑한 다섯 색깔

본문 110~111쪽

1 ② **2** ④ **3** 예시

지문 이해 ① 오방색 ② 고분 벽화 ③ 오행 ④ 생활

어휘 확인하기 (1) 관장하는 (2) 방위

① 우리나라는 예로부터 다섯 방향을 제시하는 오방색(五方色)을 사용해 왔다. 오방색(중심 화제)은 오방정색이라고도 하며, 황(黃), 청(靑), 백(白), 적(赤), 흑(黑)의 다섯 가지 색을 말한다.(오방색을 이루는 다섯 가지 색깔) 『이는 음과 양의 기운이 생겨나 하늘과 땅이 되고, 다시 음양의 두 기운이 목(木)·화(火)·토(土)·금(金)·수(水)의 오행을 생성하였다는 음양오행 사상을 기초로 한다.』(『 』: 오방색에 반영된 음양오행 사상)

▶ 우리 조상들이 예로부터 활용한 오방색

② 오행에는 오색이 따르고 방위가 따르는데, 중앙과 사방을 기본으로 삼아 황(黃)은 중앙, 청(靑)은 동, 백(白)은 서, 적(赤)은 남, 흑(黑)은 북을 뜻한다.(오방색이 상징하는 방위) ㉠이러한 오방색은 고구려 고분 벽화에서도 잘 드러나고 있다. 『고구려 고분 벽화를 보면 동쪽에는 청룡을 그렸고, 서쪽에는 백호, 남쪽에는 주작, 북쪽에는 현무, 중앙의 천장에는 해와 달과 별 또는 황룡 등을 그려서 무덤을 보호하고자 했다.』(『 』: 고구려 고분 벽화에 나타난 오방색) 오방색을 사신도 및 상징적 존재와 연관시켜서 표현한 것이다.

▶ 고구려 고분 벽화에 나타난 오방색의 방위

③ 황(黃)은 오행 가운데 토(土)에 해당하며 우주의 중심을 나타냈다. 따라서 가장 고귀한 색이라 하여 임금의 옷을 만드는 데 쓰였다.(문제 2 - ④, ⑤ 관련, 황색의 의미) 청(靑)은 목(木)에 해당하며 만물이 생성하는 푸른 봄의 색, 귀신을 물리치고 복을 비는 색이었다.(문제 2 - ① 관련, 청색의 의미) 『백(白)은 금(金)에 해당하며 결백과 진실, 순결 등을 뜻하는데 우리 민족이 흰옷을 즐겨 입은 것도 이와 관련이 있다.』(『 』: 문제 2 - ③ 관련, 백색의 의미) 적(赤)은 화(火)에 해당하며 생성과 창조, 정열과 애정, 적극성 등을 뜻했고 강력한 벽사의 빛깔로도 쓰였다.(문제 2 - ② 관련, 적색의 의미) 흑(黑)은 수(水)에 해당하며 인간의 지혜를 관장한다고 여겨졌다.(문제 2 - ④ 관련, 흑색의 의미)

▶ 오행에 대응하는 오방색의 의미

④ 이와 같이 우리 조상들은 생활 속에서 음양오행의 사상이 담긴 여러 가지 색을 활용해 왔다. ㉡『혼례 때 신부가 바르는 연지 곤지와 어린아이에게 입히는 색동저고리, 간장 항아리에 붉은 고추를 끼워 두르는 금줄, 잔칫상의 국수에 올리는 오색 고명, 궁궐이나 사찰의 단청, 알록달록 색색의 천을 이어 붙인 조각보와 전통 공예품들, 붉은 빛이 나는 황토로 집을 짓거나 신년에 붉은 부적을 붙이는 행위 등 다양한 생활 풍습에서 쉽게 오방색을 찾아볼 수 있다.』(『 』: 생활 속에서 오방색을 활용한 예) 즉, 우리 조상들에게 색이란 각기 고유한 의미를 지니고 우리와 함께 생활하는 존재였던 것이다.

▶ 생활 속에서 널리 활용되어 온 오방색

해제 | 이 글은 우리 조상들이 색깔에 어떤 의미를 부여하고 생활 속에서 활용해 왔는지를 다양한 사례와 함께 보여 주고 있다.

주제 | 예로부터 사용되어 온 오방색의 의미와 생활 속 쓰임새

1 이 글은 우리 조상들이 예로부터 오방색이라는 다섯 가지 색에 특별한 의미를 부여하고 일상생활 속에서 자주 활용했다는 사실을 설명하고 있다.

오답 풀이 ① 오방색의 가치를 과학적으로 조명한 내용은 없다.
③ 음양오행 사상이 색깔에 반영되어 오방색의 의미를 만들어 냈음을 설명하고 있으나 음양오행 사상의 현대적 의미는 제시되어 있지 않다.
④ 2문단에서 고구려 고분 벽화 속 오방색의 의미를 해석하고 있을 뿐 당시 생활상은 제시되어 있지 않다.
⑤ 우리 주변의 색깔 중에서 예로부터 특별한 의미를 가지는 다섯 가지 색깔에만 주목하고 있다.

2 현무는 고구려 고분 벽화에서 북쪽에 그려졌으며, 북쪽은 인간의 지혜를 관장하는 색인 흑색과 관련이 있다. 그러나 3문단에서 가장 고귀한 색으로 여겨진 색은 흑색이 아니라 황색이라고 하였다.

오답 풀이 ① 청룡은 동쪽, 목(木), 봄의 색, 귀신을 물리치고 복을 비는 색을 상징한다.
② 주작은 남쪽, 화(火), 생성과 창조, 정열과 애정, 적극성, 강력한 벽사의 빛깔을 나타낸다.
③ 백호는 서쪽, 금(金), 결백과 진실, 순결을 상징하며 이는 우리 민족이 흰옷을 즐겨 입은 것과 관련된다.
⑤ 황색은 중앙, 토(土), 우주의 중심, 가장 고귀한 색의 의미를 지닌다.

3 ㉡에는 우리 조상들의 생활 풍습에서 오방색이 활용된 구체적 사례가 제시되어 있다. 〈보기〉에서는 남북한의 언어 차이를 구체적 사례를 들어 설명하고 있다. 따라서 두 글에 공통적으로 사용된 내용 전개 방식은 예시이다.

어휘 확인하기

(1) "일을 맡아서 주관하다."라는 뜻의 '관장하다'가 들어가는 것이 적절하다.
(2) "동서남북을 기준으로 한 어떤 쪽의 위치."라는 뜻의 '방위'가 들어가는 것이 적절하다.

통합 11 가만히 있으면 중간은 갈까

본문 112~113쪽

1 ② **2** ⑤ **3** ③

① 다음의 두 상황을 비교해 보자. 한 사람이 산에서 발을 헛디디는 바람에 골짜기에 떨어져 크게 다쳤다. 당신은 그를 구할 수 있었지만 적극적으로 나서지 않았고, 얼마 후 그 사람은 죽게 되었다. 또 다른 상황은 당신이 그를 밀쳐서 떨어뜨린 것이다. 앞의 상황처럼 그는 얼마 후 죽었다. 이때 당신이 구조에 나서지 않은 것과 직접 밀친 것 중 어느 쪽이 더 나쁜 행동일까? 사실 두 행동은 모두 결과적으로 한 사람을 죽음으로 내몰았다. 그런데 사람들은 일반적으로 구조에 나서지 않은 것이 직접 밀친 것보다 덜 나쁘다고 여긴다. 그 결과가 같은 데도 말이다.

소극적 행동 때문에 사람이 죽는 결과가 발생함.
적극적 행동 때문에 사람이 죽는 결과가 발생함.
동일한 결과가 발생함.
문제 1 - ③ 관련, 일반적 통념
▶ 결과가 똑같이 부정적일 때, 행동한 것보다 행동하지 않은 것이 덜 나쁘게 여겨지는 사례

② 위험에 처한 사람을 보았을 때 선뜻 도움을 주기가 어려운 것은 보통 가만히 있어서 문제가 생기는 것보다 행동에 나서서 문제가 생기는 것이 더 부담스러운 일이기 때문이다. 이렇게 우리는 어떤 행위를 하는 것보다 아무것도 하지 않는 것을 선택하는 심리적 경향이 있는데, 이를 '부작위 편향' 또는 '무행동 편향'이라고 부른다.

문제 1 - ① 관련, 부작위 편향(무행동 편향)의 개념
중심 화제
▶ 부작위 편향의 개념

③ 부작위 편향은 개인적인 선택의 문제뿐만 아니라 국가나 사회의 문제와도 연관이 있다. 걸리면 치사율이 80퍼센트에 이르는 질병이 있다고 하자. 한 제약 회사가 그 질병의 치료제를 개발했는데, 치료제의 부작용으로 사망할 확률이 30퍼센트에 달한다는 것도 발견했다. 이러한 경우에 국가 기관에서는 이 치료제의 사용을 허가할까? 합리적으로 따져 보면 80퍼센트의 확률로 사망하는 질병을 방치하는 것보다 30퍼센트의 확률로 사망하는 약을 사용하도록 하는 것이 더 낫다고 생각할 수 있다. 그러나 현실 상황에서는 치료제의 부작용으로 사망자가 발생하였을 때 그 책임을 떠안게 될 수 있으므로 그것을 기피하려는 마음에 약의 사용을 허가하지 않는 ㉠책임자가 있을 수 있다.

부작위 편향은 광범위하게 영향을 미침.
문제 1 - ⑤ 관련, 구체적 상황을 가정하여 설명함.
문제 3 - ③ 관련, 주어진 상황에서 합리적으로 판단했을 때의 결정
부작위 편향과 관련 있는 심리
비합리적인 결정
▶ 부작위 편향의 예시

④ 공장에 폐수 처리 시설을 설치하지 않는 사람이 기존에 있던 처리 시설을 철거하는 사람보다 덜 나쁘게 느껴지며, 세금을 신고하지 않는 것이 신고 서류를 위조하는 것보다 덜 나쁘게 느껴지는 것 역시 마찬가지이다. 결국 부작위 편향은 어떤 일을 할 때의 개인적인 부담 대신 하지 않을 때의 사회적 부담을 선택하게 하여 사회 전체에 부정적인 영향을 끼친다.

소극적 행동 / 적극적 행동 / 소극적 행동 / 적극적 행동
문제 1 - ④ 관련, 부작위 편향의 문제점
▶ 부작위 편향의 문제점

⑤ 부작위 편향은 인간의 자연스러운 심리라고 볼 수도 있지만, 개인적으로나 사회적으로나 경계해야 할 대상이기도 하다. 「'아무것도 하지 않는 편이 낫다.'라는 생각은 삶의 능동적 선택이나 도전을 방해한다. 또한 다른 사람을 돕는 행동에 나서거나 문제 상황을 해결하기 위해 결단을 내리는 것을 망설이게 한다.」 스스로 '부작위 편향'에 대해 인식하고 자신의 행동이나 선택을 점검해야 할 필요가 바로 여기에 있다.

「 」: 문제 1 - ④ 관련, 부작위 편향이 개인과 사회에 끼치는 악영향
부작위 편향과 관련하여 우리에게 필요한 자세
▶ 경계해야 할 대상인 부작위 편향

해제 | 이 글은 인간의 심리적 현상 중 하나인 부작위 편향을 다양한 사례와 함께 설명하고 있다.
주제 | 부작위 편향의 개념과 사례

지문 이해

① 결과가 같을 때, 행동하지 않은 쪽이 덜 나쁘게 여겨지는 사례	···	② 부작위 편향의 개념	+	③ 부작위 편향의 예시	+	④ 부작위 편향의 문제점	···	⑤ 경계해야 할 대상인 부작위 편향

1 이 글에서 통계 자료는 활용되지 않았다. 3문단의 '80퍼센트'와 '30퍼센트'라는 수치는 어떤 상황을 가정하면서 제시한 임의의 수치일 뿐, 통계 자료가 아니다.

오답 풀이 ① 2문단 마지막 문장에서 부작위 편향의 개념을 밝히고 있다.
③ 1문단에서 결과가 같은데도 사람들은 적극적 행동보다 소극적 행동을 덜 나쁘다고 생각한다며 일반적인 통념이 지닌 오류를 보여 주었다.
④ 4, 5문단에서 부작위 편향 때문에 발생할 수 있는 문제를 언급하고 있다.
⑤ 3문단에서 구체적 상황을 가정하여 부작위 편향에 대한 이해를 돕고 있다.

2 <보기>에서 대부분의 부모들은 아이가 백신을 접종하지 않아서 병에 걸린 상황보다, 백신의 부작용으로 위험에 처한 상황에서 더 큰 괴로움을 느낀다고 하였다. 똑같이 아이가 위험에 처했지만 아무것도 하지 않았을 때 괴로움을 덜 느낀 것이므로 부작위 편향을 보여 준다.

오답 풀이 ① 5문단에서 스스로 자신의 선택을 점검해야 한다고 했으므로 백신 접종을 강제해야 한다는 반응은 적절하지 않다.
② 합리적으로 계산한다면 백신 접종을 하는 것이 더 적절한 조치이다.
③ 부작위 편향을 가진 사람은 오히려 백신의 부작용에 대한 과장된 정보를 받아들임으로써 접종을 받지 않기로 한 결정을 합리화할 것이다.
④ 대부분의 부모는 아이가 백신 접종 때문에 위험에 처했을 때 더 큰 괴로움을 느낀다고 하였다.

3 합리적으로 따져 보면 약의 사용을 허가하는 것이 낫지만, 책임을 피하고 싶은 마음에 합리적 판단에 반하는 결정을 내리는 것이다. 따라서 심리적인 이유로 비합리적인 결정을 내리는 것을 비판하는 내용이 적절하다.

어휘 더 쌓기

본문 114쪽

1 [가로 열쇠] (3) 결단 (4) 고도 (5) 미세하다 (7) 벽사 (8) 경계 (9) 편향 [세로 열쇠] (1) 진공 (2) 농도 (4) 고귀하다 (6) 치사율 (8) 경향
2 (1) 피하다 (2) 판단하여 (3) 위치 (4) 해결
3 (1) ② (2) ③ (3) ①

인문 01 우리말을 살찌우는 방언

본문 118~119쪽

1 ③ **2** ② **3** 대립적/대립하는, 자산

지문 이해 ① 지역 방언 ② 사회 방언 ③ 표준어 ④ 언어적

어휘 확인하기 (1) 분화되면서 (2) 부여

① 한 언어 가운데 지역이나 사회적 거리에 따라 다른 모습으로 바뀌어 쓰이는 말을 방언이라고 한다. 그중 지역에 따라 분화된 방언을 지역 방언이라고 하며, 흔히 사투리라고도 일컫는다. 지역 방언은『지역 사이에 큰 산맥이나 강과 같은 지리적인 장애가 있을 때, 또는 장애물은 없더라도 거리가 멀리 떨어져 있을 때 두 지역의 언어가 점차 다르게 발전하면서 생겨난다.』우리나라에서는 '제주도 방언, 경상도 방언, 전라도 방언' 등 도명을 붙여 부르는 것이 지역 방언의 전형적인 예이며 이 외에도 '중부 방언, 영동 방언, 강릉 방언'과 같은 다양한 방언이 존재한다.

(방언의 개념 / 중심 화제 / 지역 방언의 개념 / 『 』: 문제 1 – ② 관련, 지역 방언이 생기는 이유 / 지역 방언의 예 / 지역 방언의 예)

▶ 방언의 개념 및 지역 방언의 개념과 사례

② 사회 방언은 계층, 연령, 성별, 직업, 종교 등의 차이, 즉 사회적 거리에 의해 형성되는 방언이다.『우리나라에서 60대 이상의 사람 중에 어려운 한자어를 사용하는 사람의 수는 그 이하의 세대에서 한자어를 사용하는 사람들보다 많다. 또한 10대 청소년들이 흔하게 사용하는 줄임말을 그 이상의 세대에서는 이해하기 어려울 때가 있다.』이것은 사회적 거리에 의한 언어의 분화를 잘 보여 준다.

(문제 1 – ① 관련, 사회 방언이 생기는 이유 / 사회 방언의 개념 / 『 』: 사회 방언의 예)

▶ 사회 방언의 개념과 사례

③ 방언은 일반적으로 표준어와 대립적 관계에 있다고 여겨진다. 방언은 특정 지역이나 계층에서 사용되는 말이지만 표준어는 전 국민이 쓰는 공통어이자 공식적으로 사용되는 공용어의 자격을 부여받은 말이기 때문이다. 그러나 실제로 방언과 표준어는 대립적 관계에 있지 않다.『표준어 규정에 따르면 표준어는 '교양 있는 사람들이 두루 쓰는 현대 서울말'인데, 이는 표준어가 교양 있는 사람들이라는 특정 계층과 서울이라는 특정 지역에 기반을 두고 있음을 말해 준다.』즉, 표준어가 곧 국어는 아니며, 국어의 모든 하위 언어는 방언일 수밖에 없는 것이다.

(방언에 대한 통념 / 문제 1 – ④ 관련, 표준어의 개념 / 문제 3 관련, 방언과 표준어의 관계 / 『 』: 문제 1 – ⑤ 관련 / 표준어 규정에 따른 표준어의 정의 / 표준어에 대한 정의는 표준어가 방언에 기반하고 있음을 보여 줌.)

▶ 방언과 표준어의 관계에 대한 잘못된 통념

④ 때때로 방언은 표준어보다 못한 것이나 표준어의 사용을 방해하는 것, 심지어는 없어져야 할 것으로 치부되기도 한다. 그러나 방언은 우리의 소중한 사회적, 문화적 자산이다. 표준어가 정확한 의미로 의사소통하는 데 필요한 것이라면, 방언은 집단이나 지역의 고유한 문화와 배경을 담는 그릇이다. 더욱이 방언에는 우리 옛말의 자취가 남아 있고 표준어의 어휘를 살찌우는 데에도 도움을 주기 때문에, 언어적 차원에서 높은 가치를 지닌다. 이처럼 방언은 표준어와 대립하거나 표준어보다 하등한 것이 아니라, 표준어와 유연하게 상호 작용하는 관계에 있다.

(방언에 대한 잘못된 인식 / 문제 3 관련, 방언의 가치 / 문화와 배경을 담고 있는 방언 / 문제 2 – ② 관련 / 언어적으로 높은 가치를 지닌 방언 / 방언과 표준어의 관계)

▶ 우리의 소중한 자산이며 언어적 차원에서 높은 가치를 지닌 방언

해제 | 이 글은 방언이 표준어와 대립적 관계에 있다고 여기는 경우가 있지만 이는 잘못된 생각이며 표준어 역시 방언에 기반하고 있다고 말하면서 방언의 가치에 대해 설명하고 있다.

주제 | 방언의 개념과 종류 및 가치

1 사회 방언은 사회적 거리에 의해 형성된 말로, 지역 방언의 차이를 극복하기 위해 만들어진 말이 아니다.

오답 풀이 ① 2문단에서 직업의 차이에 의해서도 방언이 형성된다고 하였다.
② 1문단에서 장애물이 없더라도 거리가 멀리 떨어져 있을 때 두 지역의 언어가 다르게 발전하면서 지역 방언이 생긴다고 하였다.
④ 3문단에서 표준어는 전 국민이 쓰는 공통어이자 공식적으로 사용되는 공용어의 자격을 부여받은 말이라고 하였다.
⑤ 3문단에서 표준어는 '교양 있는 사람들이 두루 쓰는 현대 서울말'로 규정되어 있는데 '서울말'이라는 것은 표준어가 특정 지역에 기반을 두고 있음을 말해 준다고 하였다.

2 (가)에서는 방언으로 취급되던 어휘들이 복수 표준어로 인정되었다고 밝히고 있다. 방언이 표준어로 인정됨으로써 어휘가 풍부해지고 있음을 보여 주고 있는 것이다.

오답 풀이 ① (가)에서 방언이 세대 간의 언어 차이를 해소하고 있는지 파악할 수 없다.
③ (가)는 방언으로 취급되던 말이 표준어로도 인정을 받은 사례이므로, 방언이 의사소통을 방해한다고 이해한 것은 적절하지 않다.
④ (나)는 방언에 옛말의 자취가 남아 있음을 보여 주고 있다. (나)에 제시된 방언을 전 국민이 쓰는 것은 아니며, 그럴 경우 표준어로 인정된다는 내용을 이끌어 내기도 어렵다.
⑤ (나)에 제시된 방언에 특정 문화적 배경이 담겨 있는지는 알 수 없다.

3 3, 4문단에 이 글의 중심 내용인 방언과 표준어의 관계 및 방언의 가치가 제시되어 있다.

어휘 확인하기

(1) "단순하거나 등질인 것에서 복잡하거나 이질인 것으로 변하게 되다."라는 뜻의 '분화되다'가 들어가는 것이 적절하다.

(2) "사람에게 권리, 명예 따위를 지니도록 해 주거나, 사물이나 일에 가치·의의를 붙여 줌."이라는 뜻의 '부여'가 들어가는 것이 적절하다.

인문 02 백지장도 맞들면 낫다

본문 120~121쪽

1 ② **2** ① **3** 어려운 일을 당하면 서로 돕는다.

지문 이해 ① 상부상조 ② 두레 ③ 품앗이 ④ 향약

어휘 확인하기 ● ③

① 우리나라는 전통적으로 이웃과 가까이 살면서 농업, 어업 등의 생계를 함께해 왔다. '이웃사촌'이라는 말이 생겨날 정도로 조상들은 다양한 상부상조의 전통을 지켜 왔는데, 우리 민족이 예부터 이웃 간의 협력에 힘을 기울였다는 사실은 두레, 품앗이, 향약 등에서도 알 수 있다.
(문제 1 - ② 관련 / 중심 화제)
▶ 예부터 이어 온 우리 민족의 상부상조 정신

② ㉠두레는 농촌에서 농사일을 공동으로 하기 위하여 마을이나 부락 단위로 둔 조직을 말한다. 농사일이 바쁜 농번기에는 서로 협조하여 농사에 힘썼고, 반대로 한가한 농한기에는 여러 가지 놀이를 하며 마을 사람들이 함께 즐겼다. 조선 후기 이앙법이 전개되자, 마을 전체가 공동으로 모내기를 하고 추수를 하는 일은 보편적인 생활 풍습으로 정착되었다. 「'두레 먹다'라는 말은 음식을 장만해 여러 사람들이 둘러 앉아 먹는 것을 말했고, 여러 사람이 둘러 앉아 음식을 먹도록 만든 상을 '두레상'이라고 불렀다. 또 마을 중앙에 있는 공동 우물은 '두레우물', 물을 길을 때 사용하던 것은 '두레박'이었다.」 이렇게 마을은 두레를 중심으로 하나의 공동체가 되어 상호 협력하는 문화를 이루었다.
(문제 2 - ⑤ 관련, 두레의 의미와 목적 / 「 」: '두레'에서 기원한 다양한 풍습과 단어 / 두레에서 알 수 있는 상호 협력의 문화)
▶ 두레에 나타난 상호 협력 문화

③ 두레와 유사하지만 체계화되지는 않은 ㉡품앗이도 농촌 사회에 널리 퍼져 있는 상부상조의 전통이다. 바쁜 농사철 일손이 모자랄 때 의무적으로 참여하는 두레와 별도로 서로 자발적으로 도와주는 품앗이야말로 가족의 사랑이 사회적으로 확장된 협력 구조였다. 「두레가 공동적 내지 공동체적인 것이라고 하면, 품앗이는 개인적 또는 소집단적이라는 차이가 있다. 두레가 1년 중 가장 바쁜 농번기에 이루어진 데 반하여 품앗이는 소수의 사람들 사이에 시기와 계절을 가리지 않고 이루어졌으며, 작업의 종류도 농가에서 필요로 하는 모든 일을 포함했다.」
(「 」: 두레와 품앗이의 차이 / 문제 2 - ① 관련, 두레와 품앗이의 차이: 시기 / 문제 2 - ② 관련, 두레와 품앗이의 차이: 작업의 종류)
▶ 품앗이의 특징과 두레와의 차이점

④ 두레와 더불어 농촌의 자치 규약이었던 ㉢향약 역시 자율적이면서 협력적으로 운영하는 전통이었다. 향약은 시행 시기나 지역에 따라 다양한 내용을 담고 있으나, 기본적으로 유교적인 예의와 풍속을 보급하는 기능을 했다. 또한 농민들을 향촌 사회에 결속시켜 토지에서 이탈하는 것을 막고, 공동체 의식을 키움으로써 체제의 안정을 도모하려는 목적이 있었다. 대표적인 향약이었던 주현 향약의 4대 덕목은 '예로써 서로 교제한다.', '덕을 쌓도록 서로 권한다.', '어려운 일을 당하면 서로 돕는다.', '잘못된 일은 서로 바로잡아 준다.'라는 내용으로 구성되어 있다.
(문제 2 - ③ 관련, 두레와 향약의 자율적 성격 / 문제 2 - ④ 관련, 향약의 교육적 성격 / 향약의 정치적 기능 / 문제 3 관련, 주현 향약의 4대 덕목)
▶ 유교적 덕목을 강조한 향약

해제 | 이 글은 우리 조상들이 예로부터 이웃 간의 상부상조 정신을 두레, 품앗이, 향약 등의 풍습으로 실현해 왔음을 설명하고 있다.

주제 | 우리 민족의 상부상조 정신이 나타난 다양한 풍습

1 이 글에서는 두레, 품앗이, 향약 등 상부상조의 정신이 담긴 우리 민족의 전통에 대해 설명하고 있다.

오답 풀이 ① 우리나라가 전통적으로 이웃과 협력하는 풍습을 발달시켰다고 해서 농경 사회에서는 개인의 이익보다 공동체의 이익이 앞선다고 볼 수는 없으며, 이를 글의 중심 내용으로 보기도 어렵다.
③ 우리 민족의 전통이 사라지고 있다는 내용은 찾을 수 없다.
④ 4문단에서 향약을 통해 공동체 의식을 키우고 체제의 안정을 꾀했다고 하였으나, 이는 글 전체를 아우르는 중심 내용이 아니다.
⑤ 우리 조상들이 이웃 간에 서로 돕고 생계를 함께 한 것을 이웃끼리 간섭하고 참견한 것으로 보는 것은 적절하지 않다.

2 3문단을 통해 두레는 농번기에 이루어지지만, 품앗이는 시기와 계절을 가리지 않고 이루어졌음을 알 수 있다.

오답 풀이 ② 두레가 모내기나 추수 등 농사일에 집중된 작업을 주로 했다면, 품앗이는 농가에서 필요로 하는 모든 일을 포함했다.
③ 두레와 향약은 국가 기관의 주도로 공식적으로 생긴 조직이 아니라 마을 공동체의 자율적인 풍습이자 규약이라고 할 수 있다.
④ 품앗이는 소집단의 일손 나누기라는 성격을 지니는 반면 향약은 공동체의 예의와 풍속 유지를 위한 교육적 성격을 지닌다는 차이가 있다.
⑤ 두레는 농번기의 부족한 일손을 충당하는 목적이 강하며, 품앗이와 향약은 일상생활에서 이웃을 돕는 풍습이었다.

3 제시된 사례는 어려움에 처한 이웃을 도운 것이므로 4문단의 '주현 향약의 4대 덕목' 가운데 '어려운 일을 당하면 서로 돕는다.'에 해당한다.

어휘 확인하기

'유사하다'는 "서로 비슷하다."라는 의미이다. 따라서 '비슷하다'와 바꿔 쓸 수 있다.

사회 03 월급날은 왜 다를까

본문 122~123쪽

1 ⑤ **2** ④ **3** 국가 기관에서 월급을 주는 날짜를 정할 수 있는 군인이나 교사와 같은 공무원의 월급날을 다양화한다./월급날을 월초나 월중, 월말 등으로 달리한다.

지문 이해 ① 월급날 ② 집중 ③ 분산 ④ 통화

어휘 확인하기 ● ⑤

① 우리나라 노동자들의 월급날을 살펴보면 흥미로운 사실을 발견할 수 있다. 월급날은 노동자와 사용자 간의 합의를 통해 결정하는 것이 원칙이지만, 일반 기업체의 월급날은 보통 20일에서 30일 사이에 집중되어 있다. 사람들이 월말에 공과금 납부와 같은 지출을 많이 하기 때문이다. 그런데 국가 기관에서 월급을 주는 날짜를 정할 수 있는 군인이나 교사와 같은 공무원의 월급날을 보면 10일, 17일, 20일 등 매우 다양하다. 급여를 주는 입장에서는 직무의 종류에 상관없이 모두 같은 날 지급하는 것이 편리할 수도 있을 텐데, ㉠이렇게 월급날을 서로 다르게 정한 이유는 무엇일까?

(문제 1 – ④ 관련 / 이유 / 문제 3 관련 / 정부에서 월급날을 조절할 수 있는 대상 / 중심 화제)

▶ 직장마다 다른 월급날

② 월급날이 되면 일시적으로 시장에 돈이 많이 풀려서 물가 상승 압력이 생긴다. 사람들의 지갑이 두둑해지면서 제품과 서비스에 대한 수요가 늘고 지출이 증가하기 때문이다. 반면에 수중에 돈이 별로 없는 월급날 직전에는 지출도 자연스럽게 줄어든다. 이때 월급날이 하루에 집중되어 있는 상황을 가정해 보자. 월급날 직후에는 경기가 좋아지지만 통화 공급이 늘면서 가격이 오르고, 월급날 직전에는 전반적으로 경기가 침체될 것이다. 월급날을 전후해서 물가가 큰 폭으로 등락하는 문제점이 생기는 것이다.

(문제 1 – ② 관련, 통화 집중에 따른 물가 상승 / 문제 1 – ③ 관련 / 사람들이 돈을 잘 쓰지 않아서 통화 공급이 줄어듦.)

▶ 월급날이 집중될 때의 문제점

③ 정부에서 월급날을 여러 날로 분산시킨 것은 물가가 크게 오르내리는 것을 방지하기 위해서이다. 월급날을 각각 다르게 하면 시장에 공급되는 통화의 양을 조절할 수 있게 되어 물가를 안정적으로 유지할 수 있기 때문이다. 또한 우리나라는 한 달에 한 번씩 급여를 지급하기 때문에 월급날을 분산시켜야 할 필요성도 크다. 미국과 같이 주급제가 정착된 나라에서는 통화 공급이 일주일 단위로 이루어지기 때문에 우리나라처럼 월급제를 시행하는 나라에 비해 물가가 변하는 폭도 그리 크지 않을 것이다.

(문제 2 – ④ 관련, 정부가 월급날을 분산시킨 이유 / 우리나라의 급여 지급 방법: 월급제 / 문제 1 – ① 관련, 미국의 급여 지급 방법: 주급제)

▶ 월급날을 분산시킬 때의 효과

④ 사실 오늘날에는 당장 돈이 없더라도 신용 카드를 이용해 구매를 할 수 있게 되면서 월급날의 통화 집중 효과가 이전에 비해 줄어들었다. 그러나 정부에서는 여전히 월급날을 월초나 월중, 월말 등으로 달리하여 통화 집중에 의한 경기 등락을 최소화하려 노력하고 있다.

(문제 1 – ⑤ 관련, 신용 카드를 통해 구매 시기의 선택이 비교적 자유로워졌기 때문 / 문제 3 관련)

▶ 통화 집중 현상을 줄이려는 정부의 노력

해제 | 이 글은 일반 기업체와 달리 공무원의 월급날이 다양하다는 사실을 제시하고, 그 이유를 물가 변동과 관련지어 설명하고 있다.

주제 | 정부에서 월급날을 여러 날로 분산시킨 이유

1 4문단에서 신용 카드를 이용해 구매를 할 수 있게 되면서 월급날의 통화 집중 효과가 줄어들었다고 하였으므로 ⑤는 적절하지 않은 설명이다.

오답 풀이 ① 3문단에서 미국은 주급제가 정착된 나라라고 하였다.
② 2문단에서 월급날이 되면 시장에 돈이 많이 풀려서 물가 상승 압력이 생긴다고 하였다.
③ 2문단에서 월급날 직전에는 수중에 돈이 별로 없어 지출도 자연스럽게 줄어든다고 하였다.
④ 1문단에서 일반 기업체의 월급날은 보통 20일에서 30일 사이에 집중되어 있다고 하였다.

2 3문단에서 정부가 월급날을 여러 날로 분산시킨 이유를 알 수 있다. 시장에 공급되는 통화의 양을 조절해 물가가 크게 오르내리는 것을 방지하기 위해서이다.

오답 풀이 ① 이 글에서 노동자들이 월급을 계획적으로 사용하도록 하기 위해 월급날을 조절한다는 내용은 찾을 수 없다.
② 월급날을 서로 다르게 정하면 사람마다 지출이 느는 시기도 서로 달라지므로, 제품과 서비스에 대한 수요가 오히려 분산된다.
③ 시장에 통화를 일주일 간격으로 공급하는 것은 월급제가 아니라 주급제와 관련이 있다.
⑤ 이 글에 따르면 정부가 월급날을 다양하게 정한 것은 노동자와 사용자의 상황을 고려해서가 아니라, 시장의 물가를 안정시키기 위해서이다.

3 이 글에서는 정부가 통화 집중에 의한 경기 등락을 최소화하기 위해 정부에서 월급 주는 날짜를 정할 수 있는 공무원의 월급날을 월초, 월중, 월말 등으로 다양화한다고 하였다.

어휘 확인하기

㉠에는 "어떤 재화나 용역을 일정한 가격으로 사려고 하는 욕구."를 뜻하는 '수요'가, ㉡에는 "짧은 한때의 것."이라는 '일시적'이 들어가는 것이 적절하다.

사회 04 국민이 판결에 참여한다고?

본문 124~125쪽

1 ⑤ **2** ② **3** 주권, 권리

지문 이해 ① 형사 ② 국민 참여 재판 ③ 배심원 ④ 의의

어휘 확인하기 (1) 재판 (2) 형사 (3) 판결

1 형사 재판은 강도, 살인과 같이 사회 질서를 어지럽히는 행동을 한 사람에게 벌을 주기 위한 재판이다.(형사 재판의 개념) 전통적으로 형사 재판에서 진실을 가리고 판결을 내리는 일은 판사들만이 담당해 왔으며, 일반 국민은 재판을 받거나 방청할 수 있을 뿐 결정 과정에 직접 참여하지는 못했다. 그러다 보니 간혹 판사가 자신의 권한을 남용하거나 공정치 못한 판결을 하는 경우도 있었다.(형사 재판의 한계)
▶ 형사 재판의 개념과 한계

2 이런 문제점을 보완하기 위한 제도가 바로 배심원 제도이며, 우리나라에서는 '국민 참여 재판'(중심 화제)이라는 명칭으로 2008년부터 도입되었다. 「국민 참여 재판은 법률 전문가가 아닌 국민이 배심원이 되어 재판 절차에 참여하는 것으로 사법의 민주적 정당성과 신뢰를 높이는 데 목적이 있다.(문제 2 - ③ 관련)」(「」: 국민 참여 재판의 개념과 목적) 「'국민의 형사 재판 참여에 관한 법률'에 따라 살인이나 고의로 남에게 상처를 입힌 사건 등 흉악한 범죄일 때만 진행할 수 있으며 결정적으로 피고인이 국민 참여 재판을 원해야 한다.」(「」: 문제 2 - ④ 관련, 국민 참여 재판이 진행되기 위한 조건)
▶ 국민 참여 재판의 개념과 진행에 필요한 조건

3 배심원은 만 20세 이상의 국민이면 누구나 될 수 있으며(문제 2 - ① 관련) 재판 전에 무작위로 선정된다. 단, 법률과 관련된 일을 하거나 해당 사건과 관련이 있는 사람은 제외된다. 5~9인의 배심원이 재판에 참여하는데 정확한 배심원의 수는 대상이 되는 사건에 따라 달라진다. 또한 배심원 중 빠지는 사람이 생길 때를 대비하여 5인 이내의 예비 배심원을 두고 있다. 이렇게 선정된 「배심원은 재판에서 만장일치 또는 다수결로 피고인의 유무죄를 결정하고 유죄라고 판단되면 형벌의 정도도 결정하여 판사에게 제시하며,」(「」: 배심원의 역할) 판사는 이를 바탕으로 하여 판결을 내린다. 이때 판사는 배심원의 결정을 존중해야 하지만 이를 무조건 받아들여야 하는 것은 아니다.(문제 2 - ② 관련)
▶ 배심원의 선정 방법 및 역할

4 국민 참여 재판은 도입된 지 얼마 안 된 제도이다 보니 몇 가지 문제가 제기되기도 한다. 「우선 이 제도에 대한 관심이 그리 높지 않고 비용에 견줄 때 효용이 적다는 의견이 있다. 또한 일반 재판보다 무죄를 선고하는 비율이 두 배쯤 높게 나타나는데, 이를 근거로 피고인의 감정적인 호소에 배심원의 판단이 흔들리는 것이 아니냐는 지적도 나오고 있다.(문제 2 - ⑤ 관련)」(「」: 국민 참여 재판에 제기되는 문제점) 하지만 국민 참여 재판은 주권을 가진 국민이 자신들의 권리를 보장하는 중요한 과정에 직접 참여할 수 있도록 한다는 점에서 의의가 매우 크다.(문제 3 관련) 국민이 배심원으로 참여함으로써 재판이 더 공정하고 투명하게 진행될 수 있다면, 재판을 받는 사람에게나 참여한 배심원에게나 모두 좋은 일일 것이다.
▶ 국민 참여 재판에 제기되는 문제점과 제도의 의의

해제 | 이 글은 국민 참여 재판이 무엇인지 설명하고, 국민 참여 재판에 제기되는 문제점이 몇 가지 있지만 국민이 재판 과정에 직접 참여함으로써 사법 공정성을 확보할 수 있다는 점에서 의의가 있음을 강조하고 있다.

주제 | 국민 참여 재판의 특징과 의의

1 우리나라의 국민 참여 재판과 다른 나라의 배심원 제도와의 차이점은 이 글에서 알 수 없다.

오답 풀이 ①은 4문단에서, ②는 2문단에서, ③, ④는 3문단에서 관련 내용을 찾을 수 있다.

2 3문단에서 판사는 배심원의 결정을 존중해야 하지만 이를 무조건 받아들여야 하는 것은 아니라고 하였다. 따라서 배심원의 결정이 재판의 판결과 언제나 일치하는 것은 아니다.

오답 풀이 ① 3문단에서 배심원은 만 20세 이상의 국민 중에 선정된다고 하였다.
③ 2문단에서 국민 참여 재판이 사법의 민주적 정당성과 신뢰를 높이는 데 목적이 있다고 하였다.
④ 2문단에서 국민 참여 재판은 흉악한 범죄일 때만 진행할 수 있으며 피고인이 이를 원해야 한다고 하였다. 따라서 피고인이 원하지 않으면 국민 참여 재판을 할 수 없음을 알 수 있다.
⑤ 4문단에서 피고인의 감정적인 호소에 배심원의 판단이 흔들릴 수 있다고 지적한 내용을 제시하였다.

3 4문단에서 국민 참여 재판은 주권을 가진 국민이 자신들의 권리를 보장하는 중요한 과정에 직접 참여할 수 있도록 한다는 점에서 의의가 매우 크다고 하였다.

어휘 확인하기

(1) "구체적인 소송 사건을 해결하기 위하여 법원 또는 법관이 공권적 판단을 내리는 일."이라는 뜻의 '재판'이 들어가는 것이 적절하다.

(2) 사건의 성격에 따라 재판의 종류가 나뉘므로 "형법의 적용을 받는 사건."이라는 뜻의 '형사'가 들어가는 것이 적절하다.

(3) "법원이 변론을 거쳐 소송 사건에 대하여 판단하고 결정하는 재판."이라는 뜻의 '판결'이 들어가는 것이 적절하다.

과학 05 종의 다양성은 왜 필요할까

본문 126~127쪽

1 ③ **2** 다양성, 적응 **3** ①

지문 이해 ① 다양성 ② 나사못 ③ 가치

어휘 확인하기 (1) 론 (2) 고 (3) 악용

1 생태계가 무너지지 않고 조화롭게 존속하려면 생물의 다양성(중심 화제)은 과연 얼마만큼 유지되어야 할까? 모든 생물이 꼭 있어야 할까? 쥐, 옥수수, 겨우살이, 조개, 목련 모두가 우리에게 똑같이 필요한 존재들일까? 이와 관련해서는 서로 어긋나는 이론이 몇 가지 있다.

▶ 생물의 다양성에 관한 화제 제시

2 먼저 '나사못 가설'(종의 다양성에 대한 이론 ①)에 따르면 이 세상의 모든 종은 크든 작든, 강하든 약하든 똑같이 중요하다. 비행기 기체를 연결하는 나사못 가운데 하나만 빠져도 치명적인 사고가 일어날 수 있듯이 생태계를 유지하는 데에는 모든 종이 필요하다는 것(나사못 가설의 내용)이다. 반면 '승객 가설'(종의 다양성에 대한 이론 ②) 이론에서는 생태계가 존속하기 위해선 핵심적인 종 몇 개만 있으면 된다(승객 가설의 내용)고 본다. 비행기에는 많은 승객들이 타지만 안전한 운항을 책임지는 사람들은 결국 조종사를 비롯한 승무원 몇 명뿐이기 때문이다. 이렇게 극단적으로 대립하는 두 이론 사이에 '중복 가설'(종의 다양성에 대한 이론 ③)이 있다. 『처음에는 종의 기하급수적인 증가가 생태계에 큰 이익을 가져다주었지만 어느 수준을 넘으면 기존의 종들과 중복되면서 더 이상의 효과가 없었다고 보는 가설이다.』(『 』: 중복 가설의 내용)

▶ 나사못 가설, 승객 가설, 중복 가설의 내용

3 세 가지 가설 중 '승객 가설'과 '중복 가설'은 생물이 생태계에 필요한지의 여부를 인간의 입장에서 판단하는 것이기 때문에 위험할 수 있다. 때로는 무분별한 동식물 거래를 정당화하는 데 악용될 가능성도 있다. 종의 존재 가치는 결코 유용성에 따라 평가되어서는 안 된다(종의 존재 가치를 유용성에 따라 평가하면 안 되는 이유). 생명은 하나하나 그 자체로 가치가 있다.

▶ 승객 가설과 중복 가설의 위험성 및 생명의 가치

4 하나의 종이 죽어 갈 때마다 '유전자 창고'가 함께 지구상에서 사라진다. 『종의 다양성이 사라지면 자연이 오랜 시간에 걸쳐 가르쳐 준 생존에 관한 갖가지 지식들도 사라질 것이다.』(『 』: 종의 다양성이 사라져서는 안 되는 이유) 예를 들어 열대 지방의 해변이나 습지에서 자라는 맹그로브 나무는 소금기가 강한 바닷물에서도 잘 자라도록 적응했는데, 이 능력을 유전적으로 해독해 낼 수만 있다면 세계적인 물 고갈 문제를 해결할 훌륭한 방법이 나올 것이다. 전문가들은 오늘날과 같은 생물 다양성의 감소 추세가 지속되면 자연 자체가 새로운 환경에 적응하는 능력을 서서히 잃고 동식물의 진화 능력도 떨어질 것이라 염려한다(문제 2 관련, 종의 다양성이 계속 감소할 때 나타날 수 있는 문제점). 다양성은 안정을 뜻하지만, 단일성은 위험을 높인다.

▶ 종의 다양성이 유지되어야 하는 이유

해제 | 이 글은 종의 다양성에 대한 다양한 이론을 제시한 후, 자연이 새로운 환경에 적응하는 능력을 유지하기 위해서는 종의 다양성이 필요함을 강조하고 있다.

주제 | 종의 다양성이 필요한 이유

출전 | 클라우스 퇴퍼·프리데리케 바우어 지음, 박종대·이수영 옮김, 《청소년을 위한 환경 교과서》

1 이 글의 글쓴이는 종의 다양성에 관한 이론인 '나사못 가설', '승객 가설', '중복 가설'의 내용을 설명한 후, 종의 다양성이 유지되어야 한다고 보는 자신의 의견을 밝히고 있다.

오답 풀이 ① 하나의 이론을 다양한 측면에서 설명한 것이 아니라 세 개의 다른 이론을 각각 제시하였다.
② 중심 이론을 명확하게 드러내지 않았으며 이론이 형성되는 과정을 보이지도 않았다.
④ '승객 가설'과 '중복 가설'의 문제점을 지적했을 뿐, 기존의 이론을 뒤집을 수 있는 새로운 사례를 들지는 않았다.
⑤ '종의 다양성'이라는 주제와 관련하여 여러 이론을 제시하고 '승객 가설'과 '중복 가설'의 위험성을 설명했지만, '나사못 가설'의 한계는 제시하지 않았다.

2 4문단에서 오늘날과 같은 생물 다양성의 감소 추세가 지속되면 자연 자체가 새로운 환경에 적응하는 능력을 서서히 잃고 동식물의 진화 능력도 떨어질 것이라고 하였다. 이를 바탕으로 하여 이 글의 중심 내용을 정리할 수 있다.

3 열대 우림의 대규모 벌목장은 목재를 생산하기 위해 숲을 파괴하므로, 환경친화적 목재 인증 표시와 관계없이 숲속 생물의 다양성과 생태계에 악영향을 미칠 것이다. 따라서 ①은 종의 다양성이 필요하다고 보는 글쓴이의 생각을 뒷받침하는 사례로 적절하지 않다.

오답 풀이 ②~⑤는 종의 다양성을 지키기 위한 국제 사회의 노력에 해당하므로, 글쓴이의 생각을 뒷받침할 수 있는 사례로 적절하다.

어휘 확인하기

(1) '이론'은 '그 학자의 이론을 비판하다.'와 같이 쓰인다.
(2) '고갈'은 '비가 안 와서 강물이 고갈되다.'와 같이 쓰인다.
(3) '악용되다'는 '정보가 악용되다.'와 같이 쓰인다.

과학 06 태양이 사라졌어

본문 128~129쪽

1 ① **2** ⑤ **3** ②

지문 이해 ① 일식 ④ 공전, 백도

어휘 확인하기 (1) 황도 (2) 일식

① 달은 지름이 태양의 약 1/400에 지나지 않지만 지구와의 거리가 훨씬 가깝기 때문에 지구에서 보면 그 크기가 태양과 거의 비슷하다.(문제 3 - ④ 관련) 그리고 지구가 태양 주위를 도는 궤도(황도)와 달이 지구 주위를 도는 궤도(백도)의 궤도면이 거의 일치해 때때로 달이 지구를 돌다가 태양을 가리는 일이 생기는데, 이것을 '일식'(중심 화제)이라고 한다.(문제 1 - ① 관련, 일식과 월식이 일어나는 원리) 또 달이 태양의 반대편으로 와서 지구의 그림자에 가려지는 경우도 있는데, 이것이 '월식'(중심 화제)이다.

▶ 일식과 월식의 정의

② 달이 태양을 완전히 가려 태양의 전부가 보이지 않는 현상을 '개기 일식'이라 하고, 달이 태양의 일부분만 가리는 현상을 '부분 일식'이라고 한다.(문제 3 - ① 관련) 「일식이 일어날 때 달이 지구 위에 드리우는 그림자 중에서 달이 태양 빛을 전부 가리는 본그림자에 해당하는 지역에서는 개기 일식이 관측되고, 태양 빛을 일부만 가리는 반그림자에 해당하는 지역에서는 부분 일식이 관측된다.」(「」: 개기 일식과 부분 일식이 일어나는 지역) 달은 지구보다 훨씬 작기 때문에 개기 일식이 일어나는 지역은 매우 한정되어 있다.(문제 2 - ③ / 문제 3 - ③ 관련) 또한 달이 궤도상 지구에서 멀리 떨어져 있을 때 일식이 일어나면 달이 태양을 완전히 가리지 못하고(문제 3 - ① 관련) 반지 모양을 남기는 '금환 일식'이 일어난다.(문제 2 - ⑤ 관련)

▶ 일식이 일어나는 이유와 일식의 종류

③ 월식은 지구가 태양과 달 사이에 위치해 지구의 그림자에 달이 가려지는 현상으로 보름달일 때만 일어난다. 지구상의 한정적인 위치에서만 볼 수 있는 일식과 달리, 월식은 지구의 밤인 지역에서는 어디서나 볼 수 있다.(문제 2 - ④ 관련) 지구 그림자 역시 태양 빛을 전부 가리는 본그림자와 태양 빛의 일부만 가리는 반그림자를 만드는데, 본그림자에 달이 들어가면 '개기 월식', 달의 일부만 본그림자에 들어가면 '부분 월식'이라고 한다.

▶ 월식이 일어나는 이유와 월식의 종류

④ 달의 공전 궤도면과 지구의 공전 궤도면은 약 5도 기울어져 있기 때문에 일식과 월식은 매달 일어나지는 않는다.(문제 3 - ⑤ 관련, 두 궤도가 기울어진 정도가 같았다면 지구, 태양, 달이 일직선상에 놓이는 일이 더 자주 일어났을 것임.) 일식은 1년에 2~3회 정도 일어나는 것이 보통이며 개기 일식은 대략 18개월에 한 번씩 일어난다. 월식도 1년에 2~3번 황도와 백도의 궤도면이 만날 때 일어난다. 기회가 있을 때 일식과 월식을 관측하며 우리에게 가장 친숙한 천체인 태양과 달이 주는 볼거리를 만끽하는 것도 즐거울 것이다.

▶ 지구와 달의 공전 궤도인 황도와 백도의 궤도면이 만날 때 일어나는 일식과 월식

해제 | 이 글은 일식과 월식이 무엇인지 밝히고, 일식과 월식이 일어나는 원리를 각각 나누어 설명하고 있다.

주제 | 일식과 월식의 원리

출전 | 한국천문연구원, 《별과 우주 이야기》

1 이 글은 일식과 월식의 개념을 밝히고 일식과 월식이 왜 일어나며 어떻게 관측되는지 그 원리를 설명하고 있다.

2 (가)는 달이 태양을 가리는 일식이 일어난 상황이다. 2문단에서 일식이 일어났을 때 달이 궤도상 지구에서 멀리 떨어져 있으면 금환 일식이 일어난다고 하였다. 따라서 ⑤는 적절하지 않다.

오답 풀이 ① (가)는 달이 지구를 돌다가 태양을 가린 상태이므로 일식에 해당한다.
② (나)는 지구 그림자에 달이 가려진 상태이므로 월식에 해당한다.
③ 2문단에서 달이 지구보다 훨씬 작아서 개기 일식이 일어나는 지역은 한정되어 있다고 하였다.
④ 3문단에서 월식은 지구의 밤인 지역 어디에서나 볼 수 있다고 하였다.

3 일식은 태양과 지구 사이에 달이 위치하여 태양을 가릴 때, 월식은 태양과 달 사이에 지구가 위치하여 달을 가릴 때 일어난다. 두 현상 모두 지구, 태양, 달이 일직선상에 놓일 때 일어난다.

오답 풀이 ① 일식이 일어날 때 반그림자에 해당하는 지역이나, 금환 일식이 관측되는 지역에서는 태양이 일부 보일 것이다.
③ 달이 지금보다 더 컸다면 일식이 일어날 때 달이 지구 위에 드리우는 그림자의 크기도 더 커졌을 것이다. 따라서 개기 일식을 관측할 수 있는 지역도 더 넓어졌을 것이다.
④ 1문단에서 확인할 수 있다.
⑤ 4문단에서 확인할 수 있다.

어휘 확인하기

(1) '백도'는 달이 지구 주위를 도는 궤도를 뜻한다.
(2) '월식'은 달이 지구의 그림자에 가려 일부나 전부가 가려지는 현상을 뜻한다.

어휘 더 쌓기 본문 130쪽

1 (1) 하위 (2) 수요 (3) 기하급수적 **2** (1) ③, ㉣ (2) ②, ㉡ (3) ④, ㉢ (4) ①, ㉠ **3** (1) 등락하였다 (2) 부여하셨다/부여해 주셨다 (3) 치부되었다 (4) 일컬었다 **4** ④

기술 07 아날로그와 디지털

본문 132~133쪽

1 ④ **2** ①

지문 이해 ① 아날로그 ② 개념/의미, 도구 ③ 연속성, 디지털

어휘 확인하기 (1) 유대 (2) 간접적

① "디지털 시대에 아날로그 감성을 추구한다.", "아날로그에 디지털을 더한다."와 같이 우리는 일상생활에서 '아날로그'와 '디지털'(중심 화제)이라는 말을 자주 사용한다. 그러나 아날로그와 디지털의 정확한 의미를 아는 사람들은 많지 않다. 흔히들 아날로그는 옛날 것, 단순한 것이라고 생각하고 디지털은 새로운 것, 기계화된 것이라고 생각하는 경우가 많은데(‘아날로그’, ‘디지털’의 개념에 대한 잘못된 생각) 이는 잘못된 생각이다. 그렇다면 아날로그는 무엇이고 디지털은 무엇이며, 그 둘의 차이는 어디에 있을까?(문제 1 – ④ 관련)

▶ 정확한 의미를 알지 못하고 쓰는 말, 아날로그와 디지털

② 아날로그와 디지털을 구분하는 기준은 표시 방식의 차이에 있다.(문제 2 – ① 관련, 아날로그와 디지털은 '표시 방식'에 관한 개념임.) 아날로그는 신호의 크기를 길이, 각도와 같은 연속되는 양으로 표현하는 방법(문제 2 – ④ 관련, 아날로그의 뜻)이며 보통 눈금을 활용한다. 아날로그를 대표하는 도구는 계산자이다. 계산자에는 숫자의 역할을 하는 여러 눈금이 매겨져 있는데,『'2×3'을 계산하기 위해 자를 움직여서 '2'를 나타내는 눈금과 '3'을 나타내는 눈금을 알맞게 위치시키면 결과를 가리키는 선이 '6'을 나타내는 눈금으로 가게 된다.』(『 』: 계산자의 계산 방식) 이때 우리는 실제 계산을 하는 것이 아니라 '눈금 읽기'를 하는 것이므로, 아날로그는 수를 간접적으로 다루는 방식이라 할 수 있다.(문제 2 – ② 관련, 아날로그의 특징)『디지털은 신호의 크기를 최소 단위를 통해 표시한다. 전체 크기를 최소 단위로 쪼갰을 때 같은 구간에 속하는 신호는 모두 동일하게 처리한다.』(『 』: 문제 2 – ③ 관련, 디지털의 뜻과 신호 처리 방식) 디지털을 대표하는 도구는 컴퓨터이다. '2×3'을 계산할 때 컴퓨터는 중앙 처리 장치에서 숫자 '2'와 '3'을 표시하고 그 둘을 직접 곱해서 '6'이라는 결과를 얻는다.(컴퓨터의 계산 방식) 그러므로 디지털은 수를 직접적으로 다루는 방식(디지털의 특징)이라 할 수 있다.

▶ 아날로그와 디지털의 정확한 개념과 대표적인 도구

③ 아날로그는 연속성이 나타나지만 디지털은 단속성이 나타난다.(문제 2 – ⑤ 관련) '1/3'이란 수를 생각해 보자. 계산자나 재래식 저울의 눈금 위에는 이 수를 가리키는 지점이 있다.(아날로그의 연속성) 그러나 컴퓨터는 '1/3'과 비슷한 수를 표시할 수 있을 뿐이다. '1/3'은 '0.333…'처럼 무한한 숫자로 나타내야 정확한 것이지만, 실제로는 표시 장치의 한계 때문에 어디선가 반드시 끊어야 하기 때문이다.(디지털의 단속성) 그래서 아날로그와 달리 디지털은 단속적이다. 이를 바탕으로 하여 "디지털 시대에 아날로그 감성을 추구한다."라는 말을 다시 보면, 단절을 극복하고 연결과 유대를 추구한다는 의미로 이해할 수도 있을 것이다.

▶ 아날로그의 연속성과 디지털의 단속성

해제 | 이 글은 우리가 아날로그와 디지털이라는 말을 많이 사용하지만 그 의미에 대해 잘못 알고 있는 경우가 많다고 하면서 아날로그와 디지털의 개념적 차이와 특성에 대해 설명하고 있다.

주제 | 아날로그와 디지털의 개념과 특성

1 이 글은 아날로그와 디지털에 대한 잘못된 생각을 지적한 후, 아날로그와 디지털의 개념과 특성을 설명하고 있다.

오답 풀이 ① 아날로그와 디지털의 개념을 정의의 방식으로 제시했지만 이를 정의한 학자에 대해 언급하지는 않았다.
② 아날로그와 디지털이 적용된 기술 각각의 장단점을 살펴보는 내용은 나타나지 않는다.
③ 아날로그와 디지털의 의미를 밝혔을 뿐, 용어가 탄생한 배경은 분석하지 않았다.
⑤ 아날로그와 디지털이 함께 활용되는 분야는 소개하지 않았다.

2 기계 부품으로 구성되어 있다고 해서 디지털 방식이라고 볼 수는 없다. 아날로그와 디지털은 표시 방식과 관련된 개념이기 때문이다.

오답 풀이 ② 눈금판과 눈금을 가리키는 바늘로 무게를 나타내는 것은 아날로그에 해당하며, 수를 간접적으로 다루는 방식이다.
③ 무게가 유한한 숫자로 표시된다면 디지털에 해당하며, 최소 단위로 쪼갰을 때 같은 구간의 신호는 모두 동일하게 처리된다. 예를 들어 표시되는 무게의 최소 단위가 킬로그램(kg)이라면, 1kg, 1.5kg, 1.99kg 모두 1kg까지만 표시된다. 최소 단위보다 작은 100g 단위의 무게는 재기 어려운 것이다.
④ 등고선 지도는 땅의 높이가 같은 지점을 끊어지지 않은 선으로 이어 나타낸 지도이다. 선과 선 사이에도 연속되는 양으로 높이가 표시되어 있으므로 아날로그에 해당한다.
⑤ 높이를 숫자로 표시하는 것은 연속되는 양을 단속적으로 나타내는 디지털 방식이다.

어휘 확인하기

(1) "끈과 띠라는 뜻으로, 둘 이상을 서로 연결하거나 결합하게 하는 것. 또는 그런 관계."라는 뜻의 '유대'가 들어가는 것이 적절하다.
(2) "중간에 매개가 되는 사람이나 사물 따위를 통하여 연결되는 것."이라는 뜻의 '간접적'이 들어가는 것이 적절하다.

기술 08 스마트 콘크리트

본문 134~135쪽

1 ④ **2** ⑤ **3** 매해 도로나 다리 등 사회 기반 시설을 보수하는 데 들어가는 엄청난 비용이 눈에 띄게 감소할 것이다.

지문 이해 ① 콘크리트 ② 장점/특징 ③ 균열

어휘 확인하기 (1) ③ (2) ① (3) ②

① 「고대 로마 시대에 생석회와 화산재를 섞어 만들었던 콘크리트(중심 화제)는 이후 산업 혁명기를 거치면서 성능이 급격히 향상되었고, 초고층 건물과 교량, 고속 도로 등 오늘날의 건축에서 빼놓을 수 없는 요소로 자리 잡았다.」(「」: 콘크리트의 발전 과정) 도시를 흔히 '콘크리트 숲'이라고 표현할 만큼 콘크리트가 많이 쓰이는 것은 내구성이 뛰어나고 성형이 쉬우며, 유지 보수를 자주 하지 않아도 된다(콘크리트의 장점, 도시에서 콘크리트가 많이 쓰이는 이유)는 장점이 있기 때문이다. 하지만 한편으로는 인장 강도가 약하고 균열이 생기기 쉽다(콘크리트의 단점)는 단점도 있어 과학자들은 이를 극복할 방안을 마련하기 위해 노력하고 있다.

▶ 오늘날의 건축에서 주역을 맡고 있는 콘크리트

② 이와 관련하여 미국 미시간 대학 토목환경공학과의 빅터 리 박사가 이끄는 연구팀에서는 최근 균열이 생겨도 그 균열이 저절로 사라지는 놀라운 콘크리트를 개발했다(문제 2 - ② 관련, 기존 콘크리트의 단점을 보완하기 위해 새로운 콘크리트를 개발함.). 일반적으로 콘크리트가 부서지는 이유는 균열의 크기가 너무 크기 때문인데, 「새로 개발된 콘크리트는 균열이 생길 때 큰 균열 대신 여러 개의 작은 균열이 생기며 시간이 흐른 후에는 자연스럽게 메워진다고 한다. 또한 일반 콘크리트가 0.01퍼센트의 인장 변형에도 깨지는 것과 달리 이 콘크리트는 그 300배인 3퍼센트의 변형에서도 견뎠다(문제 2 - ④ 관련).」(「」: 스마트 콘크리트의 장점) 이것은 100미터 길이의 콘크리트가 무게나 환경 변화 등으로 3미터나 늘어나게 되더라도 끄떡없이 유지된다는 뜻이다.

▶ 새롭게 개발된 콘크리트의 장점(특징)

③ 연구팀은 휨에 잘 견디는 「콘크리트를 만드는 과정에서 특수 고분자 섬유를 넣어 균열의 크기가 60마이크로미터 이상으로 커지는 것을 막았다. 여기에 그동안 개발해 온 시멘트 복합 재료를 혼합했는데,」(「」: 문제 2 - ①, ③ 관련) 콘크리트에 미세한 균열이 생기면 표면에 드러난 시멘트가 물, 이산화 탄소와 반응해 탄산 칼슘 막을 형성함으로써 균열을 메워 준다(문제 2 - ⑤ 관련, 스마트 콘크리트의 균열이 사라지는 원리). 이렇게 저절로 균열이 복구되는 콘크리트는 스스로를 고친다는 의미의 자기 치유 콘크리트, 또는 ㉠스마트 콘크리트라고 불리고 있다.

▶ 콘크리트의 균열이 저절로 사라지는 원리

④ 스마트 콘크리트가 널리 사용되면 매해 도로나 다리 등 사회 기반 시설을 보수하는 데 들어가는 엄청난 비용이 눈에 띄게 감소할 것이다(문제 3 관련). 또한 기존의 철근 콘크리트는 균열 때문에 철근이 공기 중에 노출되면 수분과 소금기에 의해 녹이 슬면서 전체 콘크리트 구조가 훼손되는 문제가 있었는데, 스마트 콘크리트를 통해 이를 해결할 수 있을 것으로 기대된다.

▶ 스마트 콘크리트의 전망

해제 | 이 글은 기존 콘크리트의 단점을 보완해 새로 개발한 스마트 콘크리트에 대해 소개하고 있다.

주제 | 기존 콘크리트의 단점을 보완한 스마트 콘크리트

1 이 글은 인장 강도가 약하고 균열이 생기기 쉬운 기존 콘크리트를 보완하기 위해 새롭게 개발한 '스마트 콘크리트'에 대해 설명하고 있다. 스마트 콘크리트의 장점과 균열이 사라지는 원리, 앞으로의 전망 등을 다루고 있으므로 글 전체의 내용을 포함할 수 있는 제목으로는 ④가 가장 적절하다.

2 3문단에서 스마트 콘크리트에 미세한 균열이 생기면 표면에 드러난 시멘트가 물, 이산화 탄소와 반응해 탄산 칼슘 막을 형성함으로써 균열을 메워 준다고 하였다. 균열된 부분에 탄산 칼슘을 넣어 균열을 없애는 것이 아니다.

오답 풀이 ① 3문단에서 스마트 콘크리트는 균열의 크기가 60마이크로미터 이상으로 커지지 않는다고 하였다.
② 2문단에서 미국의 빅터 리 박사가 이끄는 연구팀에서 균열이 생기기 쉬운 기존 콘크리트의 단점을 보완하여 균열이 생겨도 그 균열이 저절로 사라지는 콘크리트를 개발했다고 하였다.
③ 3문단에서 특수 고분자 섬유에 시멘트 복합 재료를 혼합하여 스마트 콘크리트를 만든다고 하였다.
④ 2문단에서 일반 콘크리트가 0.01퍼센트의 인장 변형에도 깨지는 것과 달리 스마트 콘크리트는 그 300배인 3퍼센트의 인장 변형에도 견딘다고 하였다.

3 4문단에서 스마트 콘크리트가 널리 사용되면 매해 도로나 다리 등 사회 기반 시설을 보수하는 데 들어가는 엄청난 비용이 감소할 것이라고 하였다. 이는 스마트 콘크리트의 경제적 효과라고 볼 수 있다.

어휘 확인하기

(1) '사라지다'는 '달이 구름 속으로 사라졌다.'와 같이 쓰인다.
(2) '극복하다'는 '한계를 극복하다.', '고난을 극복하다.'와 같이 쓰인다.
(3) '노출되다'는 '방사능에 노출되다.'와 같이 쓰인다.

예술 09 오선보와 정간보

본문 136~137쪽

1 ③ **2** ① **3** 음의 흐름, 음정

지문 이해 ① 기보법 ② 서양 ③ 정간보 ④ 음악

어휘 확인하기 (1) ○ (2) ○ (3) ×

① 음악은 박자나 가락 혹은 음성 등을 갖가지 형식으로 조화하고 결합하여 인간의 사상이나 감정을 나타내는 예술이다. 그러나 소리로 이루어져 있어 한번 듣고 나면 즉시 사라지며, 멀리 떨어진 곳에는 미치지 못한다는 제약이 있다. 사람들은 이런 음악을 오래도록 기억하고 전달하기 위해 음의 높이나 길이, 강약, 연주하는 방법 등을 일정한 규칙에 맞게 기록했다. 이때 음악을 기록한 방법을 기보법이라 하며, 기보법에 따라 음악을 기록한 것이 바로 악보이다. 「기보법은 점차 복잡하고 다양해지는 음악을 더욱 정확하고 세밀하게 기록하려는 노력과 함께 발전을 거듭해 왔는데,」 지금의 우리는 그중 오선보와 정간보를 가장 많이 사용하고 있다.

(음악의 정의 / 문제 1 – ① 관련 / 문제 1 – ② 관련 / 화제 / 「 」: 음악을 정확하게 기록하기 위해 발전한 기보법 / 중심 화제)

▶ 음악을 기록하려는 과정에서 발전해 온 기보법

② 오선보는 서양 음악에서 발달한 기보법이다. 서양에서 음악을 기록하고자 했던 시도는 음의 높고 낮음을 문자나 기호로 표시했던 고대 그리스에서 출발한다. 이후 「중세 유럽에서는 '네우마'라는 선 모양의 기호를 사용했는데, 높낮이뿐만 아니라 음색과 음의 흐름 등 소리의 다양한 특징을 표시할 수 있었다.」 여기에 가로로 긋는 선이 더해지면서 정확한 음정을 기록할 수 있게 되었고, 15~16세기 무렵에는 오늘날 일반적으로 쓰이는 오선보 체계가 확립되었다.

(문제 1 – ③ 관련, 서양 기보법의 기원 / 「 」: 문제 2 – ④ 관련, 네우마의 특징 / 문제 3 관련, 오선보의 발전 과정)

▶ 서양 음악의 기보법이 발전한 과정

③ 정간보는 조선 시대 때 세종이 기존에 쓰고 있던 기보법의 한계를 극복하기 위해 창안한 악보로, 동양 최초의 유량악보이다. 우물 정(井)자 모양의 네모난 칸인 '정간'을 세로로 이어서 정간 속에는 음높이를 알 수 있는 율명의 첫 글자를 넣고, 정간의 개수로는 음의 길이를 나타냈다. 궁중의 음악과 지배층의 풍류 음악들은 정간보를 사용하여 기록되었지만, 근대 이후에 기록된 민속악이나 현대의 창작 국악곡에는 오선보와 정간보가 자유롭게 쓰이는 편이다.

(문제 1 – ④ 관련, 동양 최초의 유량악보인 정간보의 창안 / 문제 2 – ① 관련, 정간보의 기보 방식 / 문제 2 – ③ 관련)

▶ 우리 음악의 기보법을 대표하는 정간보

④ 오선보와 정간보는 대상이 되는 음악의 특징이 서로 다른 만큼 기보하는 방식도 다르다. 두 개 이상의 음을 동시에 울리는 수직적 화성이 서양 음악의 특징적인 요소라면, 우리 음악에서는 소리의 길고 짧음의 변화와 시김새가 특징적이다. 따라서 오선보에서는 음의 높이가, 정간보에서는 음의 길이가 한눈에 인식하기 쉽게 나타난다. 이처럼 기보법은 음악의 특성에 따라 가장 적절한 방식을 택하는 방향으로 발전했다. 그런 점에서 볼 때, 우리 음악에 꼭 맞는 악보인 정간보는 그 존재 자체만으로도 국악의 수준과 가치를 높여 주는 것이라 할 수 있다.

(문제 2 – ⑤ 관련, 서양 음악과 우리 음악의 특징적 요소 / 문제 2 – ② 관련, 오선보와 정간보의 특징 / 문제 1 – ⑤ 관련, 정간보의 가치)

▶ 기록하려는 음악의 특징에 따라 달라지는 기보법

해제 | 이 글은 음악을 기록하는 방법인 기보법에 대해 언급한 후, 서양 음악의 악보인 오선보와 우리 음악의 악보인 정간보의 기원과 특징을 설명하고 있다.

주제 | 기록의 대상이 되는 음악의 특성을 반영한 오선보와 정간보

1 2문단에서 서양 기보법의 기원이 음의 높고 낮음을 문자나 기호로 표시했던 고대 그리스에서 출발했다고 하였다. '네우마'는 중세 유럽에서 선 모양의 기호로 소리의 다양한 특징을 표현한 기보법이다.

오답 풀이 ① 1문단에서 음악은 소리로 이루어져 있어 한번 듣고 나면 사라진다고 하였다.
② 1문단에서 음의 높이나 길이, 강약 등을 기록한 것을 기보법이라고 하며 이에 따라 기록한 것이 악보라고 하였다.
④ 3문단에서 정간보는 세종이 기존 기보법의 한계를 극복하기 위해 창안했다고 하였다.
⑤ 4문단에서 우리 음악에 꼭 맞는 정간보는 국악의 수준과 가치를 높여 준다고 하였다.

2 〈보기〉의 (가)는 정간보, (나)는 오선보이다. 정간보는 정간의 개수로 음의 길이를 나타내고, 음높이를 알 수 있는 율명의 첫 글자를 넣은 악보이다.

오답 풀이 ② 4문단에서 정간보에는 음의 길이가 한눈에 파악하기 쉽게 나타난다고 하였다. 음높이에 중점을 둔 악보는 오선보이다.
③ 3문단에서 궁중 음악이나 풍류 음악에는 정간보를 사용한다고 하였다.
④ (나)는 오선보이며, 음의 높낮이 외에 음의 흐름과 같은 소리의 다른 특징도 나타난다. 또한 '선 모양의 기호'는 '네우마'에 해당한다.
⑤ 4문단에서 시김새를 표현하기에 적합한 기보법은 정간보이며, 오선보는 수직적 화성을 표현하는 데 적합하다고 하였다.

3 2문단에 서양 음악 기보법의 발달 과정이 제시되어 있다. 고대 그리스에서는 음의 높고 낮음만을 표시했지만, 중세에는 음색, 음의 흐름 등도 표시할 수 있었다. 이후 가로로 긋는 선이 더해지면서 정확한 음정을 기록하게 되었다.

어휘 확인하기

(1) '세밀하게 검토하다.'와 같이 쓰인다.
(2) '개발에 제약을 가하다.'와 같이 쓰인다.
(3) '거듭하다'는 "어떤 일을 자꾸 되풀이하다."라는 뜻으로, '고민을 거듭하다.'와 같이 쓰인다.

예술 10 쓰레기를 재활용하면 예술이 된다

본문 138~139쪽

1 ⑤ **2** ④ **3** 인간의, 탄생시켰다

지문 이해 ① 정크 아트 ② 영향 ③ 컴바인 페인팅, 집적

어휘 확인하기 (1) 두되다 (2) 기념, 적

① 과학 기술과 문명의 발달은 인간 사회에 풍요로움을 가져다주었지만 동시에 넘쳐 나는 산업 폐기물을 낳기도 했다. 인간의 무분별한 낭비와 환경 문제의 심각성이 대두되던 시기, (정크 아트가 탄생한 사회적 배경 / 문제 3 관련) 예술가들은 버려진 물건으로 현대 문명에 대한 비판과 고찰을 담은 작품을 만들기 시작했고 (정크 아트에 담긴 메시지) 이는 '정크 아트'(중심 화제)라는 새로운 미술을 탄생시켰다. 쓸모없는 물건, 쓰레기를 의미하는 '정크'라는 단어에서 알 수 있듯이 정크 아트는 생활 속 잡동사니나 망가진 기계 부품 따위를 이용하여 만드는 미술을 의미한다. (문제 1 – ① 관련, 정크 아트의 개념) 버려진 물건뿐만 아니라 돌, 나무 조각, 뼈, 조개껍질 등도 정크 아트의 재료가 될 수 있다. (문제 1 – ③ / 문제 2 – ① 관련, 정크 아트의 재료) 1960년 뉴욕의 마사 잭슨 화랑에서 주관한 〈새로운 형태, 새로운 미디어〉는 정크 아트를 다룬 기념비적 전시회로 평가받는다.

▶ 정크 아트의 개념과 탄생 배경

② 재료뿐만 아니라 작업 방식에 있어서도 정크 아트는 획기적인 방법을 추구했다. 기존의 작품들이 캔버스 위에 2차원적으로 그림을 그린 것인 반면, (기존 작품의 표현 방식) 정크 아트에서는 3차원의 입체적인 표현 방식이 나타난다. (정크 아트의 표현 방식) 『이는 20세기 초 피카소, 브라크와 같은 입체파 작가들의 콜라주 작품이나 전통적 가치를 거부한 미래파 작가들의 작품에서 영향을 받은 것으로 보인다.』(「 」: 문제 1 – ④ 관련 / 문제 2 – ④ 관련) 피카소와 브라크는 신문지나 악보 등의 인쇄물을 캔버스에 부착하여 작품을 만들었으며, (정크 아트에 영향을 준 콜라주 작품의 표현 방식) 비슷한 시기 미래파를 이끌었던 보치오니는 〈미래주의 조각 기법 선언〉에서 조각품에 조형적 감성을 더하기 위해서라면 유리, 나무 조각, 거울 등 무엇이든 자유롭게 사용할 수 있다는 주장을 폈다. (정크 아트의 다양한 재료와 연관됨.)

▶ 정크 아트에 영향을 준 미술가들

③ 정크 아트의 표현 기법 중에는 '컴바인 페인팅'과 '집적'이 있다. (문제 1 – ② 관련) 콜라주의 확대된 개념인 컴바인 페인팅은 평면에 3차원의 입체를 결합해 표현하는 창작 양식으로 (콜라주 작품과 관련이 있는 컴바인 페인팅의 개념) 로버트 라우센버그가 발전시켰다. 그는 평소 자신이 쓰던 침대보를 캔버스로 삼고 베개와 이불을 붙인 후 (문제 2 – ② 관련, 3차원의 입체를 결합하여 표현함.) 그 위에 물감을 거칠게 뿌리는 등 무분별함과 우연성이 극대화된 기법을 사용해 〈침대〉라는 작품을 발표했다. 한편 집적은 같은 소재를 나열하여 쌓는 창작 양식을 말하며, (집적의 개념) 조각가 루이즈 네벨슨의 〈새벽의 혼인–교회 IV〉에서 볼 수 있다. 그는 계단 장식용 나무 조각과 가구의 파편 등을 넣은 상자를 쌓아 올리고 단색으로 칠하여 복잡하면서도 조화로운 작품을 창작했는데, (문제 2 – ⑤ 관련) 도시의 폐품이 집적된 모습은 감상자에게 오래 전에 사라진 문명의 흔적을 보는 듯한 느낌을 준다.

▶ 정크 아트의 표현 기법인 컴바인 페인팅과 집적

해제 | 이 글은 정크 아트가 탄생한 배경과 정크 아트의 개념, 구체적인 표현 기법을 실제 작품을 사례로 들어 설명하고 있다.

주제 | 정크 아트의 개념과 특성

1 정크 아트 예술가들이 비판한 대상은 글에 나타나지만, 정크 아트에 대한 비판적 인식은 글에서 찾을 수 없다.

오답 풀이 ① 1문단에서 정크 아트는 생활 속 잡동사니나 망가진 기계 부품 따위를 이용하여 만드는 미술이라고 하였다.
② 3문단에서 정크 아트의 구체적인 표현 기법 중 컴바인 페인팅과 집적을 소개하고 있다.
③ 1문단에서 버려진 물건, 돌, 나무 조각 등이 정크 아트의 재료가 된다고 제시하였다.
④ 2문단에서 정크 아트에 영향을 미친 입체파 작가들과 미래파 작가들을 언급하고 있다.

2 2문단에서 정크 아트는 전통적 가치를 거부한 미래파 작가들의 작품에서 영향을 받은 것으로 보인다고 하였다. 따라서 작품에 전통적 가치를 중시하는 태도가 담겨 있다고 보는 것은 적절하지 않다.

오답 풀이 ① 3문단에 따르면 (가)에는 '컴바인 페인팅' 기법이, (나)에는 '집적' 기법이 쓰였으며 둘 다 잡동사니로 만든 정크 아트 작품에 해당한다.
② 2, 3문단을 통해 (가)에는 평면에 3차원의 물건을 붙이는 입체적인 표현 방식이 나타난다는 것을 알 수 있다.
③ 2문단을 통해 (가)와 같은 입체적인 표현 방식의 정크 아트 작품은 입체파 작가들의 콜라주 작품과 관련이 있음을 알 수 있다.
⑤ (나)는 장식용 나무 조각과 가구의 파편 등을 모아 만들었다는 점에서 자유로운 재료 사용이 나타나므로, 2문단에 제시된 조각품에 관한 보치오니의 주장에 부합한다.

3 1문단에서 현대 사회의 환경 문제가 심각해지자, 예술가들이 버려진 물건으로 현대 문명에 대한 비판과 고찰을 담은 작품을 만들면서 정크 아트 미술이 탄생했다고 하였다.

어휘 확인하기

(1) '스마트폰 중독이 사회 문제로 대두되다.'와 같이 쓰인다.
(2) '그 소설은 당대의 현실이 잘 반영된 기념비적인 작품이다.'와 같이 쓰인다.

통합 11 기술이 경쟁력? 본문 140~141쪽

1 ① 2 ② 3 ⑤

① 셰일 오일은 오랜 세월 모래와 진흙이 쌓여 단단하게 굳으면서 형성된 지층인 셰일층에 스며들어 있는 화석 연료이다. (중심 화제) 미 대륙과 중앙아시아, 아프리카 등 세계 곳곳에 상당량의 셰일 오일이 매장된 것으로 알려졌지만 적절한 채굴 기술이 없어 오랫동안 활용되지 못했다.「기존의 석유 채굴 방식은 시추 장비를 원유가 모여 있는 곳에 수직으로 넣은 후 높은 압력으로 뽑아 올리는 것이지만, 이 방법으로는 단단한 암반층에 갇힌 셰일 오일을 추출할 수 없었기 때문이다.」(「」: 셰일 오일 추출의 어려움) 그러다「2000년대에 들어 석유 가격이 폭등하면서 석유 생산에 대한 관심이 커졌고, 미국의 석유 업계가 채굴 기술을 개발하는 데 성공하면서 셰일 오일은 다시금 주목받게 되었다.」(「」: 셰일 오일이 다시 주목받게 된 이유)

▶ 채굴 기술의 개발로 주목받게 된 셰일 오일

② 셰일층 속의 연료를 추출하는 기술은 프래킹(fracking) 또는 수압 파쇄법이라 불리는데, 그 과정은 다음과 같다.「우선 시추관을 셰일층까지 다다르게 한 후 수평 방향으로 위치시킨다. (문제 3 - ① 관련) 그런 다음 시추관을 통해 모래와 물, 화학 물질 등을 섞은 혼합물을 초고압으로 분사하여 셰일층에 균열을 만든다. (문제 3 - ② 관련) 그러면 균열이 일어난 사이로 모래가 침투해 균열이 유지되는데, (문제 3 - ③ 관련) 이때 시추관의 압력을 낮춰 주면 셰일 오일이 균열을 통해 빠져 나와 시추관을 타고 지상으로 올라오게 된다.」(「」: 수압 파쇄법의 과정) (문제 3 - ④, ⑤ 관련)

▶ 수압 파쇄법을 이용한 셰일 오일 추출 방법과 과정

③ 수압 파쇄법을 통한 원유 추출이 가능해지자 미국의 여러 지역에서는 셰일 자원을 찾아 사람들이 몰려드는 이른바 '셰일 러시'가 일어났다. 또한 셰일 오일에 대한 투자도 늘면서 미국의 석유 생산량은 급증하게 되었다. 2005년에는 700만 배럴이었던 미국의 일일 석유 생산량은 2013년에 1,000만 배럴, 2014년에는 사우디아라비아와 비슷한 1,100만 배럴에 다가섰고, 공급이 늘어나자 국제 유가는 점점 하락했다. (문제 1 - ① 관련, 공급이 늘면 가격이 떨어짐.) 이때 기존의 산유국들은 큰 피해를 보게 되었지만 석유 공급을 줄여서 석유 가격을 유지하는 유가 방어 정책을 사용하지 않았다. 왜냐하면「유가가 계속 떨어져서 유가 대비 셰일 오일 추출 비용이 커지게 되면 미국도 결국은 석유 생산을 줄일 것이므로, 수요와 공급의 법칙에 따라 (㉠   ) 예상했기 때문이다.」(「」: 산유국들이 예측한 내용) (문제 1 - ① 관련, 공급이 줄고 가격이 다시 오를 것으로 예상함.)

▶ 유가 하락에도 유가 방어 정책을 사용하지 않은 기존의 산유국들

④ 그러나 결과적으로 미국의 석유 생산량은 줄어들지 않았다. (산유국들의 예측이 어긋남.) 그 이유는 무엇일까? 그동안 원유 추출 기술이 더욱 발전하여 더 적은 비용으로 더 많은 셰일 오일을 뽑아 올릴 수 있게 되었기 때문이다. (문제 2 - ② 관련, 산유국들의 예측이 어긋난 이유) ㉡유가 방어 정책에 소극적이었던 산유국들의 예측이 맞아 떨어지지 않은 것이다. ▶ 기술 발전 덕에 더 적은 비용으로 석유를 생산할 수 있게 된 미국

해제 | 이 글은 셰일 오일의 개념과 채굴 기술을 설명한 후 미국의 셰일 오일이 국제 석유 시장에 미친 영향을 시장 경제의 원리와 연관 지어 이야기하고 있다.

주제 | 셰일 오일 채굴 기술의 발전과 국제 석유 시장의 변화

지문 이해

① 채굴 기술의 개발로 주목받게 된 셰일 오일 ··· ② 수압 파쇄법을 이용한 셰일 오일 추출 방법과 과정 ··· ③ 유가 하락에도 유가 방어 정책을 사용하지 않은 기존의 산유국들 ··· ④ 기술 발전 덕에 더 적은 비용으로 석유를 생산할 수 있게 된 미국

1 3문단에서 석유의 공급이 늘어나자 석유의 가격인 국제 유가는 점점 하락했다고 하였다. 공급이 늘면 가격이 떨어지는 것이다. 이때 기존의 산유국들이 미국이 석유 생산을 줄일 것으로 본 것은, 공급이 줄어들 것으로 예측했음을 뜻한다. 따라서 가격이 다시 오를 것이라 예상했다고 보는 것이 적절하다.

2 산유국들은 석유 가격이 계속 떨어지면 가격 대비 셰일 오일 추출 비용이 커져서 미국이 석유 생산을 줄일 것이라고 예측했다. 그러나 미국은 더 적은 비용으로 더 많은 석유를 추출하는 기술을 발전시켰고 석유 생산량은 줄지 않았다.

오답 풀이 ① 산유국이 많아진 것은 아니다.
③ 산유국들은 수요와 공급에 따라 가격이 결정되는 시장 경제의 원리만을 생각했을 뿐 기술 개발이라는 요인을 고려하지 못한 것이다.
④ 국제 유가가 세계 경제에 미치는 영향이 줄어들었다는 내용은 찾을 수 없다.
⑤ 산유국들은 경제 법칙에 따라 판단했지만, 비용을 크게 낮추는 셰일 오일 추출 기술의 개발은 예측하지 못했다.

3 ⓐ는 시추관, ⓑ는 균열, ⓒ는 셰일층이다. 시추관(ⓐ)의 압력을 낮춰 주면 셰일 오일이 균열을 통해 빠져 나와 시추관을 타고 지상으로 올라오게 된다고 하였다.

오답 풀이 ① 시추관을 셰일층까지 다다르게 한 후 수평 방향으로 위치시킨다.
② 시추관을 통해 모래, 물, 화학 물질 등을 섞은 혼합물을 초고압으로 분사하여 균열을 만든다.
③ 시추관에서 분사된 모래는 균열이 일어난 사이로 침투해 균열을 유지한다.
④ 셰일층에 매장된 셰일 오일이 균열을 통해 빠져 나온다.

어휘 더 쌓기 본문 142쪽

1 (1) ② (2) ③ (3) ① (4) ④ **2** ② **3** (1) 극복해야 (2) 유대 (3) 방안 (4) 추구하는 **4** (1) 직접적 (2) 균열 (3) 훼손

memo

memo

memo

비문학

독해 DNA

깨우기

정답과 해설

이 책을 검토해 주신 분들

학부모 검토단

강수정(서울) 김유정(경남) 박혜진(경기) 오중환(서울) 이은정(인천) 정희정(대구)
권신자(경기) 김은재(경기) 백송희(인천) 유정은(서울) 이진희(경기) 조은경(광주)
김경미(경기) 김지현(경기) 백재은(서울) 유지선(인천) 이진희(부산) 조은영(서울)
김미경(부산) 김현정(서울) 선정훈(인천) 윤영아(전남) 임미희(서울) 조현진(서울)
김미성(서울) 김혜경(서울) 손영미(경북) 이경미(서울) 임민숙(서울) 주현욱(경기)
김미정(서울) 김혜순(경기) 손영선(서울) 이민우(전북) 전선하(경기) 진선미(서울)
김병규(경기) 김혜진(대구) 송록희(서울) 이에스더(서울) 전혜정(경기) 최동옥(서울)
김성희(부산) 박세희(인천) 신현정(경기) 이연재(경기) 정경화(서울) 최은정(경기)
김성희(광주) 박주나(전북) 심미선(경기) 이윤정(대전) 정미영(경북) 황서영(서울)
김유아(서울) 박현정(경기) 양영화(충북) 이은봉(경기) 정진욱(서울) 황현숙(서울)

교강사 검토단

강 미(서울) 김정욱(경기) 박정미(전북) 윤인영(서울) 이종민(울산) 정수진(경북)
강상훈(서울) 김증민(세종) 백승미(경기) 이경주(대전) 이주희(경북) 정승훈(서울)
강은숙(서울) 김혜정(부산) 백승재(경남) 이기연(강원) 이진영(경기) 제갈민(대구)
구준호(서울) 김 흝(경기) 봉정훈(경기) 이도실(전남) 이한준(서울) 조은영(경기)
김광철(광주) 김희연(경기) 성은주(서울) 이병준(경기) 이현지(경기) 진순희(서울)
김나래(서울) 문민호(서울) 신영은(경기) 이성훈(경기) 이희용(경기) 차성만(서울)
김다혜(서울) 박경원(강원) 오성민(서울) 이송훈(경기) 임반석(경기) 한지담(경남)
김명호(부산) 박노덕(대구) 오승영(충북) 이시진(서울) 임채원(서울) 허승우(충남)
김문기(경기) 박상준(부산) 오지희(제주) 이영완(서울) 임현락(경기) 홍성훈(부산)
김민성(경기) 박수정(서울) 오현경(서울) 이영지(경기) 장정아(서울) 홍승억(경기)
김병수(울산) 박수진(경남) 유정희(부산) 이유림(울산) 전정배(부산) 황재준(인천)
김윤정(경기) 박윤선(광주) 윤미정(서울) 이정민(서울) 정경은(경기)

기획·편집 김덕유, 김선주, 김새봄, 박소연, 우영은, 배은수, 명세진, 송보미
표지 디자인 김희정, 김지현 **내지 디자인** 박희춘, 이은정, 이혜진 **조판** 대진문화(구민범, 강성희)

독해 시대!
독해 DNA를 깨우자!

1 독해가 왜 중요한가?

그야말로 '독해 전성시대'입니다. 여기저기에서 독해가 중요하다고 합니다. 대학수학능력 시험(수능)에서 상위권의 등급을 가르는 변수가 바로 국어 독해이기 때문이기도 하고, 독해력이 모든 교과 학습의 기초가 된다는 생각이 널리 퍼져 있기 때문이기도 하지요. 따라서 교과서를 읽어도 무슨 내용인지 이해가 가지 않는 학생이라면, 또는 시험에서 문제가 무엇을 묻는 것인지 이해가 되지 않는다면 무엇보다 먼저 독해력을 길러야 합니다.

2 독해력을 기르려면 어떻게 해야 할까?

당연히 독해를 잘하는 사람이 날 때부터 정해져 있지는 않습니다. 무턱대고 책만 많이 읽는다고 누구나 독해 고수가 되지는 않아요. 제대로 된 독해 방법을 익혀야 독해 고수가 될 수 있답니다. 중요한 것은 어떤 방법으로 독해력을 기르는 것이 가장 효과적인가 하는 것입니다.

3 현명한 선택 〈비문학 독해 DNA 깨우기〉

〈비문학 독해 DNA 깨우기〉 시리즈는 독해에 필요한 '글 분석 능력', '배경지식', '어휘력'을 효과적으로 기를 수 있도록 설계하였습니다. 풍부한 예시를 들어 독해의 원리와 기술 및 기출 유형을 친절하게 설명하였으며, '독해 실전'을 두어 반복적이고 단계적으로 '글 분석 능력'을 기를 수 있게 하였습니다. 특히 '독해 실전'에서는 국어뿐만 아니라 수학, 사회, 과학, 역사, 기술·가정 등 중학교 과정의 전 교과와 관련된 제재를 선정·수록하였기 때문에, 자연스럽게 학습 단계에 맞는 '배경지식'을 기를 수 있을 거예요. 또한 각 권마다 부록으로 〈미니 어휘집〉을 마련하여 '어휘력'도 꼼꼼하게 챙기도록 했지요.

자, 그럼 여러분! 이 책과 함께 우리 안의 독해 DNA를 깨우러 출발해 볼까요?